HET VUUR

Opgedragen aan Jonathan Edwards, George Whitefield en alle predikers, in verleden en heden, die van de kansel oproepen tot een opwekking.

JACK CAVANAUGH
& BILL BRIGHT

HET VUUR

ROMAN

Vertaald door Gerrit Veldman

 Voorhoeve

BIBLIOTHEEK
HEERENVEEN

© Uitgeverij Voorhoeve – Kampen, 2007
Postbus 5018, 8260 GA Kampen
www.kok.nl

Oorspronkelijk verschenen onder de titel *Fire* bij Howard Publishing Co., Inc.
3117 North 7th Street, West Monroe, Louisiana 71291-2227, USA
© Bright Media Foundation en Jack Cavanaugh, 2005

Vertaling Gerrit Veldman
Omslagontwerp Douglas Design
Omslagillustratie Design Pics
ISBN 978 90 297 1829 5
NUR 302

1

'Dit is een vergissing.'

Vanaf de top van Fiedler's Knob keek Josiah Rush voor het eerst in zeven jaar uit over zijn thuis. Zijn hoge granieten zitplaats verschafte hem een verreikend uitzicht over het kuststadje Havenhill.

In de haven beneden schurkten een paar koopvaarders tegen elkaar aan. Het kleinere vaartuig leek ontdaan van alle activiteit, de masten en ra's waren zo kaal als bomen midden in de winter. Het grotere schip ernaast, een snauw, geschikt voor kustvaart en korte handelsmissies, had blijkbaar kort geleden het anker laten vallen. Kleurloze zeelui kropen snel door het want en haalden onbevreesd de reusachtige stukken zeildoek in. Een roeiboot zocht schommelend zijn weg naar het schip om de nieuw aangekomenen te inspecteren.

Josiah hees de verweerde leren haverzak op die over zijn schouder hing en trapte de modder van zijn schoenen. Hij had een droge keel en stramme leden en stonk na een reis van vijf dagen.

Van hieraf daalde de postweg geleidelijk af naar het stadje. Opvallend afwezig waren de cherubijnen en het vlammende zwaard om hem het opnieuw binnengaan van zijn persoonlijke Eden te beletten.

'Was ik maar zo gelukkig,' mompelde Josiah tegen zichzelf. 'Adam hoefde het alleen maar tegen een gewapende engel op te nemen. Ik tegen Eunice Parkhurst.'

Een bekende wind – klam, scherp en met de geur van de lente – sloeg om de granieten richel. Daarmee kwamen de herinneringen aan gelukkiger dagen – dagen van zwemmen en zeilbootjes maken, van vliegeren en knikkeren en door kreken zwerven.

Josiah huiverde. De weemoed greep hem aan. Hij had deze gevoelens verwacht, maar hij had hun kracht onderschat. Tranen van spijt vertroebelden zijn blik terwijl zijn ogen van herkenningspunt naar herkenningspunt sprongen – First Church, de ontmoetingsplaats met de klokkentoren; de begraafplaats aan de andere kant van de weg; de brink; de korenmolen; Bailey's Tavern.

Het huis van Nabby.

Josiahs hart kromp ineen bij het zien van het gele gebouw met verdieping. Zijn ogen deden zeer van een zevenjarige honger naar alleen maar een glimp van haar. Ze zochten bij het woonhuis naar beweging, een deur die openging, het rimpelen van een gordijn.

Als hij eerst maar een glimp van haar kon opvangen op een afstand... een test voor zijn emoties. Misschien kon hij zichzelf er dan van weerhouden haar te gaan staan aangapen of onbegrijpelijk te mompelen en zichzelf voor gek te zetten als hij haar tegenkwam.

Maar de gordijnen van het gele huis hingen roerloos. De deuren bleven gesloten. Er was geen beweging behalve van twee kippen die in de modder tussen het huis en de schuur pikten.

Hij zou zich vandaag nog met geen kruimel tevreden kunnen stellen.

Met een diepe zucht richtte Josiah zijn ogen weer op de werf, het deel van het stadje dat het meest veranderd was sinds hij het voor het laatst gezien had. De nieuwe pakhuizen waren twee keer zo groot als de oude, dankzij Philips leiderschap. Alles wat er over was van de oorspronkelijke gebouwen was een stuk muur, verweerd en met zwartgeblakerde stenen.

Waarom zouden ze dat stuk muur laten staan? Als een monument voor de drie die waren omgekomen?

Josiah sloot zijn ogen terwijl het gegil van die nacht in zijn geheugen weerklonk. Het gegil van kleine meisjes...

Mary Usher, zeven jaar oud, grote, bruine ogen, altijd blootsvoets, de randen van haar jurkje vies en met een stropop in haar armen geklemd. Ze was nooit zonder die stropop. Heette ze niet Molly?

Kathleen Usher, Mary's één jaar oudere zusje. Haar gezicht zo bedekt met sproeten dat sommige ervan samenvloeiden tot vreemd gevormde bruine plekken. Wat Josiah zich het best herinnerde van Kathleen was dat ze elke zondag een standje kreeg omdat ze niet kon stilzitten tijdens de preek.

De derde stem van het gillende trio in die verschrikkelijke nacht was van een volwassen man, dominee Parkhurst. Hij was de geestelijk leider van Havenhill geweest, Josiahs mentor en de vader van Nabby, het enige meisje van wie Josiah ooit gehouden had.

De inwoners van het stadje hadden die drie lichamen dicht tegen elkaar gevonden. De armen van dominee Parkhurst waren om de meisjes geslagen in een poging hen met zijn eigen lichaam tegen het vuur te beschermen.

Een vuur dat Josiah aangestoken had...

Al die pijn: drie verloren levens, zijn eigen leven geruïneerd en een stad bijna verwoest, als gevolg van één onbezonnen, dronken, benevelde nacht! Het gekste aan het hele gebeuren was nog dat Josiah voor die nacht nooit eerder dronken was geweest en sindsdien nooit meer gedronken had.

Eén nacht. Eén beroerde nacht.

Maar beroerde nachten, hoe erg ook, konden niet ongedaan gemaakt worden. En Josiah kon de gebeurtenissen van die nacht net zomin veranderen als hij een verkeerd woord terug kon nemen. Die nacht was geschiedenis. Van het stadje. Van hem. Ze waren voor altijd aan elkaar verbonden door de tragedie.

Hoe had hij ooit kunnen denken dat hij het stadje ertoe zou kunnen overhalen hem te vergeven?

'Dit is een vergissing,' zei Josiah opnieuw.

Hij liep van de richel weg. De postweg liet hem een keus. De ene kant daalde af naar Havenhill; de andere kant leidde terug naar Boston, waar hij niet elke dag aan zijn monumentale zonde herinnerd werd.

'Bedenkingen?'

De stem bracht hem aan het schrikken. Josiah draaide zich om en zag een man hoog te paard zitten.

'Philip! Nu al terug uit Engeland?'

'De wind was gunstig op de terugweg.'

Pas voor de tweede keer in zeven jaar keek Josiah naar zijn oudste en beste vriend. Tijdens hun ontmoeting in Boston, een maand geleden, had Josiah het moeilijk gevonden om te geloven dat dit dezelfde Philip was met wie hij opgegroeid was. Zelfs nu was het nog moeilijk om achter al de mooie kleren en deftige manieren een glimp op te vangen van de oude Philip.

Deze Philip leek onecht, een heer die met rechte rug op een duur paard zat. De laatste keer dat Josiah Philip op een paard had gezien, hadden Philips benen ongecontroleerd heen en weer gezwaaid terwijl hij boven op de oude knol van ouderling Cranch probeerde te blijven zitten die op hol geslagen was in een graanveld. Josiah was bijna gebarsten van het lachen tot ouderling Cranch thuisgekomen was en het pad gezien had dat door zijn graanveld geploegd was.

Kon de ruiter voor hem dezelfde Philip zijn, met zijn groene maatpak, witzijden hemd en kousen en indrukwekkende pruik? Van deze afstand kon Josiah daar niet zeker van zijn, maar Philips pruik – achterover getrokken en met een zwart koordje vastgemaakt – leek van mensenharen gemaakt. Josiah had nooit iemand gekend die rijk genoeg was om een pruik te bezitten die van iets anders gemaakt was dan paardenhaar of jakhaar.

'Je ziet eruit alsof je je wilt bedenken,' zei Philip opnieuw.

'Is dat zo duidelijk?'

Philip was veranderd en het was meer dan alleen maar zijn kleren. Zijn houding, de manier waarop hij zich gedroeg was anders. Vastberaden. Zelfverzekerd. Weg waren de jeugdige nonchalance en schelmse grijns.

Vroeger waren ze onafscheidelijk geweest. Philip de deugniet, Josiah de filosoof en Johnny Mott, de spierbundel. O, de streken die ze uithaalden! En de onvergetelijke zomerdagen vol ravotten, zwemmen en op de oever bij het water liggen: een zorgeloos leventje!

'Eigenlijk heb je een indrukwekkende beslissing genomen,' zei Philip. 'Een teken van volwassenheid. Alleen een sukkel zou zonder reserves doen wat jij doet.'

Zo plechtig. Zo zakelijk. Alsof een onbekende volwassen geest het lichaam van zijn vriend had ingenomen.

'Je bent heel eerlijk geweest over de situatie toen je me in Boston benaderde,' reageerde Josiah op dezelfde toon als Philip. 'Ik wist dat het niet gemakkelijk zou zijn, maar het is iets wat ik wil doen.'

'Uitstekend!' riep Philip. Hij stond zichzelf een glimlach toe.

'Ik wil je bedanken omdat je het voor me opneemt,' zei Josiah. 'Ik weet dat het alleen aan jou ligt dat ik deze kans krijg.'

Philips glimlach werd zo breed dat Josiah hem herkende. Een siddering van vreugde ging door hem heen toen hij zijn oude vriend zag.

Philip leunde naar voren en zei snel: '"Een vriend heeft te allen tijde lief, maar een broeder wordt voor de nood geboren." Is dat niet wat het Goede Boek zegt? Bovendien, ik vind dat iedereen een tweede kans verdient.'

'Meer vraag ik niet.'

Philip steeg af. Hij leidde zijn paard bij de teugel en neeg zijn hoofd naar de stad. 'Laat ons dan uw gemeenteleden gaan begroeten, dominee Rush.'

Terwijl ze over de postweg Havenhill binnenliepen, wreef Josiah zich herhaaldelijk over zijn neus.

'Is er iets?' vroeg Philip.

Toen hij zich bewust werd van wat hij deed, liet Josiah zijn handen zakken. 'Het is niets. Gewoon iets wat ik me in Boston aangewend heb.'

De jeuk werd erger. Josiah was nauwelijks in staat om zijn handen bij zijn neus weg te houden. Als het patroon hetzelfde bleef, wist hij wat er nu zou komen. Hij ging niezen.

Als op een teken sloeg er een golf plezier over hem heen, direct gevolgd door misselijkheid.

Philip bleef staan en hield bezorgd zijn hoofd schuin. 'Weet je zeker dat je in orde bent?'

'Het gaat wel over. Ik ben in orde. Echt.'

Twee jaar geleden, toen Josiah voor het eerst deze symptomen had gekregen, had hij ze aangezien voor tekenen van een lichamelijke kwaal. Nu wist hij beter. Deze lichamelijke symptomen waren eigenlijk helemaal niet lichamelijk. Ze waren geestelijk. Hij wist ook waar ze op duidden en dat was niet goed. Dat was helemaal niet goed.

Toen ze de rand van het stadje bereikten, sloeg Josiah dubbel van de pijn in zijn maag. Het was een teken van wat hem wachtte, niet veel anders dan Dantes waarschuwing aan de poorten van de hel: 'Laat alle hoop varen, gij die hier binnengaat.'

2

Zeeman George Mason kwam tevoorschijn uit de buik van het schip met één vaatje rum op zijn schouder en een ander onder zijn arm. Zijn hoofd gloeide van koorts; zijn spieren voelden alsof ze in brand stonden. Hij had zich niet meer zo ziek gevoeld sinds zijn eerste volle dag op zee. Hij had die hele dag doorgebracht met over de reling hangen en wensen dat hij dood zou gaan.

Nu, net terug van een reis naar de Caribische eilanden – of de Cribbey-eilanden, zoals de zeelui ze noemden – en met een ijzeren maag van het eten dat Paddy klaarmaakte, had Mason gedacht dat dit soort maagkrampen tot het verleden behoor den. Een nieuwe golf misselijkheid verzekerde hem van het tegendeel. Terwijl hij de trap uit het ruim opklom, voelden zijn benen aan als klompen gietijzer.

'Loop eens wat vlugger daar!' beval kapitein Coytmore.

'Ja, kap'tein,' spoot Mason.

Zijn reactie was een reflex. Mason voelde geen genegenheid of loyaliteit voor zijn commandant. De man was een sadist. Snel met de zweep en zonder een onsje meelijden: kapitein Coytmore verdiende elke vloek, elke moordgedachte, elk beet-je kwaad dat de bemanning hem toewenste. Als verwensingen gewicht hadden, hadden de gedachten van de bemanning over hun kapitein het schip al op de dag van de afvaart laten kap-seizen.

Met een grom deed Mason de laatste stap naar boven en strompelde hij het dek over. Nadat hij de twee rumvaatjes op de losplank had laten zakken, draaide hij zich om voor een nieuwe lading... maar niet zonder eerst een blik op de kustlijn en thuis te werpen.

Op de dag dat ze onder zeil gegaan waren had het Mason niets uitgemaakt als hij Havenhill nooit weer terug zou zien. Nu was het alles waar hij aan kon denken en dat hij maar een paar honderd meter van de kust was zonder toestemming te krijgen om van boord te gaan was een marteling.

De oude rotten hadden hem ervoor gewaarschuwd dat het zo zou zijn, evenals ze hem gewaarschuwd hadden voor Coytmore. Ze hadden in beide dingen gelijk gehad.

Masons blik zwierf naar de kades in de hoop een blik op te vangen van Peggy Febiger, de vrouw die hij het hof gemaakt had voor hij uit Havenhill vertrokken was.

De zweep van de bootsman trok zijn aandacht ruw terug tot het werk dat hij moest doen.

'De kap'tein zei dat je vlugger moest lopen!' schreeuwde hij.

De brandende pijn van de zweep, de misselijkheid, de heimwee naar huis – het was bijna te veel voor hem. Mason onderdrukte de instinctieve neiging om terug te slaan. Het zou hem alleen maar in het kot doen belanden en zijn terugkeer naar de wal vertragen. En voor een man die gedreven werd door de enige gedachte dat hij van het schip af moest zien te komen, was de gedachte aan vertraging vergelijkbaar met in het zicht van de hemel onnodig veel tijd verdoen in het vagevuur.

George Mason had een plan.

De lading lossen.

Betaald krijgen.

Van boord gaan.

Simpel. Direct. Haalbaar. De bootsman wurgen of de kapitein overboord gooien – ongetwijfeld bevredigend – zou dat plan alleen maar in de weg staan.

Onder het waakzame oog van de bootsman deed Mason plichtsgetrouw een stap in de richting van het ruim. Bij de tweede stap echter raakte hij zonder waarschuwing uit koers. En bij de derde stap nog meer.

Weer voelde Mason de zweep van de bootsman, maar zijn

vlees registreerde de pijn niet. En zijn gietijzeren benen leken niet langer in staat te zijn zijn lijf in balans te houden.

Zijn in elkaar zakken voelde langzaam aan, alsof de lucht veranderd was in water. Het gevloek van de bootsman klonk ver weg. Terwijl zijn wang tegen de houten dekplanken sloeg, was een blik op de gekantelde kades van Havenhill de laatste herinnering van George Mason aan boord van het schip.

Nooit had Josiah zo'n meedogenloze buikpijn gehad. Hij kon nauwelijks nog rechtop lopen. Hij deed zijn best om de pijn voor Philip te verbergen terwijl ze door het stadje liepen.

Door de openingen tussen de gebouwen door kon Josiah de twee schepen in de haven zien. Er was wat tumult aan boord van de grotere snauw. De mannen drongen samen rond iets dat op het dek lag. Voor Josiah kon zien wat het was, belette Gilberts kledingwinkel hem het zicht.

'Je bent dik geworden,' zei Philip en hij gaf hem een plagende por.

Josiah meesmuilde. Niets haalde het bij een por in de ribben door een vriend. Hij had dat gemist. Tijdens de studie had hij andere vrienden gehad, maar met geen van hen was hij zo dik bevriend geweest als met Philip.

'Op Harvard noemen we het een studentenbuik. Volgens de campusoverlevering wordt er automatisch twee en een halve centimeter vet aan je middel toegevoegd als je je als student inschrijft.'

'Krijgen jullie zo goed te eten?'

'Eigenlijk is het eten aan de universiteit abominabel. Het drijft de mannen naar de plaatselijke herbergen. Als gevolg van eten in de herberg en lange uren met z'n hoofd in de boeken is de gemiddelde student bij zijn afstuderen tien pond zwaarder dan toen hij zich aanmeldde. Maar ik kan de herbergen niet de schuld geven. Ik heb het mezelf aangedaan.'

'Hoe dat zo?'

'Dat vertel ik je liever niet. Dan lach je me uit.'

'Probeer eens.'

Josiah evalueerde Philips gezichtsuitdrukking. Zijn vriend kon nu zijn lachen al bijna niet meer houden.

Toch vertelde Josiah het hem. 'Ik kook.'

Philip stelde hem niet teleur. Zijn lach was zo luid dat het de aandacht trok van iedereen op straat.

Josiah lachte met hem mee. 'Het wordt nog erger.' Hij stak zijn ontblote rechterarm uit.

Philip onderzocht hem. 'Waar moet ik naar zoeken?'

Josiah stak zijn linkerarm uit ter vergelijking.

'Kijk nou toch eens!' riep Philip. 'Er zit geen haar op je rechterarm!'

'Dat heet een bakkersarm. Het komt door het voelen van de temperatuur van een oven.'

Philip bulderde van het lachen. 'Eerlijk, ik had wel gedacht dat je een beetje veranderd zou zijn na al die tijd, maar ik had niet verwacht dat Harvard je in een vrouw veranderd had! Koken. Bakken. Hebben ze je ook geleerd hoe je kinderen moet baren?'

Met Philip meelachen verminderde Josiahs buikpijn, vooral toen ze de rand van het stadje naderden. Hij haalde diep adem om zichzelf te vermannen.

De wandeling door het stadje had een spervuur opgeleverd van afkeurende blikken uit deuropeningen, van achter glazen ruiten en soms van gezicht tot gezicht van voorbijgangers. Het was duidelijk dat hij het doelwit was van hun blikken. Josiah had verwacht dat het zo zou gaan. Dat Philip naast hem liep maakte het dragelijk.

'Even wat anders,' zei Philip. 'Johnny laat zich verontschuldigen. Hij wilde hier zijn om je te begroeten, maar de Nightingale is drie dagen te laat teruggekomen en hij vertrouwt het niemand anders toe om toezicht te houden op het lossen.'

'Begrijpelijk,' zei Josiah. Hij keek in de richting van de haven. Bomen belemmerden zijn zicht op het schip.

Josiah, Johnny en Philip waren in hun schooljaren vrienden geweest, maar Johnny was altijd een soort aanhangsel. Josiah en Philip waren al vrienden, jaren voor Johnny in Havenhill was komen wonen en Josiahs genegenheid voor hem was nooit zo diep geweest als die voor Philip.

Ze kwamen op het kruispunt bij Summit Street. Josiah ging langzamer lopen. Philip liep gewoon door.

'Ik weet dat ik zeven jaar weggeweest ben,' zei Josiah. 'Maar is de oude boerderij van Gleason niet die kant op?'

Philip grijnsde sluw. 'De plannen zijn veranderd. Je gaat niet in de boerderij van Gleason wonen. Deze kant op.'

Geïntrigeerd volgde Josiah zijn vriend rechtdoor over de kruising. Philip voerde iets in zijn schild.

'Nou, vertel je het me nog?' vroeg Josiah.

'Je ziet het snel genoeg.'

'Haal die luiwammes van mijn schip!' eiste een ruwe stem.

George Mason kon de lichamen voelen die zich als stormwolken om hem heen verzamelden en de zon blokkeerden. Iemand had hem omgedraaid. Hij lag op zijn rug.

Hij kon de kapitein niet zien, maar hij kon zich in de stem niet vergissen. Mason had geleerd van dat geluid te walgen.

'Goodwin, pak die man bij de benen. Tolliver, pak zijn armen. Gooi hem in het ruim of gooi hem overboord – maakt mij niet uit. Maar haal hem van mijn dek.'

George Mason kwam bij zijn positieven en opende zijn ogen juist toen de groep omstanders terugweek. De zon hamerde op zijn ogen. Mason hief zijn arm op om zijn ogen te beschermen. Hij voelde hoe zijn benen opgetild werden terwijl op hetzelfde moment een paar handen onder zijn arm haakten en hem van het dek optilden.

Hij spartelde tegen, want hij was bang dat hij overboord gegooid zou worden. Zijn tegenspartelen had geen effect. Wat hem had laten vallen had hem ook van zijn kracht beroofd.

'Schiet op! Schiet op! Schiet op!' schreeuwde de kapitein.

Mason riep in gedachten een protest, maar zijn mond bracht er niet veel van terecht. Hij kon nauwelijks mompelen.

'Jullie daar! Zorg dat die vaten aan dek komen,' beval kapitein Coytmore. 'En de volgende die doet alsof hij ziek is, zal Whitlocks zweep voelen!'

George Mason, tot nog toe een van de zeelui, was plotseling gereduceerd tot lading. Hij voelde het dek onder zich wegglijden toen de bemanning hem ging lossen. Hij zou er spoedig achter komen hoe ze hem gingen lossen.

'Stop!'

Na maanden aan boord had Mason gedacht dat hij elke stem kende. Maar deze was nieuw voor hem. Hij was diep en al had de man maar één enkel woord geuit, er klonk gezag in door. De mannen die Mason droegen kwamen tot stilstand.

'Wat is er met deze man aan de hand?'

Mason probeerde zijn ogen open te doen en vocht tegen de felheid van de zon en de helderblauwe lucht.

'Geef antwoord! Wat is er met deze man aan de hand?'

'Weeknie, meneer,' antwoordde Tolliver. 'Gewoon in elkaar gezakt.'

De gestalte zweefde. 'Die man is ziek. Waar is de scheepsarts?'

'Beter dan Paddy hebben we niet,' bood Tolliver aan. 'Da's de kok.'

'Die man is gewoon een luiwammes, meer niet, meneer Mott,' hield de kapitein vol. 'Met zulke lui hoeft u zich niet bezig te houden.'

'Wat voor onzinnige opmerking is dat?' zei Mott. 'Die man is duidelijk ziek. Is hij van hier?'

De kapitein gaf geen antwoord. Mason wist waarom. De

kapitein had geen idee wat het antwoord was.

'Nou, ja of nee?' schreeuwde Mott.

'Ja, meneer,' antwoordde Tolliver voor de kapitein.

'Laat hem dan naar huis gaan. Mijn koets staat op de kade. Laat een dokter komen, kom dan terug en zorg dat de lading gelost wordt.'

'Ja, meneer Mott,' zei Tolliver.

Mason voelde dat hij weer in beweging kwam. Hij probeerde meneer Mott te bedanken, maar zijn lippen werkten nog steeds niet. Net toen ze hem langs de zijkant van het schip lieten zakken werd alles zwart.

Philips samenzweerderige grijns en zijn weigering om Josiah te vertellen waar ze heen gingen deden hem denken aan een andere keer toen er een nieuwe predikant in Havenhill aankwam...

Josiah was zes jaar oud geweest toen dominee Nathaniel Parkhurst beroepen was als herder van First Church, Havenhill. De komst van de familie Parkhurst was een feestelijke dag geweest. Het hele stadje — toen nog kleiner dan nu — was uitgelopen. Ze hadden zich verzameld voor het gele huis met verdieping dat de woning van de Parkhursts werd. Iedereen had een geschenk meegenomen — bewerkte borden, dekens, meel, ingemaakte groenten, maïs en kippen. Namens de kerkenraad had Elias Cranch de familie Parkhurst een varken geschonken. De dag dat de Parkhursts aankwamen was net een feestdag.

Josiah herinnerde het zich nog goed. Het was een van die gebeurtenissen in zijn jonge leven waar zoveel andere gebeurtenissen uit voortgekomen waren.

Binnen twee maanden na de aankomst van dominee Parkhurst werd Josiahs vader gedood in een ruzie met Indianen over jachtrechten. Zijn moeder stierf drie maanden later aan tering. Het was dominee Parkhurst die ervoor zorgde dat Josiah bij ouderling Elias Cranch, een weduwnaar zonder kinderen, kon wonen.

Parkhurst en Cranch hadden samen het juk van Josiahs opvoeding gedragen, geassisteerd door een onofficieel comité van moeders. Als gevolg daarvan was Josiah opgegroeid als de favoriete zoon van het stadje. Ouderling Cranch had hem geleerd hard te werken. Dominee Parkhurst verschafte hem een moreel kompas en een dochter van Josiahs leeftijd om verliefd op te worden...

En nu was Josiah Rush de nieuw aangekomen predikant.

Josiah verwachtte niet net zo'n ontvangst, maar Philips gedrag suggereerde dat er iets in het vat zat. Gegeven de omstandigheden zou Josiah zelfs de lichtste bemoediging verwelkomen.

'Heb je het al geraden?' vroeg Philip.

Ze waren eindelijk op bekend terrein. Hier was Josiah opgegroeid. Van hieraf kon hij die eik zien die de inrit markeerde naar...

'Dat meen je niet!' riep Josiah uit. Hij stond perplex.

Philip grijnsde. 'Ik heb het gekocht uit de nalatenschap van ouderling Cranch toen hij stierf.'

'Dat was twee jaar geleden!'

'Iets zei me dat je ooit terug zou komen.'

'Philip... ik weet niet wat ik moet zeggen!'

'We worden het wel eens over de voorwaarden als je bent ingericht.'

Josiah straalde. Zijn armen hingen hulpeloos langs zijn zij. Hij moest iemand omhelzen, maar hij wilde zichzelf niet voor gek zetten.

'Het is perfect!' riep hij. 'Dit is pas echt thuiskomen! Philip, bedankt. Ik kan je niet zeggen hoeveel dit voor me betekent. Niet alleen het huis, maar de kans om me met deze stad te verzoenen. Een man kan geen betere vriend hebben.'

'Mijn motieven zijn niet geheel onzelfzuchtig,' reageerde Philip. 'De stad heeft je nu nodig. Ik heb voor je beroep gezorgd, omdat jij de perfecte man bent voor dit werk. Nou, laten we zorgen dat je ingericht wordt. Het huis heeft bijna twee maanden leeggestaan. Er moet een beetje werk verzet worden,' zei hij deemoedig. 'De laatste huurder was een klerk met zijn gezin. Hij hield zijn boeken niet beter bij dan het huis.'

Emoties vertroebelden Josiahs ogen voor het verval. Hij kon het niet helpen. Hij sloeg zijn armen om zijn vriend heen. 'God zegene je, Philip Clapp.'

Josiahs plotselinge beweging deed het paard schrikken.

Philip verstijfde en keek verlegen. 'Ja, goed, zoals ik al eerder gezegd heb, een broeder heb je voor tegenslagen. Zullen we verder gaan, of wil je nog meer omhelzen?'

Josiah liet hem los.

Ze liepen naar de bekende inrit en gingen op weg naar de oude woonplaats van Cranch. Een klein stukje van de hoofdweg af beklommen ze een kleine verhoging en er kwam een bouwwerk in zicht met een puntdak dat aan de ene kant verder doorliep naar beneden dan aan de andere kant.

Beide mannen bleven abrupt staan.

Josiah hoorde Philip snel naar adem happen.

'O, Josiah, het spijt me.'

Josiah zei niets. Hij liep door naar het huis, maar met minder enthousiasme. Hij had een verrassing verwacht en die was er inderdaad.

Het huis waarin hij opgegroeid was stond aan de rand van een open plek, al tientallen jaren lang. Er stond een bescheiden schuur achter en er lag een graanveld naast.

Ik vermoed dat de verrassing is dat het er nog staat, dacht Josiah.

Het oude huis was intact, maar de deuren en ramen ontbraken en er zaten bloedspetters over alle buitenmuren.

De herkomst van het bloed was geen raadsel. Er lagen drie levenloze kippen op de grond als een herinnering aan zijn zonde.

Philip balde zijn handen tot vuisten. 'We zullen uitzoeken wie dit gedaan heeft.'

Josiah slikte moeilijk. 'Nee. Praat er met niemand over.'

'Maar we kunnen niet...'

'Ik wist dat mijn terugkeer vijandige gevoelens zou oproepen. Die beantwoorden met meer vijandige gevoelens zal meer kwaad dan goed doen.'

'Josiah, ik kan niet gewoon aan de kant gaan staan en dit laten...'

'Alsjeblieft, Philip, respecteer mijn wensen hierin.'

Ze liepen tussen de kadavers door naar de voordeur. Binnen was een eekhoorn aan de muur gespijkerd. Eronder, in bloed, stond het woord:

Kindermoordenaar

Die nacht, gewikkeld in dekens en gezeten op de vloer naast de brandende haard in zijn huis zonder deuren en ramen, schreef Josiah Rush in zijn dagboek:

Aangekomen in Havenhill. Begroet door mijn goede en trouwe vriend, Philip Clapp. Onze hereniging was een blije. De man is een heilige. Op zijn eigen initiatief heeft hij de oude woning van Cranch voor me verworven.

Ik kijk ernaar uit om mijn bediening hier te beginnen.

3

Tussen Josiahs intrede in Havenhill en de eerste zondag zaten twee dagen. Hij gebruikte die om zijn huis bewoonbaar te maken – door ramen en twee deuren, voor en achter, te installeren.

Philip had ervoor gezorgd dat ze bezorgd werden, samen met twee bekwame bedienden om Josiah te assisteren bij de constructie. Philip had zijn leedwezen betuigd dat hij zelf geen hand uit kon steken; hij had dringende zaken te behartigen. Niemand uit het stadje kwam langs of bood hulp aan.

Ergens was Josiah blij voor het vernietigende werk van zijn persoonlijke vandalen. Het dwong hem om zichzelf vertrouwd te maken met het huis op een manier waarop het anders niet gebeurd zou zijn.

Hij vond het in een uitstekende conditie, een goed getuigenis van de bouwkunst van Elias Cranch. Het gebouw met één woonlaag was zo solide als de man die het gebouwd had.

Het huis stond op een fundering van steen en had geschilderde muren van overnaadse planken en een lang hellend dak met daarop prominent in het midden de schoorsteen. Het stuk dat er aan de achterkant tegen aan leunde waardoor het dak daar verder doorliep naar beneden dan aan de andere kant, was toegevoegd toen Josiah bij Cranch was komen wonen. Wat ooit zijn slaapkamer was geweest, was verdeeld in een voorraadkamer en een knus zitkamertje met een tafel en stoelen. 's Morgens werd het kamertje verwarmd door het zonlicht dat door de ramen in de hoek viel. Hier legde Josiah zijn schrijfgerei op een klein tafeltje. Hij dacht dat het de perfecte plek was voor zijn Bijbelstudie en gebeden in de ochtend.

Op de middag van de tweede dag stuurde hij Philips bedienden vroeg naar huis. Ze protesteerden dat hun meester niet blij zou zijn als ze terugkwamen voor het werk klaar was. Josiah verzekerde hun dat hij ervoor zou zorgen dat Philip geïnformeerd zou worden dat ze op Josiahs verzoek naar huis waren gegaan. Op één na waren alle ramen geïnstalleerd en er was nog wat bloed op de noordelijke buitenmuur.

Josiah wilde alleen zijn. Hij voelde zich zenuwachtig voor zijn eerste preek en wilde zich voorbereiden. Hij zocht zijn leren haverzak op en haalde er drie versleten bladzijden en een stuk gedroogd vlees uit. Hij trok de stoel met de rechte rug dicht bij het vuur. Zijn meubilair bestond uit een tafel en twee stoelen die in het huis aanwezig geweest waren toen hij aankwam. Ze waren flink gehavend, maar stevig.

Omdat hij niet gewend was aan het zware handwerk van de afgelopen twee dagen, zocht Josiah een gemakkelijke houding op een van de stoelen. Hij kreunde. Zijn spieren deden zeer en zijn handen voelden dik en pijnlijk. Maar het was een goed soort pijn – het soort dat kwam van een prestatie.

Josiah nam een hap van het stuk vlees en keek zijn aantekeningen door. De opzet van de preek, het schema van het betoog, het onderliggende Schriftgedeelte stonden duidelijk op de pagina. De draagtijd voor deze preek was lang geweest. Hij had eraan gewerkt tijdens de vijf dagen dat hij van Boston naar Havenhill liep. Morgenochtend zou hij zijn preek baren. En, zoals bij alle bevallingen, was er gevaar en onzekerheid en een beetje angst.

Omdat hij niet stil kon zitten, stond Josiah op om te ijsberen. Hij kauwde. Hij las. Hij vormde en hervormde zinnen in zijn hoofd. Toen het vlees op was, probeerde hij een paar zinnen hardop. Weerkaatst door de muren van zijn krappe verblijf klonk zijn stem sterk. Zelfbewust. Zelfbewuster dan hij zich voelde.

Na twee uur ijsberen moest hij het huis uit. Het vuur was te heet. De muren kwamen op hem af. Het naderende uur kwam te dichtbij. Toen hij de pas geïnstalleerde deur achter zich sloot, zei hij tegen zichzelf dat hij niet op de loop ging. Hij moest denken. Zijn hoofd leegmaken. Maar zijn woorden klonken hol, zonder echte overtuigingskracht.

De avondlucht was nog niet zo ver verwijderd van de winter dat hij vergeten was hoe hij iemands wangen rood moest slaan. Josiah liep met kwieke passen langs de eik en sloeg linksaf naar High Street. Hij had geen speciaal doel.

Zijn neus leidde hem naar Water Street, waar hij langs de werf liep. Hij bleef in de schaduw. Hij vermeed contact met mensen. Dit was tijd om te denken, niet om te groeten en te praten.

In Church Street ging hij op weg naar het centrum en hij vertraagde zijn pas niet tot hij de brink bereikte. Een diepe zwaarmoedigheid, dik als mist, viel over hem als een deken toen hij een moment tussen de kerk en de begraafplaats stond waar dominee Parkhurst en Kathleen en Mary Usher begraven waren.

Josiah keerde zich naar de kerk en beklom het trapje naar de voordeur. Hij bedacht dat hij dit voor het eerst als predikant deed. Hoe vaak waren hij en Philip en Johnny deze treden niet afgerend in hun haast om hun zondagse kleren kwijt te raken en de rivier op te zoeken?

Het was op dit trapje dat hij voor het eerst Nabby's hand had vastgehouden op een zwoele zomeravond terwijl dominee en mevrouw Parkhurst en ouderling Cranch over kerkzaken hadden zitten praten. Het had iets te maken gehad met voedsel verstrekken aan behoeftige gezinnen, als hij het zich goed herinnerde. In die tijd had Josiah zijn gedachten alleen op zijn eigen behoeften gericht – de behoefte om Nabby's hand in de zijne te voelen.

Normaal gesproken had Josiah ouderling Cranchs langdradige gesprekken vervelend gevonden. Maar op die avond was het lange praten een zegening geweest. Het had Josiah zeker tien minuten gekost om de moed te verzamelen om Nabby's hand aan te raken. Hij had verwacht dat ze zich zou terugtrekken, maar dat had ze niet gedaan. Sterker nog, haar hand had de zijne gezocht en wilde net zo graag aangeraakt worden als zijn hand wilde aanraken...

Josiah schudde zijn hoofd om de zoete herinnering kwijt te raken. Er was sindsdien zo veel veranderd.

Nu echoden zijn eenzame voetstappen over de brink. Hij stak zijn hand uit naar de deur. Die was gesloten.

Vreemd. Waarom zou iemand een kerkdeur op slot doen?

Hij probeerde het opnieuw, want hij dacht dat de deur misschien alleen maar klem zat door de lenteregens. Maar dat was niet zo. Hij zat op slot.

Josiah liep om het gebouw heen tot hij een raam vond dat niet op de knip zat. Hij hees zichzelf op, liet zijn dikke studentenbuik balanceren op de vensterbank en slaagde erin één been omhoog te zwaaien en zich in de kerkzaal te laten vallen. Het was een nogal stuntelige en onceremoniële binnenkomst voor de predikant van de kerk. Hij was blij dat er niemand was die het gezien had.

Josiah ademde zwaar van de inspanning en zijn knie protesteerde omdat hij hem tegen de vensterbank gestoten had. Hij wachtte tot zijn ogen gewend waren aan de duisternis. Toen hij genoeg kon onderscheiden, liep hij verder de kerk in en ging op de preekstoel van dominee Parkhurst staan.

Hij had nog niet het gevoel dat het zijn preekstoel was. Sterker nog, hij was zich zeer bewust van de mogelijkheid dat het misschien wel *nooit* zijn preekstoel zou zijn. Dat zou de komende paar maanden worden besloten, toch?

Er spoelde een golf van onzekerheid over hem heen. Hij moest gek geweest zijn toen hij erin toestemde om hier terug te komen. Wat had hij gedacht? Morgen zou deze kerkzaal vol zitten met gezinnen die God kwamen aanbidden en wie zouden ze op hun preekstoel vinden? De brandstichter die hun geestelijk leider had gedood en bijna hun stadje had verwoest.

Een berouwvolle brandstichter, ja. Een nederige zondaar, ja. Een man die graag van plaats zou wisselen met de drie die op de begraafplaats rustten als dat mogelijk was. Maar was dat genoeg?

Josiah zonk neer op zijn knieën, zijn handen gleden neer langs de zijkanten van de preekstoel. Hij had het gevoel alsof hij in een moeras gleed dat bestemd was voor hen die het niet verdienden om vergeving te krijgen... die voor eeuwig verbonden zouden zijn met hun zonde.

'God, ik weet zeker dat U mij vergeven hebt,' riep hij, 'maar de pijn van de mensen die ik verwond heb, drukt op mij met een angstwekkend gewicht. Hoe kan ik doorgaan als zij mij weigeren te vergeven? Hoe kan ik dienen voor mensen die ik zo veel pijn gedaan heb?'

Een uur lang lag hij aan de voet van de preekstoel te roepen tot God om hulp.

Toen stond hij op en liep van bank tot bank om te bidden voor de mensen die daarin zouden zitten als de morgen kwam.

De vraag had Josiah voortdurend gekweld sinds Philip hem in Boston benaderd had. Waarover preek je voor mensen van wie je bijna de stad hebt afgebrand?

Matteüs 6:14-15 was hem in gedachten gekomen: *Want indien gij de mensen hun overtredingen vergeeft, zal uw hemelse Vader ook u vergeven; maar indien gij de mensen niet vergeeft, zal ook uw Vader uw overtredingen niet vergeven.*

Evenals Matteüs 18:21-22: *Toen kwam Petrus bij Hem en zeide: Here, hoeveel maal zal mijn broeder tegen mij zondigen en moet ik hem vergeven? Tot zevenmaal toe? Jezus zeide tot hem: Ik zeg u, niet tot zevenmaal toe, maar tot zeventig maal zevenmaal.*

Maar zulke onderwerpen hadden de schijn van zelfrechtvaardiging. Josiah wilde iets wat juist zijn wroeging weergaf.

Hij had het gedeelte uit 2 Korintiërs over de last van overmatige droefenis overwogen: *Doch indien iemand droefheid veroorzaakt heeft... Voor zo iemand is het reeds genoeg, dat het merendeel van u hem berispt heeft, zodat gij nu integendeel hem vergiffenis moet schenken en hem vertroosten, opdat hij niet door overmatige droefenis overstelpt worde.*

Hij had toch iets te zeggen over de brand? Over zijn diep gevoeld verdriet over de doden? Om de kansel te beklimmen en te preken alsof het nooit gebeurd was – dat zou toch net zo verkeerd zijn?

De week voor zijn geplande terugkeer had Josiah eindelijk het gevoel gehad dat hij geleid werd naar een benadering die hem gepast leek. Hij had erom gebeden en het uitgeprobeerd tijdens de vijf dagen van zijn reis van Boston naar Havenhill. In die dagen had hij er vertrouwen in gehad dat het van God kwam.

Nu, op de ochtend dat hij de preek moest houden, was Josiah daar niet meer zo zeker van.

Hij ging in de stoel van de predikant zitten die in een rechte hoek voor de gemeente stond. Hij keek voor zich uit en hoorde meer dan dat hij het zag hoe de gemeente de kerk binnenkwam. Ze lieten hun gelach achter bij de deur en verruilden het voor gefluister. Verschillende keren hoorde hij zijn naam, maar hij kon niet onderscheiden wat er over hem gezegd werd. Hij greep de houten armleuningen vast en dwong zich ertoe te bidden.

Zijn neus werd overvallen door een kriebelend gevoel. Het voelde als een spinnenweb. Hij veegde het weg en probeerde zijn gedachten bij zijn gebed te houden. Toen vulde een zoetheid zijn mond, gevolgd door de bekende buikpijn. Twee dagen lang was dit gevoel weggebleven. Nu kwam het terug, net zo sterk als op de dag dat hij het stadje was binnengekomen.

Zijn ademhaling versnelde zich en hij begon te zweten alsof het al tijd was om de dienst te beginnen.

Zoals gepland namen de ouderlingen de leiding. Philip had Josiah uitgelegd dat de ouderlingen het zagen als hun laatste daad in het proces dat hem tot predikant riep. Het was gepast dat Philip degene was die het podium opkwam, want hij had bijna in zijn eentje Josiahs beroep geregeld tegen een significante oppositie in. Josiah voelde zich meer op zijn gemak nu Philip de leiding nam.

'Laat de eerste indruk van de gemeente je eerste preek zijn,' had Philip voorgesteld.

Josiah had toegestemd, al had het de druk vergroot om een goede preek te houden.

Op het podium bedwong hij de neiging om naar zijn gemeente te kijken toen er gebeden werd, de Schrift gelezen werd en ze een gezang zongen uit het *Bay Psalm Book*. Hij wist niet waarom hij de mensen niet in hun gezicht kon kijken. Misschien was hij bang dat zijn gezicht zijn buikpijn zou verraden. Misschien was het omdat dominee Parkhurst altijd recht voor zich uit gekeken had tijdens het zingen. Josiah herinnerde zich dat zijn mentor soms zong en soms stille gebeden mompelde of met zijn preekaantekeningen ritselde.

Terwijl de gemeente zong maakte Josiah zich flink druk en hij bracht zichzelf in paniek over het onderwerp van zijn preek. Op een gegeven moment begon hij driftig door de bijbel te bladeren in een poging stukjes bij elkaar te zoeken van een preek die hij in Boston had gehouden over het kwaad van de luiaard.

Toen het zingen ophield ging Philip voor in gebed.

Het moment van de preek kwam.

Josiah bleef zitten.

Philip ging terug naar de ouderlingenbank en nog steeds bleef Josiah zitten.

De gemeente schrok op. Er werd gekucht. Er werden kelen geschraapt.

En nog bleef hij zitten, verlamd door de pijn in zijn buik.

Onzichtbare handen knepen zijn keel dicht. Zijn hart hamerde in zijn borst, die aanvoelde alsof hij van steen was gemaakt.

Vanaf de eerste rij leunde Philip naar voren. 'Dominee...'

Josiah stond op. Hij wist niet hoe hij het deed, hij deed het gewoon. Hij wendde zich stijf naar de gemeente, hij ging ongemakkelijk op dominee Parkhursts preekstoel staan. Hij hield zijn hoofd gebogen en zorgde er zorgvuldig voor dat hij niet naar de gemeente keek, bang dat hij afgeleid zou worden en zou vergeten wat hij van plan was te zeggen.

'Het leven van Sau...' kraakte hij. Josiah boog zijn hoofd, sloot zijn ogen, schraapte zijn keel en begon opnieuw. 'Het leven van Saulus van Tarsus is het verhaal van een man die verzoend werd.'

Instinctief hief hij zijn hoofd op. Zijn gedachten waren bij de preek en even vergat hij de waarschuwing die hij zichzelf net gegeven had. Tegen de tijd dat hij zich realiseerde wat hij deed, was het te laat.

Zeven ouderlingen beantwoordden zijn blik. Ze hadden allemaal dezelfde stugge gezichtsuitdrukking alsof iemand hen die bij de deur gegeven had.

Tussen hen zat Johnny Mott. Josiah had Johnny in zeven jaar niet meer gezien. Hij was ouder geworden. Zijn gezicht, verweerd en getekend, leek eerder dat van iemand van veertig dan van iemand van zesentwintig. Zijn schouders waren nog net zo breed als Josiah het zich herinnerde. Ze vulden de ruimte voor twee mannen en dwongen de ouderlingen aan weerszijden van hem om in een hoek te gaan zitten.

'Eh,' zei Josiah. Hij probeerde zich te herstellen. 'Verzoening is een belangrijk thema in de hele Schrift. Sterker nog, het... is het symbool geworden voor de essentie van het christendom.'

Hij knipperde met zijn ogen omdat er zweet in drupte en hij zijn aantekeningen niet meer goed kon zien. Hij veegde het zweet weg met zijn hand.

'De eerste verwijzingen naar verzoening in de Bijbel hebben te maken met bezit, zoals geld dat betaald wordt om een stuk bezit terug te kopen dat iemand eerder in bezit gehad heeft. Later werd de term gebruikt om onze redding door Christus te beschrijven. Denk aan losgeld. Christus heeft onze zondige levens verzoend door een transactie; Zijn zondeloze leven heeft de schuld van onze zonden betaald. Maar er is een derde aspect aan verzoening in de Bijbel. Een dat te maken heeft met relaties. Het is dit derde aspect dat ons onderwerp voor vandaag is.'

Josiah kwam erin. Hij had gemerkt dat de eerste minuten op een preekstoel altijd zenuwslopend waren, maar als hij eenmaal op gang was, zou hij zich gemakkelijker gaan voelen, zelfbewuster. Hij voelde dat zelfbewustzijn nu, die vloed van gedachten en uitdrukkingen. Genoeg om oogcontact met zijn gemeente te riskeren.

Nabby.

Haar gezicht was het eerste dat hij zag.

Het was bijna zijn ondergang.

In één woord, ze was oogverblindend. Ze zat rechtop, haar handen gevouwen in haar schoot, gekleed in een blauw-witte jurk die smaakvol afgezet was met witte kant. De rand van een strohoed accentueerde het koolzwarte haar dat in volmaakte krullen op haar schouders viel.

Maar de jurk, de hoed, de krullen waren weinig meer dan een lijst voor haar ogen – glinsterende blauwe bollen die speels flitsten toen hij haar blik ontmoette en daarna wegsprongen.

Josiah wist niet alleen niet meer waar hij was in zijn preek. Hij wist niet meer waar hij was in de tijd. Op dat moment was hij op honderd plaatsen tegelijk – overal waar hij ooit geweest was als hij in die ogen keek.

Zijn mijmering duurde maar een ogenblik of twee, maar het was genoeg om de ouderlingen hun halzen te laten draaien om te zien wie of wat de predikant had afgeleid.

Noch was het voorwerp van zijn afleiding ontgaan aan mevrouw Parkhurst. Gezeten naast Nabby, haar rug kaarsrecht, keek ze afkeurend.

'Ons ond... onderwerp,' stamelde Josiah, 'is Paulus... eigenlijk eerst Saulus en later Paulus... en verzoening...' Het had geen zin. Zijn gedachten waren weggewaaid als blaadjes in de maartse wind.

De zusjes Emerson giechelden om zijn verwarring, wat hun een boze blik van hun vader opleverde.

Josiah probeerde het opnieuw. 'Het leven van de apostel is een verhaal van verzoening. Drie... gebeurtenissen in zijn leven vooral laten dit duidelijk zien.'

Nu had hij lang genoeg naar zijn aantekeningen gestaard, zodat ze hem, gelukkig, langzaam weer bekend voorkwamen. Hij haalde diep adem en bestrafte zichzelf in stilte dat hij zich had laten afleiden.

'De eerste vinden we in het boek Handelingen, hoofdstuk acht vers één,' kondigde hij met gezag aan. 'Deze gebeurtenis is de steniging van Stefanus, kort nadat hij de boodschap van het evangelie gepredikt heeft voor het verzamelde Sanhedrin. Het tumult was zodanig dat ze hem naar buiten voerden en hem stenigden. We lezen: "En Saulus stemde in met zijn te-rechtstelling."

Het martelaarschap van Stefanus was het begin van een golf van zware vervolging van de vroege gelovigen. De Bijbel ver-haalt dat deze man, Saulus, van huis tot huis ging en de chris-tenen, mannen zowel als vrouwen, naar de gevangenis sleepte. Het was zijn bedoeling om de pasgeboren kerk te vernietigen.'

Josiah ademde opnieuw versterkende lucht in. 'De tweede gebeurtenis in onze studie naar verzoening is heel bekend. In Handelingen negen vers drie lezen we het volgende verslag over Saulus, die op weg is naar een naburige stad om nog meer christenen te arresteren: "En terwijl hij daarheen op weg was, geschiedde het, toen hij Damascus naderde, dat hem plotseling licht uit de hemel omstraalde; en ter aarde gevallen, hoorde hij een stem tot zich zeggen: Saul, Saul, waarom vervolgt gij Mij?"

Dit is natuurlijk het keerpunt voor Saulus van Tarsus, als hij Christus ontmoet en bekeerd wordt.

De derde gebeurtenis van zijn verzoenend leven wordt beschreven in hetzelfde hoofdstuk, te beginnen met vers zesentwintig: "En te Jeruzalem aangekomen, trachtte hij zich bij de discipelen te voegen, maar allen schuwden hem, daar zij niet konden geloven, dat hij een discipel was. Maar Barnabas trok zich zijner aan en bracht hem bij de apostelen en verhaalde hun, hoe hij onderweg de Here had gezien, en dat deze tot hem gesproken had, en hoe hij te Damascus vrijmoedig was opgetreden in de naam van Jezus. En hij bleef met hen ingaan en uitgaan te Jeruzalem."'

Josiah waagde een blik op zijn gemeente. Maar hij vermeed het zorgvuldig om in Nabby's richting te kijken, voor het geval hij weer afgeleid zou worden.

'Drie gebeurtenissen,' zei hij. 'De eerste is Saulus op z'n slechtst. Dan Saulus' reddende ontmoeting met God. En ten slotte Saulus' terugkeer naar Jeruzalem, waar hij in- en uitging met dezelfde christenen die hij eerder vervolgd had.'

Josiah zweeg even voor het effect. 'Ik vraag me af wat het voor hen geweest moet zijn om in en uit te gaan met een moordenaar in hun midden. Dat is toch geen te sterke uitdrukking? Hij was een moordenaar – of in elk geval medeplichtig aan moord. Het feit dat hij bekeerd was op weg naar Damascus heeft het feit niet veranderd dat hij er de oorzaak van was dat velen van hen nog in de gevangenis zaten. Het feit dat Saulus nu Christus predikte bracht Stefanus niet terug uit de dood. Ik vraag me af... Wat betekende het voor de christenen van Jeruzalem om hun stad in en uit te gaan met een moordenaar?'

De kerkzaal was zo stil als een graf.

Tot nog toe had Josiah Judith Usher, de moeder van de twee meisjes die in de brand waren omgekomen, niet gezien. Maar

zijn opmerkingen hadden geleid tot blikken die hem haar aan-
wezen. Ze zat achter in de kerk met haar zoon Edward – haar
enig overgebleven kind – naast haar. Wat was die jongen groot
geworden, dacht Josiah. Hij was nog maar vijf geweest toen
zijn zusjes stierven.

Hij ogen bleven rusten op Judith Usher. Haar hoofd was
gebogen. Ze keek hem niet aan. Josiah kon het haar niet kwalijk nemen.

'En ik vraag me af,' ging hij verder, 'wat Saulus gezegd heeft
tegen Stefanus' moeder. Natuurlijk zal hij haar op een gegeven
moment tijdens zijn komen en gaan in Jeruzalem toch hebben
ontmoet. Wat heeft hij tegen haar gezegd? Wat zegt een man
tegen een vrouw als hij verantwoordelijk is voor de dood van
het kind van die vrouw?'

Weer zweeg Josiah even. Dit keer niet voor het effect, maar
om zijn opkomende emoties in bedwang te krijgen.

'Persoonlijk zou ik willen dat van die ontmoeting een verslag gemaakt was. Het is een zelfzuchtige wens, ik weet het.
Maar ik weet zeker dat zijn woorden beter zouden zijn dan
alles wat ik kan bedenken. Maar ik kan me indenken hoe
Saulus zich gevoeld moet hebben en wat hij gedacht moet
hebben bij de gedachte aan zo'n ontmoeting. Dat is iets wat ik,
tot mijn schande, als geen ander ken.

Geen enkele hoeveelheid spijt kan de doden opwekken.
Geen woorden zijn goed genoeg voor zo'n gelegenheid. De
enige mogelijkheid die een man in zo'n positie heeft, is hopen
dat zijn leven en daden – op den duur – genoeg zullen zijn om
te bewijzen dat God een verandering in zijn hart gewerkt
heeft. Kortom, het geloof in verzoening is de enige hoop van
zo'n man – dat een leven dat eens waardeloos was toch weer
waarde krijgt.

Verzoening impliceert tevredenheid bij beide partijen in de
transactie. Bij een verkoop van bezit wordt er geld betaald en
zowel de verkoper als de koper zijn tevreden. Bij verzoening

wordt de mensheid gered en zowel de Wetgever als de zondaar zijn tevreden. Zouden we niet op datzelfde mogen hopen als relaties verzoend worden?'

Josiah liet zijn aantekeningen varen, zodat hij recht uit zijn hart kon spreken zoals God hem leidde en hij stapte van de preekstoel af. Hij presenteerde zichzelf aan zijn gemeente.

'Mijn hoop, mijn gebed voor ons als predikant en gemeente rust op de belofte dat God in staat is om onze situatie te verzoenen – om iets te nemen wat zijn waarde verloren heeft en het weer waardevol te maken, tot ieders tevredenheid. Ik geloof niet dat mijn hoop vergeefs is. Want die rust niet op waartoe ik in staat ben of waartoe u in staat bent, maar op waar *God* toe in staat is. God wist de pijn van het verleden niet uit. Dat zou te gemakkelijk zijn. In plaats daarvan doet God wat anderen onmogelijk lijkt. Hij gebruikt de pijn van gisteren om morgen beter te maken.

Denkt u dat het toevallig is dat God Paulus uitkoos om aan de hele mensheid een van de grootste beloften van hoop uit de Schrift te vertellen? Ik citeer: "Wij weten nu, dat God alle dingen doet medewerken ten goede voor hen, die God liefhebben, die volgens zijn voornemen geroepenen zijn."'

4

Na de tweede dienst van de zondag moest Josiah hulpeloos toezien hoe Nabby aan haar moeders arm verdween door de deur. Hij had gehoopt met haar te kunnen praten, maar James Dunmore, een van de ouderlingen, hield hem aan de praat met wat hij noemde de trieste staat van het reparatiewerk aan de kerk. Tien minuten lang wijdde Dunmore uit over vloerplanken die kromgetrokken waren en vervangen moesten worden, een dak dat lekte en waterschade aan de muren veroorzaakte en ramen die klem zaten en niet open of dicht wilden. Te oordelen naar zijn gepassioneerde toon leek het wel of het hele gebouw elk moment kon instorten als een paar mensen tegelijk niesten.

In een rij achter Dunmore stond een net zo bezielde Mary Bollman te wachten, die een aantal minuten tekeerging tegen het gebrek aan respect van jonge mensen tegenover ouderen. Daarna klaagde Ezra Lee dat de westzijde van de kerkzaal te koud was. Betsy Walker klaagde dat de oostzijde van de kerkzaal — de kant waar 's morgens de zon scheen — te warm was. Vervolgens klaagde George Carr dat er te veel klagers waren in de kerk en dat de mensen niet genoeg tijd besteedden aan het zich verheugen over hun redding. Natuurlijk had hij een paar suggesties over hoe de predikant de mensen blijer kon maken.

Toen de laatste zeurpieten vertrokken waren, vroeg Philip met een grijns: 'Voel je je al dominee?'

Ze waren nog met hun tweeën. Ze sloten de laatste deur van het gebouw en liepen de zon in en de brink op. Met een zwaai van zijn hand gebaarde Philip naar de koetsier van zijn open koets dat hij moest wachten.

'Beide preken waren goed,' zei Philip. 'Vooral de eerste. Ste-

fanus' moeder. Interessant commentaar. Ik denk dat het over-
kwam.'

Ze liepen de grazige vlakte op waar het stadje omheen gebouwd was. Josiah begon de effecten te voelen van de gecom-
bineerde inspanning en zenuwachtigheid van twee preken. Hij
voelde zich vermoeid, maar hij was ook blij met de manier
waarop de morgen verlopen was. De pijn in zijn buik was nog
niet weg, maar hij had gemerkt dat hij die onder het preken
aardig kon negeren.

'De mensen waren op hun hoede, maar dat was te verwachten,' ging Philip verder.

'*Op hun hoede.*' *Een understatement,* peinsde Josiah. Maar het
was zeker een verbetering ten opzichte van dode dieren aan de
muur spijkeren en deuren en ramen stelen.

'Komt Johnny niet?' vroeg Josiah.

'Meestal geeft hij weduwe Delor een lift naar en van de
kerk. Daarna... wel, ik weet niet wat Johnny met zijn zondag-
middagen doet.'

'Ik ben hier nu al sinds donderdag en ik heb hem nog niet
gesproken.'

Philip staarde naar de grond en reageerde niet.

De familie Buckman liep voorbij. Philip en Josiah zwaaiden.
Er werden geen beleefdheden uitgewisseld, want het was de
rustdag. Ieder ging alleen van de ene naar de andere plek als het
niet anders kon en dan in plechtige eerbied en waardigheid.

'Is George Buckman nog steeds de smid?'

Philip knikte. 'De enige in het stadje.' Hij draaide zich om
en wenkte met een opgestoken hand zijn koetsier. 'Kan ik je
een lift naar huis geven?'

Josiah schudde zijn hoofd. 'Ik denk dat ik maar even door de
straten loop. Even mijn gezicht laten zien. Hebben de mensen
iets om over te roddelen, zoiets.'

De koets arriveerde en Philip klom erin. 'Iemand in het bijzonder?'

Josiah grijnsde schaapachtig. 'O, dat weet ik niet. Ik dacht dat ik misschien even naar de Parkhursts kon lopen en Eunice een kans geven om me eruit te gooien.'

Hij bedoelde het als een grapje, maar Philip lachte niet.

'Vind je dat echt een goed idee?' vroeg Philip. Hij fronste bezorgd.

'Ik kan haar niet voor altijd ontwijken,' reageerde Josiah.

'Haar... Eunice of Abigail?'

Josiah was de enige die haar Nabby noemde.

Toen hij niet antwoordde, leunde Philip achterover op zijn zitplaats en staarde in de verte. Zijn afkeuring was duidelijk. 'Ik wil gewoon niet dat je een zo veelbelovende start op de eerste zondag als predikant verprutst.'

Josiah werd kwaad, maar hij probeerde het niet te laten merken. 'Ik zie niet hoe een bezoek aan de Parkhursts de vooruitgang die ik vandaag geboekt heb teniet kan doen.'

Philip leek een moment over Josiahs opmerking na te denken. Toen barstte hij uit: 'Je ziet niet...'

Beide mannen hulden zich in stilzwijgen.

Er kwam een vragende uitdrukking op Philips gezicht. 'Tenzij je het niet weet.'

'Tenzij ik wat niet weet?' vroeg Josiah, verward.

'Van Abigail?'

Philip keek hem voorzichtig aan. 'Van Abigail en Johnny...'

De twee namen met elkaar verbonden door het meest gebruikte voegwoord vormden een harpoen die Josiahs romantische dromen met één enkele dodelijke stoot doorspietste. Meer hoefde hij niet te horen.

Niettemin maakte Philip zijn zin af. 'De bruiloft staat gepland voor komend voorjaar. Ik weet zeker dat ze jou zullen vragen, als de nieuwe predikant, om de dienst te leiden.'

Josiah moest zichzelf met één hand op een wiel van de koets in evenwicht houden. 'Nee... dat wist ik niet,' zei hij zacht.

'Johnny zou niet gelukkiger kunnen zijn. Het is erg grappig.

Hij blijft maar zeggen: "Nu weet ik dat er een God is."' Philip lachte.

Josiah grinnikte een beetje en dat was moeilijk.

'Nou, dat verklaart het,' besloot Philip opgewekt. 'Als je het niet wist, dan zag je natuurlijk geen reden waarom je niet bij Abigail op bezoek zou gaan. Maar nu je het weet, denk ik niet dat je Johnny zoiets zou aandoen. Daar ben je een te goede vriend voor.'

'Ja,' mompelde Josiah. 'Ik zou niets willen doen om tussen Nab – ik bedoel, Abigail – en Johnny te komen.'

'Nou, ik moet weg. Weet je zeker dat ik je geen lift kan geven?'

'Nee, ik denk dat ik hier maar gewoon een tijdje rondloop. Maar bedankt.'

Josiah deed een stap achteruit. Hij verwachtte dat Philip zijn koetsier opdracht zou geven om te gaan rijden. Toen de koets niet in beweging kwam, keek Josiah op in het gezicht van een grijnzende Philip Clapp.

'Wat een dag is dit!' zei het enthousiast. 'Jij, de predikant van First Church. Johnny en ik ouderlingen en gemeenteraadsleden. Niet slecht voor Parkhursts jongens, vind je niet?'

'Hij zei altijd tegen ons dat wij de zoons waren die hij nooit had gehad,' reageerde Josiah.

Die nacht brak er brand uit op de werf. Het was de eerste op de kades in zeven jaar. Een deel van een pakhuis liep aanzienlijke schade op en een lading bonthuiden werd waardeloos door de rook, de vlammen en het water. Gelukkig kwam Johnny Mott toevallig voorbij en zag hij de vlammen. Hij slaagde erin op tijd genoeg mannen bij elkaar te krijgen om het vuur te doven voor het kon overslaan naar de andere pakhuizen.

Het ontstaan van de brand was verdacht.

5

Het nieuws van Nabby's ophanden zijnde huwelijk met Johnny Mott maakte mij geheel van streek. Zo erg zelfs dat het voor mij onmogelijk was om gisteravond een aantekening in mijn dagboek te maken. Zelfs nu nog, een dag later, trilt mijn hand terwijl ik dit schrijf.

Om maar iets te noemen, ik ben boos op mijzelf om hoe diep het nieuws mij raakt. Ik heb herhaaldelijk tegen mezelf gezegd dat ik niet naar Havenhill ben teruggegaan voor Nabby. En tot gisteren was ik erin geslaagd om mijzelf ervan te overtuigen dat dat echt zo was. Echter, toen ik het nieuws hoorde, openbaarden mijn emoties mij wat voor bedrieger ik ben. Ik weet niet zeker of ik, als ik geweten had dat Nabby verloofd was met een ander, anders had besloten over mijn terugkeer. Maar ik weet wel dat ik niet zo bereidwillig was teruggekeerd.

En het nieuws kwam zo plotseling. Een bliksemflits had niet sneller kunnen inslaan en niet meer pijn kunnen veroorzaken.

Het nieuws kent wel enkele onthutsende aspecten – Johnny Mott? Die twee waren nooit erg bevriend. Zelfs nu kan ik ze me niet samen voorstellen.

Abigail Parkhurst en Johnny Mott?

Ondenkbaar!

Ik zal me de dag van gisteren voor altijd herinneren als een dag die veelbelovend begon, maar eindigde met twee rampen. Eerst het nieuws over Nabby, dan, later, de brand op de kade. Ik dank God dat de materiële schade beperkt is gebleven. Wat betreft de schade aan mij, de tijd zal het leren.

Vanmorgen kwamen Philip en ouderling Dunmore langs om mij van de brand op de hoogte te stellen, maar ik had het verbrande hout in de lucht al geroken zodra ik buiten kwam. Het was me duide-

lijk dat het bezoek van Philip en Dunmore niet alleen bedoeld was
om het nieuws te brengen. Ze informeerden discreet naar wat ik gis-
teravond gedaan heb, maar het was duidelijk dat het hun zorgen
baarde toen ik vertelde dat ik tijdens de brand alleen thuis was.
Gezien het feit dat de brand duidelijk aangestoken is en gezien
mijn verleden in het stadje, kan ik het hun niet kwalijk nemen dat
ze hun bedenkingen hebben.

Op woensdagmorgen, toen Josiah aan het bidden was, dacht hij dat hij een licht kloppen op zijn deur hoorde. Toen hij opendeed om te kijken, vond hij een klein, mager meisje met een muts op en een stukje papier in haar hand. Ze keek niet naar hem op.

'Dominee Rush...' Ze stak het opgevouwen papiertje uit, maar keek hem nog steeds niet aan.

'Dank je. Hoe heet je?' Hij pakte aan wat hem werd aange-boden.

Zodra de vingers van het meisje het papiertje hadden losge-laten, rende ze weg.

Josiah riep haar na: 'Moet je niet op antwoord wachten? Van wie komt dit?'

Maar het meisje luisterde niet. Haar voeten vormden een waas onder haar jurk.

Josiah bleef op de drempel staan en vouwde het papiertje open. Het handschrift was erg vrouwelijk.

Het gezin Mason heeft bezoek nodig.
Mevrouw Parkhurst

Josiah keek naar het snel verdwijnende dienstmeisje. Hij kon een glimlach niet onderdrukken bij de gedachte dat Eunice Parkhurst nog steeds het middelpunt was van wat er in de kerk gebeurde. Hoe vaak in het verleden had ze niet bepaald wat haar man, de dominee, moest doen?

Josiah greep zijn hoed en jas en ging met kwieke pas op weg voor zijn eerste pastoraal bezoek.

Josiah herinnerde zich dat de Masons aan de rand van het stadje woonden, geografisch, sociaal en geestelijk. Hij kon zich maar één keer herinneren dat het gezin in de kerk geweest was – op een kerstzondag vele jaren geleden.

Josiah had op school gezeten met Jabez, de oudste van de jongens van Mason. Jabez was een jaar jonger dan Josiah. Josiah herinnerde zich hem als een dikhoofdige, bokkige jongen die zich vaak in de nesten werkte. Als Josiah het zich goed herinnerde, had Jabez een broertje en een zusje die veel jonger waren.

Josiah naderde het huis over een weg met diepe sporen die bij elke stap voor een verzwikte enkel dreigde te zorgen. De velden aan beide kanten lagen vol troep. Zelfs van een afstandje leek het huis slecht onderhouden. Het hout was donker en verweerd en het dak ingezakt.

Josiah hoorde een gekweld jammeren van een vrouw terwijl hij een gebroken en versplinterde trede van het trapje ontweek. Hij klopte twee keer – de tweede keer harder dan de eerste keer – om antwoord te krijgen.

Zwaar gestamp, geschreeuw en een reeks vloeken gingen vooraf aan het opengaan van de deur. 'Ik zei je dat ik je zou doodslaan als je ooit...'

De bedreiging bleef onafgemaakt.

Josiah dacht dat hij Jabez herkende achter de grote baard. De kleren van de man waren tot op de draad versleten en smerig. Ondanks de morgenkoelte was de man blootsvoets. In zijn rechterhand hield hij een bijl geklemd.

'Jij! Ik heb gehoord dat ze je de stad weer binnengelaten hebben. We hebben niets aan lui zoals jij.'

Jabez zag er net zo gemeen uit als Josiah hem zich herinnerde, alleen groter. De bijl vergrootte zijn postuur misschien ook wel, dacht Josiah. Dat en het feit dat hij zich afschuwelijk slecht opgewassen voelde tegen de situatie. Hij kon zich geen enkel college aan Harvard herinneren waarin hem verteld was over pastorale bezoeken aan met bijlen zwaaiende bewoners.

Josiah schraapte zijn keel. 'Het is mij onder de aandacht gebracht dat jouw familie misschien behoefte heeft aan een pastoraal bezoek.'

'Het is je onder de aandacht gebracht, hè?' spotte Jabez. Een stap naar voren overbrugde de afstand tussen hen.

'Eh... ja... ja, zo is het.'

'Er heeft iemand over ons gepraat? Wie?'

Josiah deed een stap achteruit. Geen grote stap, maar groot genoeg om zich een beetje veiliger te voelen. Maar slechts een beetje. 'Het is niet zozeer dat ze over jullie gepraat hebben, maar dat ze bezorgd zijn over jullie.'

Achter Jabez rees het gejammer tot een crescendo. Hij draaide en zwaaide de bijl in de richting van het lawaai en schreeuwde naar de vrouw dat ze haar mond moest houden.

'Ik geef je goed geld als je haar afvoert!' zei hij tegen Josiah.

'Je vrouw?' vroeg Josiah.

'Vrouw? Nee, dat is mijn zus, Phoebe.'

Josiah leunde opzij om langs de gespierde Jabez te kunnen kijken, maar de ruimte was te donker voor hem om binnen iets te kunnen zien.

'Ik ben bereid met haar te praten. Misschien kan ik helpen,' stelde Josiah voor.

'Doe geen moeite. Ze jammert alleen maar omdat John haar in het gezicht geslagen heeft.'

'Haar man? Hij slaat haar?'

'Ze verdient het,' verklaarde Jabez simpel.

'Jij bent degene die een flinke klap voor je kop en meer verdient, Jabez Mason!' schreeuwde zijn zus achter hem.

41

Jabez draaide zich om en hief de bijl. 'Houd je mond, Phoebe! We hebben bezoek!'

Gealarmeerd legde Josiah een bedarende hand op Jabez' geheven arm.

Jabez schudde hem af, maar liet de bijl zakken. 'Ik verzeker je, er komt een dag dat je een man te ver drijft!'

Toen Jabez de bijl langs zijn zij liet vallen, haalde Josiah opgelucht adem. Hij was blij dat zijn eerste pastorale bezoek niet bloederig ging worden.

'Deze kant op.' Jabez gebaarde dat Josiah hem moest volgen. 'Je kunt met mijn jongere broer praten. Hij is het waarschijnlijk waar die oude kwebbeltantes het over hebben. Aan boord ziek geworden.'

'De snauw in de haven?'

'Die ja. Net terug van de Cribbey-eilanden. Georgies eerste reis. Moet iets gekregen hebben onderweg.'

Terwijl Josiah zijn hoed afzette en over de drempel stapte, kreunde de houten vloer. *Een waarschuwing?* Hij kon niet helpen dat hij het zich afvroeg.

Toen Josiah de deur dicht begon te doen, zei Jabez hem dat hij die open moest laten.

Zelfs met de deur open was het interieur van het huis nogal donker. Een sterke, ranzige geur hing in de kamer. Jabez trapte kleren en flessen en boerengereedschap uit de weg om een pad te maken.

In de hoek kwamen twee vrouwen in zicht. Ze zaten op een in elkaar gezakte sofa die opzij leunde. De jongere vrouw was twee keer zo groot als de oudere vrouw die haar troostte. Toen Josiah bij hen kwam, zag hij dat de twee op elkaar leken – beiden verward haar en treurige ogen.

'Ma, dit hier is Josiah Rush. Je herinnert je hem toch?'

'Mevrouw Mason.' Josiah gaf haar een knikje.

'De brandstichter?' vroeg ze.

Jabez grinnikte. 'Jaja. Dat is 'em. Eindelijk hebben we een

predikant die net zo slecht is als de rest van ons. Ik mag dat wel.'

Josiah ving Phoebes blik. Haar gezicht was bedekt met tranen en ze bloosde. Ze keek hem moorddadig aan, maar Josiah wist niet wat hij gedaan had om haar toorn te verdienen.

'Hierheen,' zei Jabez tegen Josiah.

'Houd hem in de gaten!' riep mevrouw Mason hen na.

Josiah wist niet of ze Jabez waarschuwde voor hem of hem voor Jabez.

Als er in het woordenboek bij het woord 'misère' een plaatje zou staan, zou het een plaatje zijn van het huis van de Masons. Hoe verder ze het huis in gingen, hoe donkerder en vuiler het werd. Ze kwamen langs een kamer waarvan de deur scheef getrapt was, de onderste scharnier was gebroken. Kapot gereedschap, vuile kleren en troep lagen overal neergeworpen – op de vloer, op tafels, hangend uit open lades. Josiah veegde spinnenwebben weg terwijl Jabez op hetzelfde moment een dode kip uit de weg trapte.

'Hé, Georgie! Je hebt bezoek!' kondigde Jabez aan voor hij verdween in een donker hol van een kamer.

Josiah, twee stappen achter hem, gleed uit in iets vettigs. Toen hij naar de deurpost greep om zijn evenwicht te hervinden, voelde hij iets wat net zo vies was als waar hij over uitgegleden was.

In een hoek van de kamer lag de gestalte van een man op een bed. Het enige licht in de kamer kwam van een kaars bij zijn hoofd. De man had zijn arm over zijn hoofd gelegd.

'Het is de nieuwe dominee,' riep Jabez naar zijn broer. 'Ik heb met hem op school gezeten.'

'Georgie, ik ben dominee Rush,' zei Josiah zacht.

'Georgie,' klaagde de jongeman met zwakke stem. 'Ik heb er een hekel aan om Georgie genoemd te worden.'

'Daarom doe ik het toch ook, Georgie!' plaagde Jabez. Hij zette een klein houten vaatje dat naar rum rook rechtop. 'Je

43

kunt hier zitten, dominee. Ik laat jullie twee alleen zodat jullie kunnen praten.'

Het gejammer in de voorkamer begon opnieuw. Jabez vloekte. De hele weg door de gang was zijn geschreeuw tegen zijn zus te horen.

Josiah probeerde het vat. Toen hij erop durfde te vertrouwen dat het zijn gewicht zou houden, ging hij er schrijlings op zitten. 'Je bent een zeeman,' zei hij terwijl hij een zithouding zocht.

'Heeft Jabez dat verteld?'

'Ja, maar ik zie het ook aan je broek van zeildoek.'

Josiah leunde voorover, zijn onderarmen op zijn benen. Voor het eerst kon hij in het zwakke licht George Mason goed zien. Een gruwelijk vermoeden greep Josiah bij de keel. De man op het bed was bedekt – gezicht, handen en onderarmen – met witte, puisterige blaasjes.

'Ze zitten zelfs onder op mijn voeten,' legde George Mason uit. 'En binnen in mijn mond. Het ergste is de pijn in mijn rug.'

Terwijl hij probeerde niet te laten merken hoe hij geschrokken was, vroeg Josiah: 'Is er een dokter geweest?'

'Nee. Ze hebben me van het schip hier gebracht. We waren aan het lossen. Ik voelde me erg moe. Voor ik het wist, lag ik op het dek.'

'Zijn er nog meer zeelui ziek?'

George haalde zijn schouders op. 'Niet dat ik weet.' Zijn gezicht vertrok van zorg. 'Bent u echt een dominee? Ik heb de echt slechte plekken in Port Royal vermeden. Ik heb niks gedaan met die vrouwen daar, dus het kan niet dat soort ziekte zijn, hè? Ik bedoel, sommige van de andere jongens deden het wel. Ik kan toch niet een van die ziekten gekregen hebben, gewoon door naast hem te slapen?'

'Nee, zo'n ziekte is het niet,' zei Josiah.

'Weet u dan wat het is? Ma gelooft me niet dat ik niets met

die vrouwen in Port Royal gedaan heb. Maar als u haar vertelt dat het zoiets niet is, misschien gelooft ze u dan.'

'Ik zal het haar vertellen,' beloofde Josiah en stond op.

'Gaat u al weg? Ik zou het erg waarderen als u even kon blijven en praten. Ik heb niet veel mensen gehad om mee te praten... Zeg, zou u bij de boerderij van de Febigers willen langsgaan en Peggy vertellen waarom ik nog niet bij haar geweest ben? Ze moet wel erg kwaad op me zijn, want het schip ligt al dagen in de haven en ik heb haar nog niet het hof gemaakt.'

'Ik zal... ik zal het haar vertellen.' Josiah maakte dat hij de kamer uitkwam. 'En ik zal een dokter naar je laten kijken. Jij moet gewoon rust houden.'

'U komt me toch wel weer een keer opzoeken?'

'Natuurlijk doe ik dat,' reageerde Josiah beslist, want hij hoorde de angst in de stem van de man. 'En voor ik vertrek, zal ik met je bidden.'

Hij knielde neer naast het bed van George Mason. Josiah legde een hand op de arm van de zieke man en bad tot de Grote Heelmeester om genade en herstel.

Pokken. Dokter Wolcott bevestigde het.

Verscheidene bemanningsleden van de Nightingale vertonen vroege symptomen – koorts, vermoeidheid, rugpijn, overgeven – en allemaal zijn ze zeer besmettelijk. We zijn hun gangen nagegaan. De werf. Het centrum. De brink. Boerderijen buiten het stadje. Er is geen deel van de stad waar ze niet geweest zijn.

Josiah ging achterover zitten en keek naar wat hij zojuist in zijn dagboek geschreven had. De pagina werd alleen verlicht door een flakkerende kaarsvlam. Om hem heen was de nacht gevallen na een lange dag.

'God, help ons,' bad hij.

6

Twee weken nadat Josiah George Mason bezocht had, begonnen de begrafenissen. Kinderen en ouderen waren de eersten die stierven. Twee, soms drie keer per dag luidde de kerkklok en deed Josiah zijn rouwpak aan om ouders, een weduwe of een weduwnaar in een plechtige stoet naar het kerkhof te leiden waar ze in stilte tussen de uitdijende rijen verse graven stonden.

Hij had een oudere dominee eens horen opscheppen over een verzameling van 'niet minder dan zevenenvijftig rouwringen' die hij gekregen had van de families van overleden kerkleden. Met deze snelheid dacht Josiah dat hij in het eerste jaar van zijn bediening al zo veel zwart geëmailleerde ringen zou hebben.

En handschoenen.

Het was de gewoonte, maar de handschoenen verontrustten hem. Het was duidelijk dat de inwoners die gebruikten om hem eraan te herinneren dat hij nog in zijn proeftijd was. Nooit had Josiah gehoord of gezien dat een dominee handschoenen van zulke slechte kwaliteit kreeg.

Het was de gewoonte dat mensen van stand handschoenen kregen van twaalf shilling. Witte lamswollen handschoenen waren een teken van eer en respect. Handschoenen voor vrienden en familie kostten vijf shilling. Handschoenen voor dragers en grafdelvers kostten twee shilling.

Als de handschoenen die Josiah aangeboden kreeg twee shilling gekost hadden, was degene die ze gekocht had beroofd. Philip had drie van de begrafenissen bijgewoond. Elke keer had de familie hem witte lamswollen handschoenen aangeboden.

Geef het tijd, ried Josiah zichzelf. Maar hij merkte dat hij expres zijn gehandschoende handen verstopte tijdens de begrafenissen.

De zon was niet helder genoeg, de lucht niet blauw genoeg en het lentebriesje niet fris genoeg om de zwarte stemming weg te nemen die het stadje bedekte.

Josiah zelf, die onder normale omstandigheden kracht putte uit de kleuren en geuren van de natuur, beende door de straten zonder er maar iets van te merken. Sinds de pokken waren uitgebroken, had hij er een gewoonte van gemaakt om vroeg op te staan en naar het huis van dokter Wolcott te lopen waar zij beiden samen baden voor de zieken, naam voor naam, met behulp van een lijst die schrikbarend lang werd.

Wat Wolcott betrof kreeg Josiah een kans om zich te bewijzen. Wolcott zelf was een jaar na de brand naar Havenhill gekomen. Josiah waardeerde het dat hij één huis had waar hij kon aankomen zonder dat de donkere wolk van zijn verleden hem vooruit ging.

Deze morgen was de twaalfjarige Edward Usher toegevoegd aan de lijst, de broer van de twee meisjes die omgekomen waren in de brand in het pakhuis. Omdat haar man was omgekomen bij een uitzonderlijk ongeluk in een pakhuis, enkele dagen voor Edward geboren was, was de jongen alles wat Judith Usher nog had.

Josiah ging op weg naar het huis van de Ushers met een bezwaard hart. Het groeiende aantal sterfgevallen had zijn tol geëist van iedereen in Havenhill, inclusief Josiah. Hij voelde zich als een ooggetuige van het menselijk lijden – iemand wie de handen op de rug gebonden waren. Hij kon troosten, de door verdriet overmanden opbeuren, de doden aan God overgeven en bidden voor de levenden. Maar hij kon niet één sterfgeval voorkomen. En nu rustte de ijzige klauw van de man met de zeis op Edward Usher.

Al voelde hij zich nog zo hopeloos, Josiah kon niet wegblijven. Zolang Edward nog ademde, kon Josiah in het gebed voor de jongen op de bres springen en vertrouwen op Gods genade.

Het huis van de Ushers was een smal, boomgroen bouwwerk met een verdieping aan de rand van de stad, dat onderhoud nodig had. Terwijl Josiah het naderde, maakte hij zich zorgen over hoe hij ontvangen zou worden, want hij had nog geen kans gehad om met Judith Usher te spreken sinds hij in Havenhill was teruggekeerd. Hij hoopte dat dit bezoek een dubbel doel zou dienen. Hij wilde voor Edward bidden, maar hij hoopte ook dat hij een kans zou krijgen om tegen Judith Usher te zeggen wat hij zich voorstelde dat de apostel Paulus tegen de moeder van de martelaar Stefanus gezegd had.

Josiahs hart bonkte hard in zijn keel toen hij op de voordeur klopte. Hij hoorde voetstappen en de deur zwaaide open.

'Nabby!'

Te oordelen naar de blik in haar ogen was ze even verbaasd hem te zien als hij dat hij haar zag.

'Wat doe jij hier?' riep ze.

Josiah had deze vraag maandenlang voorzien. Hij had er zorgvuldig over nagedacht en had zelfs een klein toespraakje opgesteld voor deze gelegenheid. Maar nu, nu hij overvallen werd, kon hij het zich niet meer herinneren.

'Ik ben hier omdat ik... ik... niet... ik bedoel dat hoewel jij een rol gespeeld hebt in mijn beslissing om terug te keren – natuurlijk, hoe kon je er, gezien ons verleden, geen rol in spelen? Alleen wist ik toen nog niet dat jij en Johnny Mott...'

Ze trok een wenkbrauw op.

Dit kwam er niet goed uit. Hij probeerde het opnieuw. 'Natuurlijk, dat is iets tussen jou en Johnny, al kan ik niet zeggen dat ik niet verbaasd ben... in elk geval, toen ik mijn besluit nam om naar Havenhill terug te gaan, heb ik wel voor mezelf vastgesteld dat jij niet de enige reden was voor mijn...'

Ze onderbrak hem. 'Josiah, waarom ben je *hier?*' Ze wees naar de plaats waar ze stonden. 'Waarom ben je naar het huis van Judith Usher gekomen?'

'O! Hier, *hier*. Niet hier zoals hier in Havenhill.' Josiah voelde zijn gezicht rood worden.

Abigail sloeg haar armen over elkaar en wachtte op zijn antwoord.

Ze zag er moe uit. Maar dan nog, Josiah was in zeven jaar niet meer zo dicht bij haar of zo alleen met haar geweest – als je voor een huis aan de openbare weg staan alleen kon noemen. Alleen maar naar haar kijken sloeg hem met stomheid en bracht zo veel herinneringen boven.

Er was zo veel dat hij wilde zeggen. Zo veel vragen die hij wilde stellen. Allemaal waren ze afhankelijk van een werkende mond die verlamd leek. Maar zijn ogen werkten opmerkelijk goed en ze konden niet snel genoeg genoeg van haar indrinken.

'Nabby,' begon hij.

'*Abigail*,' corrigeerde ze hem. 'Aangezien ik verloofd ben met een andere man, lijkt het me nauwelijks gepast voor de stadspredikant om een intieme aanspreekvorm te gebruiken.'

Ze had gelijk. Natuurlijk had ze gelijk. Maar het was pijnlijk. Haar anders dan Nabby noemen was weer een herinnering aan het feit dat hij haar kwijt was.

Met moeite nam Josiah in houding en toon de rol van stadspredikant aan. Met een kalme stem zei hij: 'Ik heb gehoord dat Edward Usher ziek geworden is. Ik ben gekomen om een pastoraal bezoek te brengen.'

'Denk je dat dat wijs is?'

Waarom stelde iedereen hem telkens die vraag? Eerst Philip. Nu Nab... Abigail. Elke keer als hij zich omdraaide stelde er iemand vragen over de wijsheid van zijn besluiten.

'Ik ben zijn dominee,' zei Josiah uitdagend.

'Dat mag zo zijn, maar gezien...'

'Ik ben hier beroepshalve, op ziekenbezoek,' beet hij. 'Ga je me de toegang ontzeggen?'

Abigail reageerde kwaad. Haar lippen werden op een bekende manier op elkaar geklemd. Hij zag de schittering in haar ogen toen ze een stap achteruit deed. 'Ik zal uw aanwezigheid aankondigen, *dominee* Rush.'

'Dank u,' reageerde hij kort.

'Je mag je bedankjes voor jezelf houden.' Ze draaide hem haar rug toe.

Hij volgde haar het huis in en sloot de deur achter zich toen hij nog een bekende stem hoorde.

'Abigail, wie was er aan...? Wat doe *jij* hier?' Eunice Parkhurst leek op een schip dat opdoemde uit de mist, gewapend en klaar voor de strijd. Ze was altijd een potige vrouw met een hartelijke ziel geweest, een trouwe weergave van haar koloniale voorouders die alle soorten moeiten hadden doorstaan en overleefd. Haar gezicht was lang. Ze had een dunne streep als mond – op het moment naar beneden gekruld – onder een grote neus.

'Waarom vraagt iedereen me dat toch telkens?' vroeg Josiah.

'Ik dacht dat je zo veel verstand nog wel had!' blafte Eunice. 'Je zou hier niet moeten zijn!'

Voor de tweede keer in evenveel minuten wist Josiah niet over welk 'hier' ze het hadden – het huis van de Ushers of Havenhill. Misschien maakte dat niet uit. Naar de blik op het gezicht van Eunice Parkhurst te oordelen zou ze hetzelfde zeggen over beide locaties.

'Ik kom een pastoraal bezoek brengen aan Edward Usher,' zei Josiah.

'Heb je dit gezin nog niet genoeg verdriet gedaan?' riep Eunice.

Ze kwam dreigend op hem af. Ze was altijd een imposante verschijning geweest, dacht Josiah, maar nu meer dan ooit.

'Ik hoorde dat Edward de pokken heeft gekregen en ik dacht dat ik...' begon hij uit te leggen.

'Er wordt voor hem gezorgd,' onderbrak Eunice hem. 'Judith is radeloos, zoals te verwachten. Op dit moment ben *jij* wel de laatste die ze nodig heeft.'

Abigail had een stap opzij gedaan. Eunice vormde nu de eerste verdedigingslinie en stond nog niet op het punt te breken. Josiah zou haar letterlijk opzij moeten duwen om verder het huis in te kunnen.

Hij probeerde te redeneren. 'Eunice, wat er in het verleden ook gebeurd is, ik ben nu de predikant van First Church. Laat me alsjeblieft mijn werk doen.'

Haar ogen vernauwden zich in woede. 'De kerk heeft je misschien beroepen als predikant,' zei ze koud, 'maar voor sommigen van ons zul je nooit onze dominee zijn.'

Haar ogen waren hard, zonder glans; ze gingen uitdagend heen en weer.

Josiah wist dat het geen zin had. Hij blies de aftocht. 'Laat mevrouw Usher alstublieft weten dat ik geweest ben.'

'Absoluut niet. Het zal haar alleen maar van streek maken.'

Josiah zuchtte. Hij keek langs Eunice naar Abigail. Ze had haar ogen neergeslagen.

'Moge God jullie beiden en dit huis zegenen,' zei Josiah zacht.

En toen vertrok hij.

7

Na zijn bezoek aan het huis van de Ushers reageerde Josiah zijn frustratie af door groenten, kruiden en hertenvlees te hakken voor een stoofpot. Daarvoor had hij wild met de bijl gezwaaid zodat de omvang van zijn houtstapel verdubbeld was en zijn overhemd bij de schouder gescheurd was.

Het was noodzakelijk het houtkappen eerst te doen. Normaal gesproken zou het zinnig geweest zijn om eerst de stoofpot op te zetten en dan het hout te kappen. Maar zou Josiah na zijn ontmoeting met de vurige, onverzettelijke Eunice Parkhurst in zijn woede meteen een mes hebben opgepakt om groente te hakken, dan had hij misschien wel een vinger of twee verloren. Op deze manier zou hij laat eten, maar tegen de tijd dat de stoofpot aan het sudderen was, zou zijn woede gekoeld zijn en zou hij nog al zijn vingers hebben.

Terwijl hij in de stoofpot roerde, rommelde zijn maag. Hij kreeg trek van de geur. Het was de eerste keer dat hij echt kookte sinds zijn aankomst. Tot nog toe had hij overleefd op voedsel dat hij kon eten onder het lopen, zoals maïspap en maïskoeken.

Hij proefde de bouillon en besloot dat er nog iets ontbrak. Hij ging terug naar de snijplank, hakte nog wat gedroogde peterselie, liet het op de rand van het mes balanceren en draaide zich om om het aan de stoofpot toe te voegen.

Juist toen klopte er iemand op de deur.

Josiah zette zijn stekels op. Het was waarschijnlijk het dienstmeisje van Eunice Parkhurst met een nieuwe boodschap om hem te vertellen dat er iemand een bezoek nodig had. Het dienstmeisje was regelmatig aan zijn deur verschenen en hij werd het zat dat Eunice Parkhurst hem vertelde wie hij moest bezoeken en wie hij niet mocht bezoeken.

Josiah voelde zijn woede opnieuw opkomen. Hij sloeg het mes in de snijplank zodat de stukjes peterselie in het rond vlogen. Hij schudde zijn hoofd uit wanhoop. Een simpele klop op de deur had een houtstapelgrote boetedoening tenietgedaan. Hij onderdrukte zijn emoties en greep de deurklink. Het dienstmeisje verdiende de woede niet waar Eunice Parkhurst recht op had. Het meisje was zo al bang genoeg voor hem.

Josiah dwong zich tot een glimlach en opende de deur.

'Komen we ongelegen?'

Twee vrouwen stonden zij aan zij in het oranje schemerlicht.

'Grace en Mercy!'

De jongste vrouw glimlachte. 'Als u op die manier onze namen uitspreekt, dominee, klinkt het als een zegen.'*

Ze droeg een mand aan haar arm. Het was duidelijk een kenningsmakingsbezoek.

'Jullie zijn helemaal hierheen komen lopen? Kom binnen!' Hij week achteruit om hen binnen te laten.

De vrouwen wisselden blikken met elkaar. Josiah maakte eruit op dat ze over dit moment blijkbaar gediscussieerd hadden – en dat ze het nog niet eens geworden waren. Staand op de veranda rekten ze hun halzen om naar binnen te kijken, nieuwsgierig naar en angstig voor wat hen in het huis van een vrijgezel zou kunnen wachten.

'Natuurlijk zijn jullie welkom,' zei Josiah. 'Tenzij jullie je ongemakkelijk voelen.' Hij had een idee. 'Als jullie denken dat het gepaster zou zijn, wil ik de deur wel open laten.'

Mercy zette een punt van haar schoen op de drempel. 'Ik denk dat het geen kwaad kan, toch, zus... als de deur open is?'

Met een alwetend lachje zei Grace: 'Je weet even goed als ik,

---

* Noot van de vertaler: De Engelse woorden *grace* en *mercy* kunnen allebei vertaald worden met 'genade'.

zus, dat het geroddel begint zodra ze erachter komen dat we hierheen zijn gegaan!'

'Dan geven we ze maar wat om over te praten!' zei Mercy monter. Ze deed een stap naar binnen en glimlachte trots alsof ze een van de Pilgrim Fathers was die landden op Plymouth Rock.

Grace schudde haar hoofd en stapte ook naar binnen.

Met de mand aan haar arm keek Mercy Litchfield blij de kamer rond. Josiah herinnerde zich haar van hun schooldagen samen als het kleine, domme meisje, vier jaar jonger dan hij, dat veel giechelde. Nu was ze een vrouw van tweeëntwintig en een paar centimeter langer dan anderhalve meter. Ze was zwaarder geworden sinds Josiah haar voor het laatst gezien had – haar wangen en borsten en heupen waren nu ronder. Maar ze had nog steeds dezelfde blanke huid en gelukkige uitstraling, ondanks dat ze het zwaar te verduren had gehad.

Josiah had gehoord over de tragedie drie jaar na zijn vertrek uit Havenhill. Het nieuws van thuis was geweest dat Mercy getrouwd was met een zeeman die Jonathan Litchfield heette en dat kort daarop zijn schip vergaan was tijdens een reis naar Afrika, waardoor zijn kersverse vrouw weduwe was geworden.

Grace Smythes man was ook zeeman op dat schip geweest. Kort na het vertrek van hun echtgenoten was Mercy bij Grace ingetrokken voor zolang hun mannen op zee waren. Mercy was bang om alleen te wonen en Grace verwelkomde het gezelschap.

De twee vrouwen woonden prettig samen en werden beste vriendinnen. Ze kregen het nieuws van de dood van hun echtgenoten op hetzelfde moment. Daarna waren ze onafscheidelijk. Ze stonden in het stadje bekend als 'de zussen'.

'O, Grace, ik vrees dat we de man verkeerd beoordeeld hebben,' zei Mercy met een iets opgetrokken neus.

'Mij verkeerd beoordeeld?' zei Josiah geschrokken. 'Op wat voor manier?'

'Die geur! Verrukkelijk!'

Josiah keek vermaakt naar de twee vrouwen. Allebei staken ze hun neus in de lucht en hun blikken volgden de geur naar het vuur.

Grace, tien jaar ouder dan Mercy, was afschuwelijk mager. De tijd had haar huid verweerd en getekend. Terwijl Mercy blij en gelukkig leek, gedroeg Grace zich voorzichtiger – bepaald de houding van een oudere zus.

'Ik zou jullie graag wat van de stoofpot willen aanbieden, maar ik ben bang dat hij voorlopig nog niet klaar is,' verontschuldigde Josiah zich.

Mercy graaide een houten lepel van de tafel en haastte zich naar de pot. Ze roerde in de stoofpot, inspecteerde de inhoud en proefde een beetje.

Ondertussen liep Grace kalm naar de snijplank en onderzocht de gehakte peterselie waarvan een deel op de vloer verspreid lag.

'Heel smakelijk,' zei Mercy. 'Echt heel smakelijk. Maar er mist nog een vleugje peterselie.'

'Hier is wat,' zei Grace terwijl ze met haar schoenpunt wees.

Josiah grijnsde schaapachtig. 'Een ongelukje. Ik wilde juist wat peterselie toevoegen toen jullie aanklopten.'

'Stel je voor!' riep Mercy uit. 'Een man die kookt. Kunt u nog wat anders koken? Of is uw culinaire bekwaamheid beperkt tot stoofpot?'

Voor Josiah kon antwoorden, zei Grace: 'Waarom zou hij moeten koken? Hij is dominee. Iedereen weet dat dominees altijd aan de tafel van iemand anders eten.'

Mercy keek ontsteld. 'Grace! Dat is onbeleefd!'

Josiah lachte. 'Eerlijk gezegd kook ik graag. Vis. Oesters. Ik heb een palingrecept waar ik gek op ben – gevuld met nootmuskaat en kruidnagel, gekookt in wijn en gegarneerd met citroen.'

Aan haar frons was duidelijk te zien dat Grace hem niet

geloofde. 'Nu steekt hij de draak met ons!'

'Ik heb eend gebraden, ham, kip en rundvlees. Ik maak room en pudding, maar ik houd vooral van bakken – taarten.'

De vrouwen staarden hem aan, onzeker of ze hem moesten geloven of niet. Dus stak hij zijn arm uit als bewijs.

Mercy onderzocht hem. Ze keek naar hem op, overtuigd. 'Zijn uw taarten net zo goed als uw stoofpot?'

Josiah glimlachte. 'Beter.'

Mercy zuchtte. 'Zus, zo te zien zijn we dit hele eind voor niets gekomen.'

'Wat bedoel je?' vroeg Josiah.

Ze trok het kleedje van de mand weg en haalde er een stuk brood en een zak met pudding uit.

'Pompoenbrood!' riep Josiah enthousiast. 'Mijn lievelingsgerecht! Ik ruik de kaneel al.'

'Ik neem aan dat u ook uw eigen inmaak doet,' zei Grace.

'Nee. Dat is iets wat ik nog nooit gedaan heb.'

Grace knikte naar Mercy, een teken. Met een glimlach haalde Mercy een pot ingemaakte vruchten uit de mand.

'Abrikozen,' kondigde ze aan.

'Wees gezegend, dames!' zei Josiah. 'Jullie hebben van deze predikant een heel gelukkig man gemaakt.'

Mercy glimlachte triomfantelijk. Zelfs de sardonische Grace stond zichzelf een grijns toe.

Josiah pakte de pudding. 'We eten hem nu op.'

'We hebben dat voor ú meegenomen!' protesteerde Mercy.

Josiah grinnikte. 'Eten smaakt altijd beter als het met vrienden gedeeld wordt.'

'Vrienden? Zijn wij dat?' zei Grace. Ze keek een beetje verward. 'Ik ben nog nooit bevriend geweest met een dominee.'

'We kunnen toch wel even blijven?' smeekte Mercy.

Grace haalde toestemmend haar schouders op. 'Zoals het gezegde gaat: we vallen met onze neus in de pudding.'

Terwijl Josiah de pudding boven de stoofpot hing om hem

te laten stomen, pakte Mercy een stoel en ging zitten.

Josiah draaide zich om en botste bijna tegen Grace aan.

Ze trok aan de draden van zijn overhemd dat gescheurd was bij de schouder. 'Ik neem aan dat u naait als een echte naaister.'

Josiah grijnsde. Hij mocht deze vrouw.

'Ik kan er geen steek van,' biechtte hij op. 'Morgenmiddag is het weer zo goed als nieuw,' zei Mercy.

Die avond, nadat hij het brood en de pudding gedeeld had met Grace en Mercy, stond Josiah in zijn deuropening tot hij de zussen niet langer kon zien. Hij had aangeboden met hen mee te lopen, maar Grace had er niet van willen horen.

'We hebben de oude zeurpieten nu wel genoeg gegeven om over te praten,' hield ze vol.

Josiah had hun een beetje van zijn stoofpot gegeven om mee naar huis te nemen en zijn overhemd. Hij had zich verkleed terwijl de pudding gestoomd werd.

Toen ze uit het zicht waren, sloot hij de deur en begon de tafel af te ruimen. Er ging een aantal minuten voorbij voor hij zich realiseerde dat hij glimlachte. Voor het eerst sinds zijn terugkeer in Havenhill voelde hij zich gelukkig. Maar het was meer dan gewoon een emotie. Sinds zijn terugkeer in Havenhill was dit de eerste keer dat hij geen buikpijn had.

Het had erg zeer gedaan toen hij voor het eerst het stadje binnenkwam en sindsdien had het als een lichte koorts aan hem geknaagd. Meestal kon hij het negeren. Soms flakkerde het op. Maar de laatste paar uur, onder het praten met Mercy en Grace, realiseerde hij zich nu, had hij het niet genegeerd. Het was helemaal weg!

Josiah stapte naar buiten. Hij wist dat hij Mercy en Grace niet kon zien, maar hij keek toch.

Toen, onder het twinkelende licht van de sterren, bad hij dat God de zussen zou zegenen.

8

Zodra hij het nieuws hoorde, rende Josiah naar het huis van de Parkhursts. Er waren maar weinig momenten in zijn leven dat hij wilde dat hij een paard bezat. Dit was er een van.

Het dienstmeisje – dezelfde die de boodschappen van Eunice Parkhurst bij hem bezorgd had over wie er in het stadje een bezoek van de dominee nodig had – deed op zijn aanhoudend kloppen de deur open.

Waarom had zij hem het bericht niet gebracht?

Hij had zich met die vraag beziggehouden zoals sommige mensen zich met een munt bezighouden; afwezig draaien ze hem om en om in hun handen.

Waarom had Eunice geen bericht gestuurd?

Hij kon geen goed antwoord bedenken. De vrouw stelde hem snel genoeg op de hoogte van alle andere mensen in het stadje die een pastoraal bezoek nodig hadden, waarom dan niet bij haar eigen dochter? Waarom had hij het nieuws moeten horen van dokter Wolcott?

Hoe meer hij de vraag door zijn hoofd liet tollen, hoe bozer hij werd, zodat hij tegen de tijd dat hij aan de deur kwam, kookte.

Het dienstmeisje leek verbaasd hem te zien. Ze zei de woorden niet hardop, maar de vraag in haar ogen was: *Wat doet u hier?*

'Laat je meesteres weten dat dominee Rush gekomen is om een pastoraal bezoek te brengen aan Nab... Abigail,' zei hij, geïrriteerd over de vertraging die de etiquette hem oplegde. Hij kon zich er nauwelijks van weerhouden om onaangekondigd de trap op te rennen.

Het dienstmeisje staarde hem met grote, bange ogen aan. Ze

maakte geen aanstalten om hem aan te dienen.

'Nou?' schreeuwde Josiah. 'Hebben je voeten wortelgeschoten? Schiet op!'

De onderlip van het meisje trilde. Tranen schoten in haar ogen. De deur ging dicht en Josiah hoorde huilen en het geluid van wegschuifelende voeten.

Hij voelde zich schuldig omdat hij het meisje aan het huilen gemaakt had. Maar op het moment was hij zichzelf niet.

Terwijl hij wachtte, liep hij te ijsberen. Voor het huis strekte de brink zich vredig uit, precies zoals hij jarenlang elke dag had gedaan. Weelderig. Groen. Lente-achtig. Vogels tsjirpten vrolijk in de bomen. Dit irriteerde Josiah ook. Nabby was ziek. Ze kon wel sterven. Al het goede van de lente leek de spot te drijven met het gevaar waar zij in verkeerde.

Het maakte niet uit dat het uitzicht vanaf deze veranda door de jaren heen hetzelfde was gebleven. Dominee Parkhurst had het huis gekocht van de broer van Samuel Fiedler, de stichter van Havenhill. Hetzelfde uitzicht als toen Josiah afscheid nam van Nabby en naar Boston was vertrokken. Dus waarom zou het uitzicht veranderen alleen omdat Nabby in bed lag... ziek en binnen grijpafstand van het graf? Elke dag stierven er mensen en nog kwam de zon op, bouwden de vogels hun nestjes, werden er stelletjes verliefd. Pas nu, nu er iemand om wie hij heel veel gaf dicht bij de dood was, voelde hij dat het hem irriteerde.

De klink van de voordeur klikte. Josiah draaide zich snel om, klaar voor de strijd met Eunice Parkhurst. Dit keer was hij voorbereid. Dit keer ging ze hem niet tegenhouden.

Maar het was Eunice niet die hem scheidde van de voordeur. Dit keer was het obstakel omvangrijker, zowel in de hoogte als in de breedte.

'Johnny!'

Mott stapte de veranda op en sloot de deur achter zich. Zijn bedoeling was duidelijk. Josiah zou vandaag niet door die deuropening lopen.

Josiah voelde zich een dwerg naast Motts lichamelijke aanwezigheid. Hij was vergeten hoe intimiderend Johnny's omvang kon zijn als hij voor je stond. Sinds zijn terugkeer naar Havenhill had Josiah Johnny alleen in de kerk gezien en dan had Josiah op hem neergekeken vanaf een verhoogd podium.

Zo dichtbij was het hoofd van Johnny Mott reusachtig. Hij had een platte neus die ze als jongens altijd hadden toegeschreven aan het feit dat Johnny een vechtersbaas was. Een beul. Hij had nog steeds de massieve schouders en armen van een vechter.

Josiah stak zijn hand uit. 'Ik ben blij je te zien, Johnny.'

Mott staarde lang naar Josiahs hand voor hij hem greep. Zijn handdruk was zonder warmte. 'Kan ik iets voor u doen, dominee?'

Ondanks de omstandigheden kon Josiah niet voorkomen dat hij grijnsde bij het horen van een schoolkameraad die hem 'dominee' noemde.

'Nou, om te beginnen,' zei Josiah luchtig, 'kun je me vertellen hoe... eh, hoe het met Abigail gaat. Dokter Wolcott zegt dat ze ziek is.'

Mott knikte somber. 'Ze heeft de pokken.'

Dat was geen nieuws voor Josiah, maar dat maakte het horen van het nieuws niet gemakkelijker. Het aantal sterfgevallen in het stadje groeide gestaag. Van hieraf moest Josiah straks op weg om de begrafenis te leiden van een tweeëndertigjarige moeder van vijf kinderen. Daarna moest hij toekijken hoe een elfjarig meisje in de grond gestopt werd. Het idee dat Nabby de volgende kon zijn, benauwde hem.

'Ik ben gekomen om haar te bezoeken,' zei Josiah zacht. 'Om... met haar te bidden.'

Mott bestudeerde hem met de keurende blik van een koopman. Het was een kant van Mott die Josiah nooit gezien had. Maar ja, de afgelopen zeven jaar had Johnny Mott het toezicht gehad op Philips zaken op de werf. Het was alleen een verrassing voor Josiah hoe goed de mantel van het gezag Johnny paste.

Natuurlijk, het was afgeleid gezag. Iedereen wist dat. De echte macht lag bij Philip. Maar uit wat Josiah gehoord had, wist iedereen ook dat als Johnny in de haven sprak, hij dat deed met Philips stem. Maar hoe zat het hier op de veranda van Eunice Parkhurst? Wiens stem zou hier uit Johnny's mond komen?

'Abigail rust,' zei Mott. 'Ze ontvangt geen bezoek.'

'Ik ben geen bezoeker, Johnny. Als ouderling van de kerk weet je dat. Ik ben hier beroepshalve.'

Mott kneep zijn ogen tot spleetjes. 'Is dat zo?'

'Wat bedoel je daarmee?'

'Ik bedoel: Abigail Parkhurst heeft erin toegestemd mijn vrouw te worden en jij zou er goed aan doen daaraan te denken.'

Zo gemakkelijk is dat niet, dacht Josiah. *Niet als je vriend gaat trouwen met de vrouw van wie je altijd hebt gehouden.* Hij zei echter: 'Ik verzeker je dat ik hier ben als Abigails predikant, anders niet.'

Het was duidelijk dat Mott hem niet geloofde.

Josiah nam het hem niet kwalijk. Er was niet genoeg oprechtheid in zijn stem om zichzelf te overtuigen.

Mott stak een zware wijsvinger naar Josiah uit. 'Ik zeg je dit maar één keer. Blijf bij Abigail uit de buurt.'

Toen werd de deur van het huis van de Parkhursts met gezag gesloten en Josiah bleef alleen achter op de veranda.

'Philip, we moeten iets doen! We kunnen niet maar aan de kant blijven staan en toezien hoe er mensen sterven!'

Josiah had over zijn ontmoeting met Johnny Mott lopen broeden tijdens twee begrafenissen en een middag waarop hij gelopen en gebeden had langs een pad dat hem uiteindelijk bij Philips huis had gebracht.

Het was een reusachtig bakstenen gebouw met pilaren en tuinen. Een blinkend zwarte koets, ingespannen en wel, stond te wachten toen Josiah aankwam, wat aangaf dat dit geen ontspannen samen zijn zou worden. Maar ja, Josiahs komst was onverwacht.

'Je bedoelt dat Abigail Parkhurst sterft,' verduidelijkte Philip terwijl een bediende hem hielp om zijn jas aan te trekken. 'Johnny heeft me verteld dat je langs geweest bent om haar te bezoeken. Ik heb hem in lang niet zo boos gezien.'

'Het was een pastoraal bezoek!' riep Josiah. 'Wat voor dominee zou ik zijn als ik de zieken zou verwaarlozen? Het feit dat Nabby en ik een verleden hebben, heeft er niets mee te maken.'

Philip was naar een spiegel gelopen, waar hij zijn jas rechttrok. Via de spiegel keek hij Josiah sceptisch aan.

'Bovendien,' ging Josiah verder, 'ben ik het zat om begroet te worden met: "Wat doet u hier?" elke keer als ik ergens bij iemand aan de deur verschijn.'

'Gebruik dan je verstand bij je keuzes,' beet Philip. 'Als iedereen hetzelfde zegt – zoals jij beweert – zegt dat je dan niets? Of het juist is of niet, is het punt niet. Het is niet wijs.'

Josiah sloeg zijn blik neer. 'Ik had het gewoon niet van Johnny verwacht. Ik dacht dat we vrienden waren.'

Philip zette zijn witte pruik recht en wendde zich toen weer tot Josiah. 'Wat verwacht je dan? Je bent een bedreiging voor hem.'

Josiah lachte. 'Ja, ik kan soms erg intimiderend zijn, vooral voor mannen die zo groot zijn als bergen.'

'Sarcasme, dominee Rush?'

'We hebben het over Johnny Mott! We waren altijd vrienden! "Steek overal de draak mee," herinner je je dat?'

'En nu is je vriend verloofd met je voormalige meisje! Hij weet dat je nog van haar houdt en hoeveel zij van jou gehouden heeft. Nu jij terug bent in de stad, is hij bang dat Abigails gevoelens voor jou misschien opnieuw opvlammen.'

Daar kon Josiah niets tegen inbrengen. 'Waarom zegt hij me niet gewoon wat hij denkt? Hij hoeft me niet te bedreigen. Bovendien, we hebben een groter probleem.'

Philips bediende gaf hem zijn hoed.

'Je bent dominee,' zei Philip. 'Wat kun jij aan pokken doen wat je niet al doet?' Hij liep naar de deur.

Josiah volgde hem. 'Er was een uitbraak in Boston toen ik daar was. Er zijn dokters die een meer offensieve aanpak voorstaan in de strijd tegen de ziekte, in plaats van vertrouwen op dat zwarte poeder gemaakt van padden en houtskool.'

Philip draaide zich vliegensvlug om. Het was duidelijk dat Josiah zijn aandacht gevangen had.

'Vaccinatie,' raadde Philip.

'Het wordt steeds populairder.'

'En controversiëler.' Philip klom in de koets. 'Heb je hier met dokter Wolcott over gesproken?'

'Hij is ertegen,' zei Josiah vlak.

Philip haalde zijn schouders op en ging zitten. 'Nou dan.'

Josiah greep de zijkant van de koets beet. 'Maar het kan levens redden!'

'Uit wat ik ervan begrijp werkt het niet voor degenen die al pokken hebben.'

Josiah begreep wat hij bedoelde. 'Het gaat niet om Abigail!' schreeuwde hij. 'Het gaat erom dat we de stad moeten redden!'

Het paard sprong. Philip week terug toen de koets vooruitschoot en Josiah bijna omverwierp. De koetsier trok snel de teugels strak, maar niet voor hij over zijn schouder naar Josiah fronste.

Voor de tweede keer die dag voelde Josiah hoe een jeugdvriend hem schattend opnam.

'Wat stel je voor?' vroeg Philip.

'Een stadsvergadering. Een dokter uit Boston laten komen die het toegepast heeft. Hem het laten beschrijven.'

'Heb je een dokter in gedachten?'

'Dokter John McCullough.'

'En je denkt dat hij erin toestemt?'

'Er is maar één manier om daarachter te komen.'

Philip was een tijdje stil. Toen zei hij rustig: 'Het is mijn ervaring dat de stad positief reageert op sterk leiderschap. Na de brand dobberde de stad maar wat rond, een schip zonder roerganger. Johnny en ik zijn naar voren gekomen en hebben een koers uitgezet. Niet iedereen was er blij mee, maar genoeg mensen waren dat wel zodat we in staat waren vooruit te komen. Tijd en volharding hebben ons gelijk gegeven. Als je jezelf wilt vestigen en de goedkeuring van de stad wilt verdienen, wees dan een leider.'

Josiah knikte. Hij deed een stap achteruit.

'Er is een paard in het koetshuis als je er een nodig hebt,' bood Philip aan.

'Bedankt. Ik neem aan dat je op weg gaat naar een schone maagd. Een erfgename, misschien?'

Philip lachte. 'Was ik maar zo gelukkig. Nee, ik moet de avond doorbrengen met erg oude, erg dikke, erg pompeuze Engelse investeerders.'

'Bedankt dat je naar me hebt willen luisteren.'

'Een vriend staat altijd tot je dienst.'

Een woord aan de koetsier en een knal van de zweep en Philip was weg.

9

Josiah nam Philips aanbod van een paard aan en maakte plannen voor een reis naar Boston.

Op de morgen dat hij zou vertrekken, hoorde hij een klop op de deur. Het was het kleine dienstmeisje van de Parkhursts met weer een boodschap voor hem.

Weduwe Delor heeft een bezoek nodig.
Mevrouw Parkhurst

'Heeft weduwe Delor de pokken?' vroeg Josiah aan het meisje.

'Nee, dominee.'

Het meisje rende weg. Sinds de dag bij het huis van de Parkhursts was ze bang voor hem.

Josiah keek naar het briefje. Weduwe Delor was een eenzame vrouw van middelbare leeftijd die erom bekend stond dat ze ziekte verzon of overdreef om aandacht te krijgen. Ze was als stroop. Als je er eenmaal mee in aanraking kwam, zat je zo twee of drie uur aan haar vast terwijl zij ratelde over onbelangrijke onderwerpen.

Josiah vouwde het briefje op en liet het in zijn zak glijden. Hij besteeg het paard en ging op weg naar Boston. In gedachten maakte hij een aantekening dat hij weduwe Delor moest bezoeken als hij terugkwam.

De reis naar Boston verliep zonder problemen. De zon heeft de laatste winterse modder laten verdwijnen en de wegen lagen er redelijk bij. Ik vond dokter McCullough meer dan bereid om mij bij te staan in mijn zaak. Hij merkte herhaaldelijk op hoezeer hij wenste dat meer geestelijken bereid waren om de medische vooruitgang te omarmen. Na een paar haastige voorbereidingen gingen we op weg. De terugreis ging snel voorbij met gezelschap om de tijd te verdrijven. Doorgaans is dokter McCullough van een prettige soort, maar soms is zijn gedrag afstotend. Hij heeft overal een mening over en is er snel mee om zijn mening te presenteren als de enig logische conclusie waartoe een redelijk man kan komen. Na verscheidene uren te hebben geluisterd naar zijn oordeel over alles, van koning George tot aardappels – hij verwees constant naar zijn dagboek voor feiten en details – kijk ik uit naar het einde van onze reis, als ik hopelijk in staat zal zijn wat vrede en rust te genieten.

We kwamen vanavond laat in Havenhill aan. Hij logeert in mijn achterkamer. Morgen zal ik hem voorstellen aan Philip en een stadsvergadering organiseren.

Heel vroeg de volgende ochtend werd Josiah gewekt door geklop op zijn voordeur. Het klonk dringend, maar was niet de zware klop van een mannenvuist. Maar het geluid was genoeg om ook dokter McCullough te wekken.

Ze wisselden half slaperige blikken – de veelbetekenende blikken van twee mannen die vaak beroepshalve op rare tijden gewekt werden.

Josiah deed de deur open en trof er het dienstmeisje van Eunice Parkhurst aan, met geheven vuist, in tranen.

'Dominee Rush, kom snel!' riep ze. 'Alstublieft, kom snel!'

Dat was alles wat ze uit kon brengen voor ze voor de deur in tranen neerviel.

Josiah knielde naast haar neer om haar te troosten. Maar na verscheidene pogingen kon hij niet meer uit haar krijgen dan dat Eunice Parkhurst haar gestuurd had en haar gezegd had om '*onder alle omstandigheden*' niet zonder dominee Rush terug te keren.

'Weet je wat dat betekent?' vroeg McCullough met een bezorgde frons.

Een angstig voorgevoel maakte zich van Josiah meester.

'Haar dochter,' zei hij zacht, verbaasd over het geluid van zijn eigen woorden.

'De pokken?'

'Ja.'

'Ik haal de paarden.'

Josiah wachtte niet op de paarden. Hij sprong in zijn broek, overhemd en schoenen en rende de weg af. Hij rende het dienstmeisje voorbij. Hij gaf haar opdracht om op de dokter te wachten en hem de weg naar het huis te wijzen.

Tegen de tijd dat hij de eik bij de hoek aan de hoofdweg bereikte, brandden zijn longen. Het maakte hem niet uit. Hij zette zijn benen tot nog meer snelheid aan.

Zijn gedachten sprongen voor hem uit naar het gele huis met twee woonlagen. Hij zag zichzelf het trapje van de veranda opspringen en de deur opengooien. En toen zag hij de bedrukte gezichten van de bedienden die zijn grootste angst bevestigden: Nabby was dood.

Weer een gedachtesprong en hij stond aan haar graf, niet in staat een wereld zonder haar te bevatten. Eerst haar vader, toen ouderling Cranch, zijn mentor, en nu zijn enige liefde!

Eindelijk begreep hij hoe groot de rol was die Abigail Parkhurst gespeeld had in zijn beslissing om terug te keren naar Havenhill. Ja, hij wilde zichzelf verzoenen. Maar meer dan dat wilde hij het bijleggen met Nabby. Hij wilde haar horen zeggen dat ze het hem vergaf dat hij haar vader gedood had – dat ze wist dat het een ongeluk was. Hij wilde dat ze weer naar hem keek met die reeënogen die zijn binnenste beroerden met liefde en romantiek, zodat de verschrikkelijke, gepijnigde blik die hem in zijn dromen achtervolgde voor altijd verdreven werd. De blik die haar gezicht verwrongen had toen ze hoorde dat *Josiah* degene was die verantwoordelijk was voor de brand.

Maar als ze dood was... *Nee!* Hij weigerde aan die gedachte toe te geven. Hij zette die uit zijn hoofd. Maar dat lukte niet lang. Hij bleef wachten in een bijvertrek, als een gast die op bezoek komt en geduldig wacht tot hij ontvangen wordt.

Josiahs keel deed zeer tegen de tijd dat het huis van de Parkhursts in zicht kwam. Zijn benen bewogen automatisch, niet in staat te reageren op zijn herhaalde bevel om sneller te bewegen.

Hij bereikte de voorkant van de woning en zijn bedachte scenario ontrolde zich. Hij sprong het trapje op, twee treden tegelijk, en landde met een luide bons op de veranda. Zijn vuist vloog naar de deur, hij viel naar binnen en bracht een dienstmeisje aan het schrikken dat een kruik droeg. Haar hand vloog naar haar boezem. Ze onderdrukte een gil.

Het dienstmeisje, een Afrikaanse vrouw van middelbare leeftijd die de Parkhursts al jaren diende, paste niet in Josiahs scenario. Het kwam door haar ogen. Verschrikt, niet verdrietig.

De tweede afwijking volgde snel na de eerste in de gedaante van Eunice Parkhurst. Ze verscheen plotseling en riep: 'Wat is dit voor drukte?' Samengeknepen vuisten rustten op haar brede heupen.

De rustverstoorder stond midden in haar salon naar adem te happen.

'Wat is de bedoeling hiervan, dat je zo mijn huis binnenvalt?' schreeuwde ze boos. 'En waar ben je geweest?'

'Nab... Nab... Nabby,' probeerde Josiah tussen zijn gehijg door te zeggen. 'Hoe... is... het... met... haar?'

'ABIGAIL,' zei Eunice met nadruk, 'gaat jou niet aan, of is dat je nog niet duidelijk genoeg gemaakt? Waar ben je geweest?'

Josiah sloeg dubbel, zijn handen op zijn knieën. 'U... hebt... uw... dienstmeisje... gestuurd. Ik... dacht...'

Voor Eunice kon antwoorden, kwamen haar dienstmeisje en dokter McCullough door de voordeur binnenvallen.

'Lieve help!' schreeuwde Eunice. 'Wie bent u?'

Josiahs adem kwam terug. Hij rechtte zichzelf. 'Dit is dokter... John McCullough.'

McCullough stond perplex van Eunice' woede.

'Het is niet wat we dachten,' legde Josiah uit.

'Het gaat beter met het meisje?' vroeg McCullough.

'Josiah Rush!' donderde Eunice. 'Jij bent naar Boston gegaan om een dokter te halen zonder mij te raadplegen?'

Blijkbaar was haar herhaalde vraag: 'Waar ben je geweest?' een retorische vraag, dacht Josiah. Eunice Parkhurst wist precies waar hij geweest was.

'We hebben geen dokter uit Boston nodig die hier de patiënten van dokter Wolcott komt behandelen,' ging ze verder. 'Jeremiah Wolcott heeft dit gezin en de inwoners van Havenhill bijna zeven jaar behandeld. Het is beledigend voor hem en onprofessioneel van jou om een andere dokter te halen om buiten hem om zijn patiënten te behandelen.'

'Eunice, ik...' Hij kon er geen verklaring uitkrijgen. Ze stond het hem niet toe.

'Echt, Josiah, ik weet niet wat er in je gevaren is!'

'Ik probeer alleen maar...'

'Terwijl jij een domme boodschap in Boston deed en je bemoeide met zaken waar je geen verstand van hebt, bleef je werk hier – het werk waarvoor je *beroepen* bent als dominee – ongedaan. En, eerlijk gezegd, velen van ons in de kerk beginnen te denken dat we een vergissing gemaakt hebben toen...'

'Ik was maar heel even weg,' onderbrak Josiah haar om zich te verdedigen. 'En voor redenen die spoedig...'

'Weduwe Delor is dood,' zei Eunice vlak.

Het nieuws bracht Josiah tot zwijgen.

'Ze is gestorven als een angstige vrouw, die zich niet door haar zoon en vriendinnen liet troosten. Haar angst was geestelijk. Ze wilde met haar dominee praten, maar je was er niet, hè? Je speelde dokter in Boston.'

Josiahs armen hingen slap langs zijn zijden. 'Ik... ik... wist niet dat ze...'

Eunice kneep haar ogen verder dicht. 'Je wist genoeg. Waarom denk je dat ik mijn dienstmeisje helemaal naar jou toestuur? Denk je dat ik niets beter te doen heb dan hier zitten en plekken bedenken waar ik de nieuwe dominee heen kan sturen?'

'Nou, dat ik is precies wat ik dacht,' mompelde Josiah.

'Je bent zeven jaar weggeweest,' ging ze verder. 'Hoe kun jij in een paar weken weten hoe de gemeente er geestelijk voor staat? Ik dacht dat ik je kon helpen.'

Dokter McCullough week met gebogen hoofd terug terwijl Eunice Parkhurst Josiah de les las. Het dienstmeisje verborg haar gezicht achter haar hand. Josiah dacht dat ze lachte. Het was duidelijk dat ze ervan genoot hoe haar meesteres de dominee de oren waste.

'Ik zal de zoon van weduwe Delor bezoeken,' zei Josiah zwak, 'en regelingen treffen voor...'

'De vrouw ligt al in de grond,' verklaarde Eunice koud. 'En Peter Delor heeft duidelijk gemaakt dat hij niets met jou of de kerk te maken wil hebben.'

Verschrikkelijk kwam niet eens in de buurt van een goede beschrijving van hoe Josiah zich voelde.

'Zijn moeder heeft jarenlang gebeden om de redding van haar zoon,' vervolgde Eunice, 'maar steeds als ze dat onderwerp te berde bracht, liep hij weg. Tot voor kort. "Hij loopt nu tenminste niet weg," zei ze tegen mij.'

Josiah dacht niet dat hij zich nog slechter kon voelen. Hij had het mis.

'Weduwe Delor was heel blij dat jij beroepen werd. Ze dacht dat haar zoon met zo'n jonge dominee kon praten.'

'Maar hij kreeg de kans niet, hè, *dominee* Rush?'

Met die laatste woorden van vervloeking keerde Eunice Parkhurst hem haar rug toe en beklom de trap van haar huis.

10

Josiah had een grotere opkomst verwacht bij de stadsvergadering, vooral omdat Philip en de andere gemeenteraadsleden haar hadden bijeengeroepen. De vergadering werd gehouden in de kerk, zoals gebruikelijk. De stemmigheid van de vergadering kwam niet als een verrassing, gezien de aard ervan. Bijna iedereen in Havenhill was met de dood door de pokken in aanraking gekomen. Vanaf het podium keek Josiah uit over een zee van strakke en bezorgde gezichten.

De meerderheid van de aanwezigen waren leden van de kerk, maar ongeveer een derde was dat niet. Eunice Parkhurst zat in haar kerkbank met Johnny Mott naast haar. De zussen – Grace en Mercy – waren er. Mercy glimlachte bemoedigend naar Josiah. Dokter Wolcott was er ook. Hij glimlachte niet.

Philip begon de vergadering met te vertellen van Josiahs verschijning bij hem thuis, zijn zorg over de sterfgevallen door de pokken en zijn voorstel dat de inwoners van het stadje gevaccineerd zouden worden.

Josiah stond op en introduceerde dokter McCullough, die de uitbraak van de pokken in Boston beschreef en hoe het vaccineren werkte. De dokter getuigde van het aantal geredde levens door vaccinatie. Maar hij gaf ook direct eerlijk toe dat zijn getallen alleen gebaseerd waren op zijn eigen bevindingen zoals bijgehouden in zijn dagboek en niet het resultaat waren van wetenschappelijk onderzoek in een ziekenhuis.

Terwijl McCullough sprak bestudeerde Josiah de gezichten van de mensen in een poging hun reacties te lezen. Tot zijn verrassing leken ze haast verveeld. Hij dacht dat McCullough – ondanks dat zijn arrogantie zo nu en dan opdook – op een goede, evenwichtige manier de voordelen van vaccinatie beschreef. Hij overdreef niet; noch wuifde hij de risico's weg. Toch grensde de reactie van de inwoners van het stadje aan onverschilligheid!

Toen McCullough klaar was, gaf Philip gelegenheid vragen te stellen. Josiah schoof naar voren in zijn stoel. De aard van de vragen zou hem een beter idee geven van waar de mensen stonden.

Niemand stak een hand op.

Philip vroeg weer of er vragen voor dokter McCullough waren.

Johnny Mott stak zijn hand op.

Philip gaf hem het woord.

Mott stond op. 'Ik stel voor dat we dokter McCullough bedanken dat hij helemaal hierheen gekomen is om ons te onderwijzen over vaccinatie en dat we stemmen over het vertrouwen dat we hebben in dokter Wolcott en de manier waarop hij zich in deze tijd van crisis heeft gedragen.'

Iemand steunde het voorstel.

Philip vroeg om bespreking.

Niemand stak een hand op.

Josiah kon niet geloven wat hij zag, of niet zag. Hij stond op.

Philip gaf hem het woord.

'Ik ben er niet zeker van dat iedereen begrijpt wat het doel van deze vergadering is,' zei Josiah zo kalm als hij kon. 'Dit is niet zomaar een informatieve bijeenkomst. Dokter McCullough is gekomen, klaar om zo veel mensen te vaccineren als de stad wil laten vaccineren tegen pokken. Het doel van deze vergadering was, zo was de hoop, een door de hele stad gedragen vaccinatie-inspanning. Het is de beste hoop die we hebben om de ziekte te verslaan die onze stad teistert!'

De mensen staarden hem leeg aan.

'Daarom, als uw predikant, stel ik voor dat we ons voordeel doen met de aanwezigheid van dokter McCullough en dat we, als stad, stemmen voor het vaccineren van zoveel mogelijk mensen.'

Philip schudde zijn hoofd. 'U bent buiten de orde. Er ligt al een voorstel op tafel. Om een nieuw voorstel in behandeling te kunnen nemen, moeten we eerst het voorstel dat op tafel ligt verwerpen. Daarna kunt u uw eigen voorstel indienen.'

'Dan pleit ik tegen het voorstel,' hield Josiah vol. 'Laten we het verwerpen, zodat we een echt voorstel op tafel kunnen leggen. En ik wil dat iedereen weet dat ik niets tegen dokter Wolcott heb. Ik vind hem een geweldige dokter en we zijn gezegend dat we hem hier hebben. Echter, zoals jullie waarschijnlijk allemaal weten, hij is er niet van overtuigd dat vaccinatie werkt.'

'Het is gevaarlijk,' beweerde Wolcott. 'Er zijn mensen aan gestorven. Als arts kan ik het voor mijn geweten niet verantwoorden om doelbewust iemand te infecteren met het pokkenvirus en niet te doen alsof dat iets goeds is.'

McCullough kwam overeind. 'Het inbrengen van het virus in de ontvanger...'

Philip stak een hand op. 'Alstublieft, dokters. Dit is geen debat. Als iemand van u iets te zeggen heeft, laat dat dan weten en ik zal u het woord geven. En dan richt u uw opmerkingen tot de voorzitter. Op het moment heeft dominee Rush nog het woord.'

'Ik heb gezegd wat ik te zeggen heb,' besloot Josiah. 'Als uw predikant geloof ik dat vaccinatie onze beste kans is om deze pokkenepidemie te verslaan.'

'Hoe zit het met bidden?' schreeuwde ouderling Dunmore. 'Je zou denken dat de dominee in het gebed zou geloven als wapen tegen het kwaad.'

'Meneer Dunmore, steek alstublieft uw hand op,' waarschuwde Philip.

'Ik *geloof* ook in het gebed,' reageerde Josiah. 'Echter, ik geloof ook dat God ons de gave gegeven heeft om tegen ziekten te strijden met wetenschappelijke methoden. Als christenen moeten we beide gebruiken.'

'Josiah, richt je opmerkingen tot de voorzitter,' beval Philip.

Josiah stak gefrustreerd zijn handen op. 'Ik ben klaar. Ik zou alleen graag horen wat jij over dit alles te zeggen hebt – jij bent een leider van de gemeenschap, een gemeenteraadslid en een ouderling.'

'Helaas,' zei Philip, 'als voorzitter wordt het mij door het reglement van orde verhinderd om een mening te geven.'

'Weg met de regels, Philip!' schreeuwde iemand. 'Vertel ons wat we moeten doen!'

Gelach golfde door de zaal. Maar er was genoeg algemene instemming zodat Philip zijn schouders ophaalde. 'Mij best.'

Josiah ging zitten. Het was duidelijk dat de stad niet bereid was naar hem te luisteren, maar dat maakte niet uit. Het ging er alleen maar om dat de stad zich realiseerde dat vaccinatie hun een kans gaf om de pokkenepidemie te verslaan. Het deed er niet toe wie hen daarvan overtuigde.

Philip schraapte zijn keel. 'Ik heb veel over deze zaak nagedacht en gebeden.'

Hij keek niet naar Josiah. Sterker nog, het leek Josiah toe dat Philip expres *niet* in zijn richting keek. Josiah zonk de moed in de schoenen.

'En hoewel ik graag zou willen dat vaccinatie de voordelen biedt die dokter McCullough beweert dat ze biedt, heb ik te veel griezelverhalen gehoord en over te veel sterfgevallen gelezen die ermee in verband gebracht worden. Ik geloof dat onze beste strategie in de huidige crisis is bidden en vertrouwen in de wijsheid van dokter Jeremiah Wolcott, de man die God ons gezonden heeft om onze arts te zijn. Echter, dat gezegd hebbend, wil ik eraan toevoegen dat het iedereen die zich wil laten vaccineren, vrijstaat om de diensten van dokter McCullough aan te nemen, zonder dat het hem of haar aangerekend zal worden. Maar de stad als geheel zal deze methoden niet overnemen.'

De vergadering kwam daarna snel tot een eind.

Josiah kon niet geloven wat er zojuist gebeurd was. De enige man van wie hij verwacht had dat die hem zou steunen, had juist het tegenovergestelde gedaan.

De mensen begonnen het kerkgebouw uit te stromen. Verscheidene mensen verzamelden zich rond Eunice Parkhurst en, te oordelen naar hoe het Josiah toescheen, feliciteerden haar. Ze glimlachte en aanvaardde hun opmerkingen.

Josiah stond op en schreeuwde boven het geroezemoes uit: 'Ik, in elk geval, zal me laten vaccineren. Laat ieder die mijn voorbeeld wil volgen even blijven om de instructies van dokter McCullough te vernemen.'

Vijf minuten later waren McCullough en Josiah de enige twee die in het gebouw waren achtergebleven.

11

Terwijl het woord 'sukkel' in zijn oren weergalmde, bracht Josiah dokter McCullough terug naar zijn huis.

'Dat was, zonder twijfel, de vreemdste vergadering over pokkenvaccinatie die ik ooit bijgewoond heb,' zei dokter McCullough bevreemd. 'Het onderwerp roept normaal altijd een niet geringe hoeveelheid fel debat op. Ik kan me niet herinneren dat ik ooit bij een dergelijke vergadering geweest ben, waar niemand iets te vragen had.'

'Het was verspilde tijd, dokter,' reageerde Josiah. 'Daarvoor bied ik u mijn verontschuldigingen aan. De zaak was al beslist voor de vergadering begon.'

'Maar de mensen hadden voor de vergadering de feiten over vaccinatie nog niet.'

'Ze hadden geen feiten nodig. Ze stemden niet over vaccinatie. Ze stemden over mij.'

McCullough staarde Josiah strak aan. 'Heeft dat iets te maken met die mevrouw Delor?'

'Meer met Eunice Parkhurst,' verduidelijkte Josiah. 'Ze is iemand om rekening mee te houden in deze gemeenschap.'

'Maar ze heeft tijdens de vergadering niets gezegd.'

'Omdat ze een vrouw is had ze daar de gelegenheid toch ook niet voor? Maar reken maar dat ze heel wat afgepraat heeft voor de vergadering samenkwam.'

McCullough knikte begrijpend. 'Overleef je dit wel?'

Josiah lachte nerveus. 'De stemming of de vaccinatie?'

Korte tijd later was McCullough klaar voor de vaccinatie.

'Steek je linkerarm uit,' zei de dokter.

Josiah deed wat hem werd opgedragen.

Met een lancet maakte dokter McCullough een snee van iets meer dan een halve centimeter, net diep genoeg om bloed tevoorschijn te laten komen. Toen stopte hij er een stukje draad in dat net zo lang was als de snee.

'De draad is geïnfecteerd met het pokkenvirus,' legde hij uit.

Josiah knikte vol vertrouwen, maar hij voelde zich een beetje duizelig. *Gewoon zenuwen*, zei hij tegen zichzelf.

Dokter McCullough verbond Josiahs arm.

'Doe wat je doen moet,' legde McCullough uit. 'Je lichaam zal snel genoeg op de ziekte reageren. Ga dan in bed liggen en laat het komen zoals het komt. Eet alleen brood, melk, pudding en rijst.'

'Ik rijd met u terug naar Boston,' zei Josiah.

McCullough glimlachte. 'Ik betwijfel of je de komende paar dagen in staat bent om te reizen.'

'Dan wil ik weer mijn verontschuldigingen aanbieden dat ik u helemaal hierheen gesleept heb.'

'Als je ooit een nieuwe positie nodig hebt, kom me dan in Boston opzoeken. Ik zal je bij de lokale kerken aanbevelen. We kunnen mannen met visie gebruiken.'

Josiah bedankte hem.

Eunice Parkhurst zat in haar schommelstoel bij de haard. De dekens van haar bed lagen opengeslagen. Haar deur was dicht. Met haar bijbel op schoot keek ze met een lege blik de kamer door.

Zoals elke avond haar gewoonte was, probeerde ze een van de psalmen te lezen. Maar vanavond was er in haar gedachten geen ruimte voor de woorden van koning David. Haar hoofd zat al helemaal vol met de gebeurtenissen van de dag, die ze onafgebroken doornam.

Ze vond er geen vreugde in.

Ze trok zichzelf terug naar het heden en bladerde met haar gerimpelde handen door de koude pagina's. Met een zucht sloot ze het boek. Er staken hoeken van losse bladen uit. Ze pakte de bijbel bij de rug beet en liet de bladen eruit vallen. In haar trillende hand hield ze het handschrift van haar man.

Er rolde een eenzame traan over haar wang.

Na McCulloughs vertrek naar Boston begon Josiah na te denken over het aanbod van de dokter. Hij begon zich af te vragen of de dokter hem spoedig verwachtte te zien.

Kort daarop dacht Josiah er echter niet meer aan. Hij dacht nergens meer aan. Hij had het te druk met steunen en kreunen onder hoofdpijn, rugpijn, kniepijn en een misselijkmakende koorts.

Drie weken lang lag hij in bed in de zekerheid dat hij balanceerde op de rand van dit leven en het volgende.

Niemand anders dan dokter Wolcott bezocht dominee Josiah Rush toen hij ziek was van de pokken. Tijdens zijn bezoeken was de dokter uiterlijk vriendelijk, maar Josiah kon aan zijn koude manier van doen merken dat hij nog steeds iets tegen Josiah had omdat hij publiekelijk zijn medische beoordeling van vaccinatie aangevochten had. Josiah vreesde dat de vriendschap die hij en Wolcott hadden gevormd tijdens hun vroege ochtendgebeden voorgoed beschadigd was.

Na drie weken koorts klom Josiah eindelijk uit bed. Uit noodzaak liep hij naar buiten en ontdekte een stukje papier dat tussen de overnaadse planken van zijn huismuur gestoken was.

Hij nam het ongelezen mee naar binnen, terug naar bed. Uitgeput van de reis naar buiten, stortte hij neer op het bed. Het briefje gleed uit zijn hand op de vloer toen hij zich, opnieuw, overgaf aan de genezende kracht van de slaap.

Dagen later vond Josiah het briefje en vouwde het open. Omdat het van een anonieme bron kwam – en anonieme briefjes meestal onaardig zijn – verwachtte hij een haatboodschap. Maar toen hij zichzelf ertoe zette om het te lezen, ontdekte hij iets wat hij totaal niet verwacht had:

Er was moed voor nodig om naar Havenhill terug te keren. Nog meer moed om te doen wat u gedaan hebt om te proberen levens te redden tijdens deze plaag. Ik wil dat u weet dat er iemand voor u bidt.

Er welden tranen op in Josiahs ogen. Het was jaren geleden dat hij Nabby's handschrift gezien had, maar hij was er zeker van dat dit uit haar hand kwam. Het handschrift was vrouwelijk, maar met iets jongensachtigs erin.

Hij keek weer naar het briefje en las zorgvuldig elk woord en elke letter. Alleen al te weten dat haar hand dit papier had aangeraakt en deze woorden gevormd hadden liet zijn hart zwellen van geluk.

Ze had waarschijnlijk het dienstmeisje het laten bezorgen en haar opgedragen ervoor te zorgen dat niemand haar zag en haar laten beloven dat ze het geheim zou houden. Gezien het klimaat in het stadje en haar verhouding met Mott kon ze niet voorzichtig genoeg zijn.

Het briefje bracht Josiah in de wolken. Het betekende dat Nabby zich beter voelde en dat ze, ondanks haar beloften aan Johnny Mott, nog steeds voor hem voelde.

Josiah klemde het briefje in zijn hand terwijl hij zich oprolde op zijn bed. Zijn hoofd en buik bonsden. Een paar minuten geleden had het hem niets kunnen schelen of hij leefde of dood was. Nu had hij weer een reden om te leven. En die reden heette Abigail Parkhurst.

12

Nu ik de pokkenvaccinatie overleefd heb, zal ik nooit meer met een gerust geweten anderen zo lichtvaardig vaccinatie aanraden als ik in het verleden gedaan heb. Blijkbaar is het alleen voor de sterken en gezonden en moet het uitgevoerd worden na uitgebreid nadenken en bidden. Het is geen kleinigheid om een dosis van de dood in iemands lichaam in te brengen.

Echter, de beproeving heeft mijn mening over vaccineren niet veranderd. Ik wens anderen dit lijden niet toe, maar het was beperkt vergeleken bij het lijden dat de eigenlijke ziekte vergezelt, die zo vaak eindigt met de dood.

Dat gezegd hebbend – er lag goed nieuws op mij te wachten toen ik mijn pastorale taken weer op mij nam. Drie mensen voor wie ik dag en nacht gebeden heb, zelfs toen ik zelf ziek was, hebben de volle zwaarte van de ziekte overleefd.

Abigail Parkhurst, die maar een paar pokkenlittekens in haar gezicht heeft.

Edward Usher – hoe dankbaar ben ik dat God Judith verdriet op verdriet bespaard heeft!

En George Mason, al was de ziekte bijzonder onaardig tegen hem, want zijn gezicht is aanzienlijk getekend.

Voor George Mason was de ziekte maar een deel van zijn lijden. Het verhaal, zoals ik het gehoord heb, vermeldt dat hij zodra hij weer gezond was op bezoek ging bij een jonge vrouw voor wie hij diepe gevoelens heeft. Dat was de eerste keer dat hij haar en zij hem zag sinds zijn terugkeer van de Caribische Eilanden. Eén blik op zijn getekende gezicht en ze liet hem weten dat ze nooit een man kon liefhebben die zo mismaakt was.

Mijn hart gaat naar hem uit. Ik ben niet onbekend met de verpletterende pijn afgewezen te worden door een vrouw.

Vandaar ging hij naar Bailey's Tavern, waar hij zich bedronk met bier. Een andere klant van de herberg, die niet wist wat er net gebeurd was, maakte blijkbaar een paar onaardige opmerkingen over zijn gezicht. George, die het al te kwaad had door de afwijzing in de liefde, nam aanstoot aan de opmerkingen. Er ontstond een gevecht en George werd gearresteerd.

Ik ga vanmiddag naar de gevangenis om hem op te zoeken en ik bid God dat Hij me de woorden zal geven om hem te troosten, te leiden en te sterken.

De gevangenis van Havenhill was een groot bakstenen gebouw waar mannen te midden van schuldenaars, weggelopen slaven en soms psychisch zieken hun proces afwachtten.

De gevangenbewaarder, een jolige man zonder kapsones wiens hemd half in zijn broek gestoken zat en er half buiten hing, bracht Josiah naar de cel waarin de nu nuchtere George Mason zat.

'Dit zal wel niet de laatste keer zijn dat ik u zie, dominee?' zei de cipier. Vanaf dat hij Josiah zag, had hij er op los lopen kwebbelen. 'Oude zondige natuur en zo, dat weet u wel. De laatste tijd hebben we hier net zo veel kerkleden als niet-kerkleden. Soms zelfs meer. Die oude zondige natuur is moeilijk af te leren, hè?'

Josiah stapte een cel van drie bij drie meter binnen en bedankte de man die hem daar gebracht had. Hij stond op stro dat eruitzag alsof het in geen weken ververst was.

Zes mannen deelden de cel. Sommigen van hen droegen handboeien; anderen beenijzers. George was voorzien van beide.

George keek op. Toen hij Josiah zag, glimlachte hij een beetje van herkenning, alsof hij had geweten dat Josiah vroeger of later zou komen om hem te bezoeken. Zoals Josiah beloofd had, was hij George meerdere keren komen opzoeken in het huis van de Masons toen hij ziek was.

'Ik ben verbaasd jou hier te zien, George,' zei Josiah. 'Je lijkt me niet het type van een vechtersbaas.'

George liet zijn hoofd hangen. 'Ik heb geen verontschuldigingen, dominee. Ik was dronken. Ik werd boos. Ik heb gevochten. Het voelde goed.'

'Is dat je verdediging voor de rechter?'

George haalde zijn schouders op. 'Hoezo verdediging? Ik aanvaard mijn straf – zweepslagen, denk ik – en ga weer weg.'

'Weer weg?'

'De Nightingale vaart over een paar dagen uit.'

Josiah sloeg zijn armen over elkaar. 'Je hebt me verteld dat je een hekel had aan varen. Dat het de ergste ervaring uit je leven was.'

George grinnikte droevig. 'Het blijkt nu dat thuiskomen nog erger was.'

'Je hebt het zwaar gehad.'

'U hebt het gehoord van Peggy?'

Josiah knikte.

'Ik kan niet zeggen dat ik verbaasd ben. Ik dacht altijd al dat ze te mooi voor me was... dat ik erg gelukkig was dat ik haar had... weet u wat ik bedoel? Ik kan het haar niet echt kwalijk nemen dat ze niet de rest van haar leven tegen dit gezicht aan wil kijken.' Hij gebaarde naar zijn gezicht met beide handen. Dat kon niet anders, want ze zaten aan elkaar vast geklonken.

'Om een relatie te laten voortduren,' zei Josiah, 'moet die in iets diepers geworteld zijn dan uiterlijke verschijningen, George.'

'O ja? Nou, Peggy is een simpel meisje. Weet u wat ik bedoel? Zich mooi aan te kleden en zo rond te paraderen geeft haar het gevoel dat ze beter is dan ze is. Ik bedoel geen prinses of zo, maar beter dan de dochter van een kuiper. Een van Pegs zussen heeft haar verteld dat ik er goed uitzag aan haar arm en daarna begon ze vriendelijk tegen me te doen.'

'Er zijn andere vrouwen, George. Ik weet dat je dat nu niet

wilt horen, maar weglopen naar zee is het antwoord niet.'

'Wat is er verder nog? Ik ben geen boer. Ik weet dat al sinds ik vier was. Ik heb een hekel aan de boerderij. Mijn vader? Hij was altijd smerig. Ploegen, hooien, dorsen. Het gaf hem het gevoel dat hij leefde.'

'Wat geeft *jou* het gevoel dat je leeft, George?'

'Peggy deed dat,' zei George met een lach. 'Ik weet het niet... misschien ontdek ik dat in de een of andere haven.'

'Misschien is het niet iets wat je op een bepaalde plek vindt.'

'Wat bedoelt u?'

'Misschien vind je hier binnen wel wat je zoekt.' Josiah klopte zich op de borst. 'Je hebt een geestelijk probleem, George.'

'U klinkt nu net als een dominee.'

Een van de gevangenen – een jonge, magere man die al een hele tijd in de gevangenis zat als zijn slordige baard daar een aanwijzing voor was – lachte om George' opmerking. Alle gevangenen luisterden zonder uitzondering naar het gesprek. Het maakte hen niet uit dat dat onbeleefd was. Het was vermakelijk en dat was genoeg.

George schonk geen aandacht aan hen en Josiah ook niet. Hij grijnsde om George' opmerking. 'Misschien wel, maar dat maakt wat ik zeg niet minder waar.'

'Weet u, het was niet allemaal slecht,' zei George, terwijl hij naar het plafond staarde, 'die dagen aan boord, bedoel ik. De eerste dagen waren zwaar – eraan wennen om de ruimte te delen met ratten en kakkerlakken en maden... en dan het ongedierte.'

Josiah lachte.

'En het verschil leren tussen bakboord en stuurboord; het verschil tussen de zeilen brassen en reven en opdoeken – dat was zelfs wel interessant. Hoe je een splits kunt onderscheiden van een steek of een knoop – daar had ik de hele reis voor nodig om het te leren. De lucht leren lezen – dat was een heel ander verhaal. Dat ging me gemakkelijk af – windvlagen, stormen, regenbuien... en 's nachts de sterren...' George' ogen lichtten gefascineerd op.

'Heb je overwogen om voor stuurman te studeren?' vroeg Josiah.

'Ik zou ogenblikkelijk naar zee gaan als ik dat zou kunnen,' reageerde George.

'Misschien kan ik een goed woordje voor je doen. Je weet het waarschijnlijk niet, maar ik heb connecties met de "Nightingale".'

Plotseling betrok George' gezicht. Hij keek naar Josiah en wendde zijn ogen toen snel af.

Kan – of wil – hij me niet in de ogen kijken? vroeg Josiah zich af.

'In elk geval bedankt,' mompelde George. 'Maar ik zoek het liever zelf uit.'

'Maar ik kan je helpen!' hield Josiah vol. 'Ik ken Philip Clapp, de eigenaar van de Nightingale en Johnny Mott, die toezicht houdt op het laden en lossen...'

'Ik weet wie Mott is,' zei George.

'Ik zeg alleen maar dat zij mijn twee beste vrienden waren op school.'

'Ja.' George snoof. 'Daar heb ik iets over gehoord, maar toch bedankt.'

Josiah snapte er niets van. George' houding was helemaal veranderd. De gevangene ging van Josiah afgewend zitten en keek naar het stukje lucht door het raampje hoog in de celmuur.

'Leg dat eens uit, George,' zei Josiah. 'Waarom wil je niet dat ik een goed woordje voor je doe?'

George schudde zijn hoofd. 'U bent wel een aardige vent. Laten we het daar maar bij laten.'

'Anders dan Philip Clapp of Johnny Mott?'

'Dat heb ik niet gezegd,' verklaarde George.

'Mag je ze niet?'

'Ik ken ze niet goed.'

'Nou dan? Wat is er?'

George snoof en wreef met zijn wijsvinger over zijn neus. Hij keek angstig de cel rond en liet zijn stem zakken tot gefluister. 'Ik heb dingen gezien... dingen gehoord. En dan is er Coytmore. Dat is de kapitein. Hij is hun man.'

'Is Coytmore een slechte kapitein?'

'Meer dan slecht. Niemand is zo slecht als Coytmore op volle zee, naar wat ik ervan hoor. En dat zegt wat. Niemand van de zeelui wil bij hem varen.'

'Misschien kan ik gaan praten met...'

'U praat met helemaal niemand!' schreeuwde George, zo hard dat iedereen in de cel naar hem keek. 'U praat gewoon met niemand. Begrepen? U maakt het alleen maar erger, als dat nog kan.'

'George...' probeerde Josiah.

'Kijk, ik weet dat u een tijdje weg geweest bent en zo, en soms veranderen mensen en zijn ze niet meer wie je denkt dat ze zijn. Alles wat ik weet is dat er iets heel erg scheef zit met die schepen. Of uw vrienden zijn blind of ze zitten erachter.' Hij stak zijn handen op. 'Vergeet gewoon wat ik gezegd heb. Weet u, zaken zijn zaken en ik ben maar een simpele pekbroek. Ik heb al te veel gezegd.'

13

Ik merk dat George Masons opmerking me bezig blijft houden – er is kwaad hier. Het is een schrandere opmerking van een 'simpele pekbroek'. Ik heb het kwaad gevoeld op de dag dat ik het stadje binnenkwam. George heeft het bevestigd. Wat zegt de Bijbel over zulke dingen?

Eén enkele getuige zal niet tegen iemand kunnen optreden ter zake van enige ongerechtigheid of zonde, welke ook, die hij begaan mocht hebben; op de verklaring van twee of drie getuigen zal een zaak vaststaan. – Deuteronomium 19:15

George Mason is de tweede getuige.
Je zou gelet op hoe het eruitziet niet zeggen dat dit een zondig stadje is. Het stadje bruist. Nooit eerder heeft het zo veel voorspoed gekend. Maar de mensen zijn ontevreden, wantrouwig, geniepig en ongelukkig en ze zijn snel aangebrand. Ze vinden geen vreugde in het loven en geen bevrediging in het dienen van God.
Ik bid voor hen. Maar ik geloof dat ik meer moet doen. Helaas ben ik bang dat ik de laatste ben naar wie ze zullen luisteren.
Mijn verbond onlangs met dokter McCullough heeft me een idee gegeven. Hij schreef dagelijks zijn medische bevindingen op en trok daaruit conclusies over de pokken. Hij formuleerde zo een diagnose en een behandelmethode. Ik zal vanaf nu mijn eigen dagboek op een vergelijkbare manier gebruiken.
Alleen, in plaats van medische bevindingen, zal ik verslag doen van geestelijke bevindingen. Dan, nadat ik de symptomen bestudeerd heb, zal ik proberen de geestelijke malaise die dit stadje teistert te diagnosticeren en tot een soort van behandeling te komen.

'Havenhill is niet meer wat het geweest is,' zei Mercy.

Josiah keek op van de kom waarin hij de boter karnde. Hij had haar er op geen enkele manier toe aangezet de stad te beoordelen. Ze deed het uit zichzelf.

'Dat hoef je niemand te vertellen; dat is overduidelijk,' merkte Grace op vanuit de hoek. Ze zat in een schommelstoel en breide.

'Ik bedoel *geestelijk*,' verdedigde Mercy zich. 'Natuurlijk zijn er andere gebouwen en leiders gekomen. Maar als stad zijn we niet zo geestelijk meer als we geweest zijn.'

Grace leek daar een paar steken over na te denken. 'Ik weet niet of dat zo is. Toen we jong waren dachten we dat ouderen wijzer waren. Nu zijn we volwassen en hebben we ontdekt dat ze menselijk en feilbaar zijn. We denken dat ze veranderd zijn, maar in werkelijkheid waren ze dat altijd al.'

'Ik begrijp wat je wilt zeggen,' reageerde Mercy. 'Maar dat bedoel ik niet. Er is iets veranderd in dit stadje... ik weet het niet.' Ze keek naar de vloer. 'Misschien oordeel ik te hard... maar ik heb het gevoel dat hier iets kwaads is.'

De derde getuige, dacht Josiah.

Hij ging verder de boter te kneden terwijl Mercy de andere ingrediënten verzamelde – twee eieren, suiker, rozenwater, room, krenten en bloem.

Al een paar weken nu kwamen de zussen elke woensdagavond naar Josiahs huis. Zoals Grace voorspeld had, was na hun eerste bezoek het geroddel begonnen. Het had geleid tot een onderzoek door de kerkenraad.

Josiah had er lucht van gekregen. Hij had Mercy en Grace voorgesteld om, terwille van hun reputatie, hun woensdagavondbezigheden te staken. Maar Grace had een beter idee.

Op de avond dat de delegatie van drie ouderlingen – onder leiding van Philip – bij Josiahs huis arriveerde, stond er een complete maaltijd op hen te wachten. Josiah en Mercy verklaarden, met eetbare voorbeelden, dat ze elke woensdagavond recepten uitwisselden, meer niet.

Na de maaltijd werd gerapporteerd dat één ouderling de avond zeer zondig had gevonden. 'Het zondigste en heerlijkste etentje dat ik meegemaakt heb,' waren zijn precieze woorden. Verder rapporteerden ze dat zelfs al waren er romantische bijbedoelingen, Grace Smythe – een vooraanstaand lid van de kerk – aanwezig was als chaperonne.

Philip vertelde Josiah in vertrouwen dat het rapport van de ouderlingen niet iedereen in de kerk beviel. Philip had Eunice Parkhurst niet direct genoemd, maar het was duidelijk op wie hij doelde. Een van de zinnen die steeds terugkwamen was dat de dominee moest waken 'voor zelfs maar de schijn van het kwaad.'

'Dit zijn dezelfde ingrediënten die ik gebruik als ik een Queen's Cake bak,' pruilde Mercy. 'Waarom smaakt die van u dan zoveel beter dan die van mij?'

'Daarom ben je hier toch?' plaagde Josiah. 'Om van de meester-bakker te leren?'

Mercy pakte een ei op en dreigde dat naar hem te gooien. Grace liet geamuseerd het breiwerk op haar schoot zakken.

Josiah klakte met zijn tong. 'Toevlucht nemen tot geweld – echt het werk van een radeloze.'

'Gooien!' drong Grace aan.

Josiah legde kalm zijn lepel neer. Toen, zo snel dat het Mercy verraste, greep hij haar pols, die met het ei. Ze kronkelde zich in allerlei bochten om los te komen, maar hij draaide haar pols zo dat het ei op haar gericht was.

Grace, nog steeds in de schommelstoel, lachte om de worsteling.

Omdat ze het ei niet langer in evenwicht kon houden, probeerde Mercy het over te hevelen naar haar andere hand. Zonder haar pols los te laten probeerde Josiah met zijn andere hand het ei op te vangen.

Mercy's vrije hand, Josiahs vrije hand en het ei kwamen hard met elkaar in botsing. Josiah sprong achteruit toen het eiwit en eigeel langs Mercy's arm dropen en van haar elleboog op de grond drupten.

'Kijk wat u gedaan hebt!' riep Mercy lachend.

'Ik ben niet degene die dreigde een ei als wapen te gebruiken,' zei Josiah met een reusachtige grijns.

'Kinderen! Kijk toch eens wat voor rommel jullie gemaakt hebben!' berispte Grace hen vanuit de hoek. 'Als jullie niet rustig kunnen spelen, mogen jullie helemaal niet meer spelen!'

Josiah gaf Mercy een handdoek. Ze gebruikte die om het ei van haar arm te vegen. Toen knielde ze om de vloer schoon te maken. Terwijl ze aan het schrobben was, werd ze duidelijk door iets afgeleid. Ze reikte naar een plank onder de tafel en trok een boek tevoorschijn.

'Grace,' zei ze, 'kijk eens wat ik gevonden heb.' Ze hield het boek op zodat Grace het kaft kon zien.

Toen hij zag wat ze had, probeerde Josiah het boek van haar af te pakken. Mercy hield het buiten zijn bereik.

Grace klapte in haar handen en loeide.

'*De bekwame huisvrouw?*' meesmuilde Mercy.

Josiah reikte weer zonder succes naar het boek. 'Ik heb veel uit dat boek geleerd!'

Grace en Mercy lachten nu zo hard dat de tranen hun over de wangen liepen.

'O, we weten heel goed dat het een goed boek is.' Mercy veegde haar tranen weg. 'We zijn alleen een beetje verbaasd dat *u* een exemplaar hebt.' Ze las voor van het boek. '*Het handboek voor de volleerde dame.*'

'Mevrouw Josiah,' zei Grace. 'Klinkt leuk.'

'Wat moet ik dan?' vroeg Josiah. 'Er heeft toch niemand een *Bekwame vrijgezelle dominee* geschreven?'

Mercy bladerde door het boek. 'Recepten... aanwijzingen om kamers te verven... middeltjes tegen allerlei kwalen... o, hier is een goed gedeelte: het verwijderen van schimmel.'

'Een voortdurend probleem voor alle vrijgezelle dominees,' voegde Grace toe. 'We moeten echt eens praten over ons wederzijdse schimmelprobleem, dominee Rush. Misschien kunt u een paar tips doorgeven die u aan Harvard over deze zaak gekregen hebt.'

Josiah reikte weer naar het boek. Dit keer deed Mercy geen poging het hem te onthouden.

'Dit is allemaal wel grappig, maar we zijn hier om een Queen's Cake te bakken,' drong hij aan. Hij legde het boek terug waar Mercy het gevonden had.

Beide vrouwen probeerden hun tranen te drogen.

'Het geheim van een Queen's Cake,' zei Josiah, 'zit 'm niet in de ingrediënten, maar in de oventemperatuur.'

Mercy lachte nog toen ze hem naar de oven volgde die in de zijkant van de haard gebouwd was.

Josiah negeerde haar lichtzinnigheid, al hield hij wel van de manier waarop haar ogen blauw vonkten als ze blij was.

'Verwarm de oven met gekliefd – fijn gespleten hout,' instrueerde hij. 'Probeer het dan uit. Een bakker die zijn vak kent, kan de oventemperatuur op een paar graden bepalen aan de hand van hoe lang hij zijn arm erin kan houden.'

Josiah rolde zijn mouw op en demonstreerde het. Hij stak zijn arm tot zijn elleboog in de oven. Na een poosje begon zijn onderlip te krullen. Na nog een poosje begon hij erin te bijten. Nog iets langer en hij trok zijn arm terug. 'Hij is klaar.'

'Waar hebt u geleerd om dat te doen?' vroeg Mercy.

'Ik ben een jaar op kamers geweest bij een bakker in Boston. Ik betaalde de huur door hem 's morgens vroeg te helpen, lang voor de zon opkwam.'

Mercy volgde Josiahs instructies en mengde de rest van de ingrediënten in de schaal waarin Josiah de boter gekarnd had. Toen goten ze het mengsel in ingevette pannen en zetten die in de oven.

Josiah keek uit naar de woensdagen.

Als ze wachtten terwijl de cake gebakken werd, zaten ze te praten. Soms over Josiahs preek van de vorige zondag en soms over Schriftgedeelten die Grace en Mercy thuis gelezen hadden.

Vanavond kwam Josiah terug op iets wat eerder gezegd was. 'Mercy, je zei dat het duidelijk was dat Havenhill niet meer is wat het geweest is. Dat is de eerste keer dat ik iemand dat heb horen toegeven.'

'Het is geen geheim,' reageerde Grace voor Mercy iets kon zeggen. Haar breinaalden bewogen vliegensvlug.

'Waarom hebben de leiders daar niets aan gedaan?'

'Misschien is dat de reden dat ze u teruggehaald hebben,' zei Mercy.

'Denk je dat?' vroeg Josiah.

'Nee.' Grace' antwoord was even direct als beslist.

Josiah hield zijn hoofd schuin. 'Waarom zeg je dat? Als ik niet teruggehaald ben om de dingen beter te maken, waarom ben ik dan teruggehaald?'

De breinaalden kwamen tot stilstand en Grace bestudeerde zijn gezicht. 'Geloof me. Ze hebben hun redenen.'

Haar onheilspellende toon deed zijn nekharen overeind staan. Hij wilde haar vragen over wie ze het had, maar hij durfde niet goed aandringen. Hij kende Grace nog niet goed genoeg om te kunnen beoordelen of haar opmerking iets waard was, of dat het een ongegronde roddel was. En hij wilde niet een van de weinige vrienden verliezen die hij in het stadje leek te hebben. Dus besloot hij het gesprek terug te leiden naar waar ze begonnen waren.

'Als het geen geheim is dat het stadje niet is wat het geweest is – geestelijk of anderszins – waarom wordt er dan niet over gepraat?'

'Wratten in het gezicht,' mompelde Grace.

'Wat zeg je?'

'Wratten in het gezicht. Mensen die wratten in het gezicht

hebben, weten heel goed dat ze gebreken hebben die iedereen kan zien. Maar als ze in de spiegel kijken 's morgens, kijken ze dan naar de wratten? Nee. Ze bepoederen hun wangen, kammen hun haar, zetten hun hoed recht – alles zonder ook maar even naar de wratten te kijken. Ze willen niet naar de wratten kijken omdat ze zich dan lelijk voelen... dus doen ze het niet.'

Josiah dacht er even over na.

Grace ging verder. 'Voor mensen die trots zijn op hun geestelijke erfenis is kwaad dat onder hen huist een afzichtelijke wrat. Die negeren ze. En ze vinden het onbeleefd en nemen er aanstoot aan als iemand hun aandacht erop vestigt.'

Josiah mocht de openhartigheid van de vrouw wel. Hij besloot die op de proef te stellen. 'Als wat je zegt, waar is, dan betekent dat dat ik...'

'O ja, u bent de wrat van het stadje,' zei Grace zonder aarzelen. 'Daar is geen twijfel aan.'

'Waarom hebben ze me dan teruggehaald? Vestigt dat de aandacht niet juist op de wrat?'

Grace liet haar breinaalden zakken. 'Dat is een raadsel, hè?'

14

'Wat is er zeven jaar geleden precies gebeurd?' vroeg Mercy. Ze sloeg haar ogen neer. 'Tenminste, als u het niet erg vindt om me dat te vertellen. Ik kan soms een beetje vrijpostig zijn en dingen vragen die mij niet aangaan.'

De helft van de Queen's Cake lag nog voor hen op tafel. Grace hing in de schommelstoel in de hoek. Ze sliep. Haar breiwerk rustte in haar schoot. Achter Mercy danste het vuur. Zij en Josiah spraken met gedempte stemmen om Grace niet wakker te maken.

Hij zuchtte. 'Die nacht heeft me duizend keer opgejaagd.'

'Dan moet u hem niet opnieuw oproepen omdat ik dat vraag,' zei Mercy.

Josiah glimlachte naar haar. Haar meeleven was verfrissend. 'Niemand heeft me met zo veel bezorgdheid om mij gevraagd over die nacht te praten. Ik wil het je vertellen.'

Mercy legde haar ene hand boven op de andere op tafel en leunde naar voren om te luisteren.

Josiah kon zich niet herinneren dat hij ooit zo vrijuit met een vrouw had kunnen praten. Met Nabby had altijd de romantiek in de weg gezeten. Met Mercy praten was anders. Gemakkelijker. Hij had niet die overheersende angst dat hij zichzelf voor gek ging zetten.

Zijn gedachten gingen terug naar die nacht. 'Het was een feestdag. De dag ervoor had ik een brief gekregen van een arts uit Philadelphia met de mededeling dat hij me zou helpen aan een medische stageplaats. Hij was een oude vriend van ouderling Cranch. Dominee Parkhurst had voor mij een aanbevelingsbrief geschreven.'

'U zou de eerste dokter worden die ooit uit het stadje

Havenhill zou zijn voortgekomen,' zei Mercy.

Josiah grinnikte. 'Herinner je je dat?'

'Iedereen praatte erover.'

'O ja.' Josiah zuchtte weer. 'Iedereen was trots.'

'U had reden om feest te vieren,' hield Mercy vol.

'Ik was gewoon blij dat ik niet de rest van mijn leven in de haven hoefde te werken. Philip, Johnny en ik kregen daar een baan na onze schooltijd. Lange, vervelende, geestdodende uren. Onze opzichter bleef maar dreigen ons te ontslaan en ons te vervangen door muilezels, want muilezels waren intelligenter en balkten niet zo veel.'

Mercy lachte. Ze had een gemakkelijke, heerlijke lach.

Josiahs stem werd serieuzer. 'Ik weet niet waar hij het vandaan had, maar Philip slaagde erin wat rum in handen te krijgen. Johnny bracht een fles appelwijn mee. We wilden mijn aanstaande vertrek vieren.'

Hij grinnikte om de ironie ervan. 'Nou, dat vertrek vond plaats volgens schema, maar de omstandigheden waren veranderd. Johnny was van ons degene die gewend was om te drinken. Hij was eerder dronken geweest. Philip had wel ervaring met alcohol, maar was nooit eerder dronken geweest. En wat mij betreft, ouderling Cranch liet nooit sterkedrank toe in zijn huis. Zowel zijn grootvader als zijn vader hadden hun zaak en familie geruïneerd door hun zwakte voor alcohol, dus hij wilde er niets van hebben en zag erop toe dat ik dat ook deed. Was ik ooit thuisgekomen met een alcohollucht in mijn adem, hij zou me op een haar na dood geslagen hebben.'

'Wat was er die avond anders?' vroeg Mercy.

Josiah grinnikte van schaamte. 'Ik had het achter de ellebogen. Ik stond op de drempel van een heel nieuw leven en ik voelde me man genoeg om mijn eigen beslissingen te nemen. Beroemde laatste woorden, vind je niet?'

Mercy glimlachte begrijpend.

Josiah ging verder. 'We gingen naar de haven en klommen

door een raam dat toevallig openstond naar binnen. Philip had wat kaarsen meegebracht en we vonden een geschikt plekje. We dronken en lachten en hadden het gezellig. Ik herinner me dat ik me een paar keer van binnen verscheurd voelde bij de gedachte hoeveel ik Philip en Johnny en de Parkhursts zou gaan missen.'

'U bedoelt Abigail,' verduidelijkte Mercy.

Josiah grijnsde. Het had geen zin het te ontkennen. Iedereen in het stadje wist wat hij voor Abigail voelde.

'Maar ook dominee Parkhurst,' voegde Josiah toe. 'Hij en ouderling Cranch hadden me opgevoed. Ik dacht altijd dat ik geen moeder had, maar in plaats daarvan twee vaders. Eunice kwam nog het dichtst in de buurt van een moeder voor mij. Wist je dat zij mij aangeraden had om dokter te worden?'

Mercy schudde haar hoofd.

'Het was na een kerkdienst. Dominee Parkhurst had ge-preekt over hoe de hele schepping van nature God looft, be-halve de mens. De mens was de enige weigeraar. Hoe dan ook, ik herinner me dat ik tijdens die kerkdienst het gevoel kreeg dat ik de rest van mijn leven Gods waarheid wilde doorgeven aan de mensen en hen naar God wijzen.'

'God riep u tot Zijn dienst.'

'Ironisch, nietwaar? Ik wilde na de dienst met dominee Parkhurst praten over wat ik voelde, maar hij was niet beschik-baar. Een van de ouderlingen had hem meegenomen voor het een of ander. Eunice merkte dat ik ergens mee zat. Ze nam me apart en we praatten. Ik vertelde haar wat ik voelde. Ze zei dat mijn verlangen om God te dienen bewonderenswaardig was, maar dat Hij me duidelijk de gave gegeven had om arts te wor-den en God ook vrome leken nodig had. Dat was voordat dominee Parkhurst de aanbevelingsbrief voor mij schreef voor die medische stageplaats. Achteraf denk ik dat ze haar dochter liever zag trouwen met een veelbelovende jonge arts dan met een zwoegende jonge dominee.'

'En nu bent u haar dominee,' zei Mercy.

'God heeft absoluut gevoel voor humor, hè?' grijnsde Josiah. Hij rechtte zijn rug. 'Hoe zijn we zo ver afgedwaald?'

'U vertelde me hoeveel u iedereen zou missen.'

'O ja. Het was een van die keren in het leven dat je op de rand van de toekomst staat. Je denkt dat je weet wat er voor je ligt, maar dan verandert alles... Nou, we dronken, we lachten en we dronken nog wat meer – te veel. Op een gegeven moment stonden Philip en Johnny op om... nou om te doen wat gedaan moet worden als je erg veel vocht inneemt. Ik herinner me vaag hoe ik hen door het donkere pakhuis zag waggelen. Daarna verloor ik het bewustzijn. Maar ik moet een kaars omgegooid hebben, want het volgende dat ik me herinner was dat er om mij heen allemaal vlammen waren en dat Philip en Johnny mij half sleepten en half overeind hielpen.'

Josiah staarde met een ernstig gezicht naar zijn handen. 'We slaagden erin om het raam uit te klimmen. En op dat moment hoorden we het gillen – de meisjes... en toen dominee Parkhurst... Je kunt met geen woord beschrijven hoe afschuwelijk het is om te beseffen dat iemand hulp nodig heeft en dat je onder normale omstandigheden zou kunnen helpen, maar dat je zo dronken bent dat je je ledematen niet onder controle kunt houden. Ik was net een lappenpop. Mijn hoofd bleef schreeuwen tegen mijn armen en benen om in beweging te komen, maar dat konden ze niet want ze waren helemaal vol zaagsel.'

Het vuur knapte en knetterde.

Mercy keek naar Grace, die zich niet had verroerd. 'Natuurlijk weet u dat God u vergeven heeft,' zei ze zacht.

'O ja.'

'Ongeacht of de mensen in het stadje u ooit vergeven.'

Josiah staarde naar zijn handen. Voor hij het wist werden ze bedekt door een van Mercy's handen.

'Sommigen van ons hebben u al vergeven,' zei ze.

Haar hand was warm, maar lang zo warm niet als de geuite

gedachte. Het was balsem voor zijn gemartelde ziel. Wie zou gedacht hebben dat het domme, kleine meisje dat hij op school nauwelijks kende op een dag zijn ziel zou troosten?

Hij keek naar haar op. 'Mag ik je iets vertellen?'

Hun ogen ontmoetten elkaar en hielden elkaar vast.

Toen bloosde Mercy en ze wendde haar ogen af. Josiah was bang dat hij haar het verkeerde idee gegeven had. Dus ging hij haastig verder: 'Het heeft te maken met iets waar we het eerder over gehad hebben – over kwaad in het stadje.'

Nu leek Mercy verlegen omdat ze verlegen was. 'Natuurlijk... ik denk...'

Josiah aarzelde. Nu hij begonnen was, wist hij niet zeker of hij verder moest gaan. 'Nou, bijvoorbeeld, ik wil dat je weet hoe blij ik ben dat jij en Grace hier komen. Hoeveel ik geniet van onze tijd samen – met ons drieën – koken en gezellig doen.'

Ze trok een wenkbrauw op. 'En wat heeft dat te maken met het kwaad in het stadje?'

Ja, hij had dat gezegd? Nu wilde hij dat hij dat niet gedaan had. Maar hij had het gedaan en nu moest hij het haar uitleggen. Hoe kon hij beginnen? Hij bestudeerde haar ogen. Ze waren onschuldig en er was geen veroordeling in. Hij kon die ogen vertrouwen.

Hij haalde diep adem. 'Toen ik weg was, heeft God in mijn leven gewerkt. Niet alleen academisch en om me voor te bereiden op een bediening als dominee, maar geestelijk.'

'Dat blijkt duidelijk uit uw preken,' vond Mercy.

'Is dat zo?' *Dat is bemoedigend*, dacht Josiah. 'Hoe dan ook, in Boston, toen ik daar diende, heeft God...'

Hij was naar de rand gelopen. Zou hij nog een stap zetten en de duik wagen? Hij had nog nooit iemand verteld wat hij op het punt stond te vertellen aan Mercy Litchfield. Hij had het iemand willen vertellen, maar hij had zich nooit genoeg op zijn gemak gevoeld om het onderwerp aan te snijden. Tot nu.

'Heeft God...?' drong Mercy aan.

Hij onderzocht opnieuw haar ogen. Ja, dit was een zuivere ziel die tegenover hem zat. Daar was hij zeker van. Hij nam de duik. 'God heeft me een gave gegeven.'

Ze lachte niet. Ze spotte niet met hem. Ze knipperde niet met haar ogen en ze ging niet ongelovig achteruit zitten. Mercy's reactie was alsof God elke dagen gaven uitdeelde.

'Het is een geestelijke gave,' ging hij verder, 'met lichamelijke symptomen.'

Hij wachtte op een antwoord.

Zij wachtte op meer informatie.

Josiah ging verder: 'God heeft me de gave gegeven geesten te onderscheiden. Ik kan de geest van een persoon of een situatie voelen.'

Mercy leunde naar voren. 'U zei dat het lichamelijke symptomen had.'

'Een vreugdevolle geest steunt mij. Ik kan iemands vreugde of vrede voelen. Begrijp je wat ik zeg? Ik weet hoe rechtvaardigheid voelt.'

'En zonde,' zei Mercy.

De herinnering aan de pijn van de laatste dagen kwam terug. Zijn kin beefde. Zijn ogen werden glazig van tranen. 'Ja. Ik weet hoe zonde voelt.'

Er kwamen ook tranen in Mercy's ogen. 'Dat verklaart het. Als u preekt.'

'O ja?'

'U ziet eruit alsof u pijn hebt.'

Josiah knikte. 'Dat heb ik ook.'

'Hoe verschrikkelijk en heerlijk moet dat voor u zijn.'

Josiah grinnikte zwak. 'Dat beschrijft mijn bediening aardig.'

'Hoe voelt het? Zonde, bedoel ik. Hoe voelt u het?'

'Eigenlijk zijn het meerdere gevoelens achter elkaar. Het begint met een jeukend gevoel bij mijn neus en wang, als een spinnenweb, maar dan nat en koud.'

Mercy huiverde. 'Wat akelig!'

'Het trekt mijn aandacht – mogelijk om te voorkomen dat ik verrast word door wat daarna komt.'

'En dat is?'

Josiah wilde het haar vertellen, maar hij vond het gênant om dit gevoel te beschrijven voor een vrouw. 'Ik had kwaad altijd geassocieerd met minder vreugde, een gevoel van verdrinking. Maar het is precies andersom. Zodra ik het gewriemel tegen mijn wang en neus voel, komt er een plezierig gevoel over me. Er komt een hunkering in me die ik niet anders kan omschrijven dan als een stormloop van begeerten. Ik voel me meer levend dan ik me ooit gevoeld heb, maar op een agressieve, dominerende manier. Ik krijg een ongelofelijke drang om te strijden, te debatteren, te kopen, te eten, te zingen, een mooie vrouw lief te hebben, een sterke man te overmeesteren en aanbeden en geëerd te worden door duizenden en duizenden mensen. Maar het is niet blijvend. Ik voel al die dingen in één ogenblik en dan...'

'Pijn,' zei Mercy. 'Als een kind dat te veel gesnoept heeft en dan buikpijn krijgt.'

'Precies! Alleen is de pijn dieper. Er is een leegte in, een pijn die niet verzacht kan worden. Soms is de pijn scherp. Na een tijdje wordt het minder, maar het is meedogenloos.'

Mercy wendde zich af en staarde naar de muur alsof ze nadacht.

'Wat is er?' vroeg Josiah.

Ze deed haar mond open, maar aarzelde.

'Toe maar,' drong Josiah aan. 'Vertel me maar wat je denkt.'

'Dat is niet aan mij.'

'Alsjeblieft,' smeekte hij. 'Vertel het me.'

Ze haalde diep adem. 'Sommige mensen zouden wat u me verteld hebt interpreteren als niets anders dan een nerveuze maag. U voelt iemands angst aan en neemt die over.'

Josiah knikte. 'Dat dacht ik eerst ook. Tot God me liet zien dat het anders was.'

Mercy leek graag de details te willen horen, dus vertelde Josiah haar die.

'Ik was in een herberg in Charlestown om te eten met een vriend. Ik heb nooit iemand ontmoet die zo gemakkelijk een taal oppikte. Hij hielp me met Grieks en Hebreeuws; ik hielp hem met retorica. Het was een vooraanstaand man. Getrouwd. Een kind van zes maanden. Iedereen verwachtte dat hij over een paar jaar talen zou onderwijzen aan Harvard.

Hij was laat. We schudden elkaars handen. Toen voelde ik het. Het gewriemel van een spinnenweb, de spanning, de pijn. Alles snel achter elkaar en scherper dan ik ooit ervaren had.

Ik deed mijn best om het te vermommen. We aten. We praatten over colleges en over de komende examens. Hij sprak vol bewondering over zijn vrouw, hij liet me lachen om de veranderingen die een kind brengt in een huishouding en vertelde me opgewonden over een gesprek dat hij met de decaan gehad had over zijn toekomst aan de universiteit. Een plezierige avond. Een goed gesprek. Als ik niet zo'n ongemakkelijk gevoel in mijn buik gehad had.

Ik wilde iets zeggen. Hem vragen of hem iets dwars zat. Hij leek gelukkig en opgewekt en we hadden zo veel gelachen dat het stom leek om mijn vermoedens er zo uit te gooien. Bovendien zei ik tegen mezelf dat het mij niet aanging. Ik was niet zijn geweten of zijn geestelijk adviseur.'

'Maar het gevoel hield aan,' zei Mercy.

'O ja. We dronken koffie. Hij roerde in zijn kopje toen ik het niet langer voor me kon houden.'

'Wat zei u?'

'Ik zei: "Ik weet dat dit gek klinkt, maar er is iets heel erg mis in jouw leven."'

'En wat zei hij?'

'Eerst niets. Hij roerde gewoon zijn koffie. Maar toen begon zijn hand zo erg te trillen dat het lepeltje tegen het kopje tikte en de koffie over de rand sloeg. "Dat kun je niet weten," zei hij. "Je kunt het op geen enkele manier weten."'

Josiah stopte even om adem te halen.

'Hij had het net aangelegd met een vrouw, de beste vriendin van zijn vrouw. Hij kwam net bij haar vandaan. Toen ik met hem gebeden had, verdween het gevoel.'

Mercy en Josiah zaten een tijdje in stilte. Toen riep ze uit: 'Wat erg dat u zo lijdt!'

'Ik bid om verlichting, maar niet om de gave kwijt te raken.'

'En dat kan alleen maar gebeuren...'

'... als de mensen in het stadje tot God terugkeren,' besloot Josiah.

Mercy reikte over de tafel en legde haar hand op Josiahs arm. 'Bedankt dat u dat met we wilde delen. Ik weet nu beter hoe ik voor u moet bidden.'

Een beweging in de hoek zorgde ervoor dat Mercy snel haar hand terugtrok.

Grace rekte zich uit en keek naar hen. 'Hoe laat is het?' vroeg ze geeuwend.

Zoals elke woensdagavond keek Josiah Grace en Mercy na toen ze naar de hoofdweg liepen. Vanavond draaide Grace zich plotseling om en haastte zich terug terwijl ze Mercy achterliet.

Ze rende langs Josiah het huis in en zei in het voorbijgaan tegen hem: 'M'n sjaal vergeten!'

Josiah volgde haar het huis in.

Ze stond hem op te wachten. Ze greep zijn pols en keek hem met heldere zakelijke ogen aan: 'Al dat gepraat over pijn en geestelijk lijden? Het is te hopen dat het de waarheid is. Want als ik merk dat u een verhaal verzonnen hebt als val om Mercy in te palmen, geloof me, dan zal ik u pijn laten voelen!'

Het volgende moment was ze weg. Josiah kon haar naar Mercy horen roepen: 'Hij lag bij de schommelstoel, precies waar ik hem had laten liggen!'

15

Na bijna een zomer van dagboekaantekeningen begin ik patronen te zien in mijn studie naar de geestelijke conditie van Havenhill. Er zijn duidelijk waarneembare symptomen. Ik kan binnenkort het verloop beschrijven van wat ik zielsziekte noem. Ondertussen broeit het in de kerk. Er zijn geen openlijke vijandigheden, maar elke keer schuilt er verbittering achter houdingen en opmerkingen. Het is net droog hout. Er is maar één vonkje nodig om alles in vuur en vlam te zetten.

Ik heb Nabby nog steeds niet gesproken. Het lijkt wel of het hele stadje haar van mij afschermt. Elke keer als ik haar bij de kerk of op straat benader, word ik door iemand onderschept of trekt iemand haar weg. Toch lukt het haar nog steeds om me anonieme briefjes te bezorgen. Ze duiken op bij het huis en soms op de preekstoel voor ik preek. De boodschap is meestal hetzelfde, maar met wat variatie in de woorden. Ze bidt voor me. Ik put veel troost uit die gedachte.

Er glinsterde een reepje augustusmaan op het water. De kades waren donker en stil, afgezien van het kloppen van het tij tegen de pijlers eronder.

Vreemd.

Terwijl Josiah over Water Street liep, keek hij tussen de rijen pakhuizen door. Er zou allerlei lawaai moeten zijn om hem naar de plek van het noodgeval te leiden.

Een halfuur geleden had hij liggen slapen. Een mannenstem die hem riep en tikken van knokkels tegen hout hadden hem gewekt.

Er was gevochten in de haven, werd hem verteld door, gezien zijn wijde broek van zeildoek, een zeeman. Josiah herkende hem niet. Het was nog een jongen. Hij zei dat zijn oudere broer gestoken was en op sterven lag en om een dominee riep. 'U moet komen,' pleitte de jongen. 'Mick is echt bang om dood te gaan.'

Josiah zei tegen de jongen dat hij buiten moest wachten tot hij zich aangekleed had, maar toen hij de deur uitstapte, was de jongen weg. Dus had Josiah zich naar de haven gehaast. Maar eenmaal daar zag hij geen teken van enige verwarring, noch enig teken van leven.

Waarschijnlijk een grap, besloot Josiah, maar hij was er niet zeker van. Hij was niet ver van Bailey's Tavern. Misschien wist daar iemand iets. Misschien kenden ze een zeeman die Mick heette en die een jongere broer had.

Net toen Josiah op weg ging naar de herberg, ving zijn oog een beweging op aan de andere kant van het pakhuis. Toen hij keek, was het weg, maar hij had genoeg gezien om te weten dat het te groot was om een beest te kunnen zijn. Het was lang, als een man, en groot. Maar er was nu alleen maar maanlicht dat op water en hout scheen.

Josiah wist zeker dat hij iets gezien had. Het leed geen twijfel dat er een schaduw voorbijgegaan was tussen hem en het schijnsel van de maan.

'Wie is daar?' riep Josiah.

Zijn stem kaatste terug tussen de pakhuismuren.

'Ik ben dominee Rush. Is daar iemand?'

Als ze wisten dat hij dominee was, zouden ze misschien begrijpen dat hij geen bedreiging voor hen vormde.

Josiah stapte tussen de pakhuizen naar het open einde van de kade. Tussen hem en het water was de doorgang net een tunnel. Het donker overspoelde hem. Hij kon niet anders dan voorzichtig lopen.

Er kwam hem een Bijbelgedeelte in gedachten: *Zelfs al ga ik door een dal van diepe duisternis...* Een dal van verhulde dood – had hij zo het Hebreeuws niet vertaald?

'Gij zijt bij mij,' zei Josiah, de zin van de psalmist afmakend.

Het steegje werd smaller op plekken waar tonnen en kisten tegen de muren waren opgestapeld. Het was het volmaakte jachtgebied voor een roofdier, dat zich kromde, klaar om een nietsvermoedende voorbijganger te bespringen.

'Hallo? Dominee Rush hier,' schreeuwde Josiah weer, in de hoop mogelijke roofdieren met dat geluid op de vlucht te jagen.

Hij vertraagde zijn pas tot halve stappen.

De kades en het stadje waren griezelig stil. Alleen schaduwen en maanlicht omgaven hem.

Zijn hart sloeg met meer vertrouwen toen hij het einde van de kloof tussen de pakhuizen bereikte. Voor hem strekte de kade zich uit, zowel naar rechts als naar links.

Hij hoorde het en daarna rook hij het, nog voor hij het zag.

Brand!

Reusachtige tongen likten aan de zijkant van het pakhuis rechts van hem. Rook steeg op naar de nachtelijke sterren, als een offer uit de oudheid aan de god van angst en chaos.

Josiah rende ernaartoe. Hij zocht naar iets om de vlammen mee te bestrijden – een deken, een emmer, *wat dan ook*.

Het vuur was al behoorlijk groot en vrat gretig verder aan het pakhuis.

'Brand!' schreeuwde hij. 'Brand in de haven! Brand!'

Terwijl hij naar de vuurzee rende, vlogen de gedachten razendsnel door zijn hoofd. Hij moest nog steeds iets vinden waarmee hij de vlammenzee kon bestrijden. En hoe dichter hij erbij kwam, hoe meer hij begreep dat hij in zijn eentje maar weinig kon beginnen. Zou hij het proberen? Of moest hij wegrennen en hulp halen? Maar als hij hulp ging halen, hoeveel groter zou het vuur dan zijn als hij terugkwam?

Hij was er nu dichtbij. De vuurgloed was ongelofelijk snel gegroeid. Hij stond er hulpeloos voor. Hij had meteen hulp moeten gaan halen. Nu had hij te veel tijd verspild.

Hij moest naar Bailey's Tavern. Hij draaide zich om en begon te rennen.

Eén stap. Twee.

Er schoot een hand uit de schaduw. Die rukte Josiah met zo veel kracht door de deur van een pakhuis, dat hij met zijn voeten van de grond kwam.

'Wat doe jij hier?'

De stem was bekend. Met het gevoel alsof de lucht uit zijn longen geperst was, stotterde Josiah: 'Joh... Joh... Johnny?'

Met een handvol van Josiahs kleren in zijn vuist keek een boze Johnny Mott hem aan. 'Ik vroeg wat je hier deed!'

'Br... br... brand!' wist Josiah uit te brengen.

Nog steeds ziedend van woede, liet Johnny hem los. 'Deze kant op.'

Omdat hij nog steeds niet genoeg lucht kon krijgen om te praten, gebaarde Josiah hulpeloos in de richting van de brand.

Met een ongeduld dat grensde aan razernij greep Johnny Mott Josiah beet en sleepte hem het hele pakhuis door. Aan de andere kant opende hij een deur, keek naar buiten en trok toen snel zijn hoofd terug.

Aan de andere kant schreeuwden mannen. Ze sloegen alarm om de brand. Een moment later waren hun stemmen niet meer te horen. Johnny stak zijn hoofd door de deuropening, verklaarde dat de kust veilig was en trok Josiah toen achter zich aan de deur door en gooide hem naar buiten.

Josiah struikelde en viel.

Johnny torende boven hem uit. 'Ga naar huis!' siste hij.

Terwijl hij verbijsterd voor oud vuil op de grond lag, keek Josiah op. 'Johnny...'

'Ik zeg het niet nog een keer, Josiah. Ga naar huis! En laat niemand je zien!'

De deur van het pakhuis sloeg dicht.

Josiah hoorde geschreeuw en het gedreun van een kudde voeten. Hij kroop achter een stapel kisten.

Een man of twaalf rende in de richting van de brand. Toen ze hem voorbij waren, stapte Josiah Water Street op. De vlammen van de brand reikten boven het pakhuis uit.

Hij staarde een moment naar de vlammen en toen naar de gesloten deur waar Johnny Mott door verdwenen was. Op weg naar huis, via achterafstraten, kwam hij niemand tegen.

16

Zoals verwacht kreeg Josiah opnieuw bezoek.

'We zijn de helft van het pakhuis kwijtgeraakt voor het vuur bedwongen kon worden,' zei Philip.

Terwijl Philip sprak, werd Josiah van onder gefronste voorhoofden bestudeerd door de ogen van een gemeenteraadslid en een ouderling.

Josiah stak zijn kin naar voren. 'Ik heb het vuur niet aangestoken.'

'Vraag hem waar hij vannacht tijdens de brand was,' eiste het gemeenteraadslid. Het was een lange man met grote oren. Josiah had hem nog niet eerder ontmoet.

Philip fronste. 'Ik dacht dat we overeengekomen waren dat ik de vragen zou stellen, Fitch.'

'Vraag het hem!' hield Fitch vol.

Josiah deed een stap naar Fitch toe en keek hem in de ogen. 'Op mijn erewoord, als man van God, ik heb dat vuur niet aangestoken.' Om zijn woorden kracht bij te zetten bleef Josiah de blik van de man vasthouden, maar Fitch gaf niet op.

Philip ging tussen hen in staan. 'We hebben gedaan waar we voor gekomen zijn. Fitch, jij en Gleason gaan maar vast. Ik haal jullie wel in.'

Fitch vertrok, maar het was duidelijk dat hij Josiah niet geloofde.

Even later waren Josiah en Philip alleen.

Philip staarde naar de grond. 'Josiah, je moet helemaal eerlijk tegen me zijn.'

'Je gelooft me niet!' riep Josiah.

'Johnny heeft gezegd dat hij jou vannacht op de kade zag, net toen de brand uitbrak.'

'Ik werd geroepen voor een noodgeval!'

Josiah vertelde hem dat hij midden in de nacht gewekt was en dat hij gezocht had naar een gewonde man.

'En je hebt die zeeman nooit eerder gezien?' vroeg Philip.

'Nee.'

Philip wreef in gedachten over zijn kin.

'Ik heb vannacht dat vuur niet aangestoken,' hield Josiah vol.

'Johnny denkt van wel,' wierp Philip tegen. 'Hij heeft je geholpen om ongezien te ontsnappen om je te beschermen.'

'Heeft hij je dat verteld?'

Philip knikte.

'Ik zag iemand net voor de brand uitbrak,' zei Josiah.

'Heb je hem herkend?'

'Het was alleen maar een schaduw en ik heb er maar een glimp van opgevangen, maar het leek een grote man.'

'Wat bedoel je daarmee?'

'Dat weet ik niet.'

'Josiah, we hebben nog nooit iets voor elkaar geheimgehouden. We kunnen nooit onze vriendschap herstellen als we dingen voor elkaar achter blijven houden.'

Hij had natuurlijk gelijk. 'Het is gewoon dat ik Johnny in geen jaren meegemaakt heb. En sinds ik terug ben, heb ik, door de situatie met Abigail, niet de kans gehad veel tijd met hem door te brengen. Jij kent hem. Denk je... is het mogelijk... hij was daar...'

'Bedoel je te zeggen dat je denkt dat Johnny Mott vannacht de brand aangestoken heeft?'

'Dat vraag ik jou. Is het mogelijk?'

Philip grijnsde breed. 'Niet bepaald.'

'Ik begrijp niet...'

'Het was Johnny's pakhuis dat vannacht in vlammen opging,' legde Philip uit. 'Het is van ons samen.'

Het was onzinnig dat Johnny Mott zijn eigen pakhuis zou hebben laten afbranden. Toch, Josiah wist wat hij gezien had en hij was er niet zo zeker van als Philip dat Johnny niet achter de vuurzee zat. Maar waarom zou iemand zijn eigen pakhuis laten afbranden? En, nog verontrustender, waarom zou hij Josiah naar de haven lokken om de verdenking op hem te laten vallen?

Natuurlijk was er een voor de hand liggend motief – jaloezie. Philip zelf had gezegd dat als het om Abigail ging, Johnny hem als een bedreiging zag. Maar als dat het geval was, waarom had Johnny hem dan door het pakhuis gesleept, zodat hij onopgemerkt kon ontsnappen? En waarom had hij dan alleen aan Philip verteld dat hij in de nabijheid van de brand was? Waarom had hij het niet aan het hele stadje verteld?

Er waren zo veel onzinnige dingen dat Josiah alleen maar meer de indruk kreeg dat er een heksenketel van geheime activiteit onder de oppervlakte school.

Dit waren de gedachten die Josiah kwelden toen hij de volgende dag langs de kledingwinkel liep aan New London Street. Terwijl hij voorbijliep, keek hij naar binnen en zag Nabby ingelijst in een raamkozijn – een volmaakt portret van vrouwelijke schoonheid. Ze was alleen.

Josiah keek onbeschaamd toe hoe ze een fluwelen handtasje onderzocht. Haar vingers streelden de stof en probeerden het trekkoord. Of door een beweging, een schaduw of gewoon doordat ze hem uit een ooghoek zag, moest ze gemerkt hebben dat ze bekeken werd. Ze keek door het raam.

Josiah glimlachte.

Abigail lachte terug en sloeg zedig haar ogen neer. Haar wangen kleurden.

Voor een man die maar zo weinig aanmoediging nodig had, was haar glimlach een overval. Hij had niet kunnen voorkomen dat hij de kledingwinkel ingetrokken werd als hij dat gewild had. Hij wilde het niet. Josiah sprong het trapje op en viel de winkel binnen.

'Wat doe je?' riep Nabby uit. Ze was duidelijk geschokt door zijn gretige toenadering. Ze keek nerveus in de richting van de achterkamer.

Het was niet echt de begroeting waar hij op gehoopt had. Hij bleef staan en zocht naar een reden waarom hij in de winkel moest zijn. 'Mijn manchetten moeten gerepareerd worden.'

'Je draagt helemaal geen manchetten.'

Josiah keek naar zijn mouwen. Ze had gelijk. Hij droeg geen manchetten. 'Nou, dan kom ik in de winkel omdat ik een nieuwe overjas nodig heb.'

Weer keek ze naar de deuropening achterin de winkel. 'Je moet hier niet zijn,' fluisterde ze.

Josiah haalde zijn schouders op alsof hij van de prins geen kwaad wist. 'In zo'n klein stadje als dit hebben we van tijd tot tijd onschuldige ontmoetingen. Dat is onvermijdelijk.'

'Ik ken die blik in je ogen, Josiah Rush. Er is niets onschuldigs aan. Je moet weggaan.'

Was hij zo doorzichtig? Hij kon het niet helpen. Dit was de eerste keer sinds zijn terugkeer naar Havenhill dat hij zo dicht bij Nabby was. En nu was hij alleen met haar... in elk geval voor even.

Zijn hart sloeg over. Ze zag er ongelofelijk uit, zelfs al hadden de pokken hun sporen achtergelaten – een op haar voorhoofd tussen haar ogen, een naast haar rechteroog op de slaap en nog een op haar kaak, vlak bij de kin. Maar ze waren niet erg. Alleen iemand die uren had besteed om elke centimeter van haar gezicht te bestuderen zou ze opmerken.

Josiahs wangen deden zeer van het grijnzen. Hij voelde zich duizelig. Niet precies iets wat een man zou willen toegeven, maar zo voelde hij zich. En hij wilde niet dat het gevoel ophield. Zo dicht bij Nabby zijn werkte verdovend. Zijn ogen namen gretig op hoe haar haar op en neer sprong toen ze haar hoofd omdraaide. Hij zag de witte lijn van haar hals.

'Je staart naar me!' siste Abigail. Ze keerde zich van hem af.

'Ja,' stemde hij toe. Hij deed geen poging een andere kant op te kijken.

'Alsjeblieft, ga weg,' smeekte Abigail. Haar stem trilde.

'Ik mis je,' fluisterde Josiah.

Hij wist dat het verkeerd was om dit tegen haar te zeggen. Hij was een dominee en zij was verloofd met een andere man, maar hij kon zich niet inhouden. De woorden kregen vorm en het was onmogelijk om hun het leven te ontzeggen.

Ze weigerde hem aan te kijken. Ze zocht en vond een zakdoek. Het zachte geluid van huilen volgde.

Een golf van pijn overspoelde hem. Dit had hij niet bedoeld. Hij wilde schitteringen van vreugde in haar ogen zien, geen tranen.

'Nabby,' begon hij zacht.

'*Abigail*,' corrigeerde ze hem scherp.

'Alsjeblieft,' pleitte hij. 'Dit was niet mijn bedoeling. Moeten onze ontmoetingen altijd zo pijnlijk zijn?'

Ze draaide zich plotseling naar hem om. 'Ja, dat moet. Hoe kunnen ze anders dan pijnlijk zijn? Je lijkt te vergeten dat...'

'Zeg niet dat ik vergeet dat je verloofd bent met een andere man! Het achtervolgt me elke minuut van de dag. Wat ik niet begrijp is: waarom? Waarom Johnny Mott?'

Abigails blik was koel. 'Hij is aardig voor me.'

'Aardig. Johnny Mott?'

'Wat bedoel je daarmee?'

'Het woord *aardig* en Johnny's naam zijn de laatste tijd niet bepaald synoniemen.'

Abigail fronste. 'Hoezo? Wat is er gebeurd?'

De voordeur van de winkel ging open. Een kleine vrouw gekleed in het zwart zette een voet binnen de deur, zag Abigail en Josiah dicht bij elkaar alleen in de winkel staan en bleef stokstijf staan. 'O!' Haar ogen werden groot van verbazing en verrukking.

'Mevrouw Hibbard!' groette Abigail haar. 'Wat leuk u te...'

Voor Abigail nog een woord kon zeggen, sloot de vrouw de deur en haastte zich weg.

'Nou, dat is geweldig!' zei Abigail. 'Binnen een uur weet iedereen in het stadje dat jij en ik alleen in de kledingwinkel betrapt zijn.'

'Maar we staan hier alleen maar,' redeneerde hij.

Abigail gaf hem een van die mannen-kunnen-zo-dom-zijn-blikken. 'Niet tegen de tijd dat mevrouw Hibbard klaar is met haar verhaal.'

Josiah keek hulpeloos naar de dichte deur. Door het raam kon hij zien hoe mevrouw Hibbard bijna rennend de straat overstak en twee vrouwen inhaalde die hij niet herkende.

'Ik wilde niet...'

'Ja, dat wilde je wel!' beet Abigail. 'Je wist beter dan hier binnen te komen.'

'Ik weet het,' gaf Josiah gelaten toe. 'Maar toen ik je zag, kon ik niet... ik moest...'

'Josiah Rush, je moet gewoon leren accepteren dat het voorbij is tussen ons.'

'Is dat wat je wilt, Abigail? Wil je dat het voorbij is tussen ons?'

Haar ogen vulden zich met tranen. 'Dat is niet eerlijk.'

'Wat niet eerlijk is, is dat jij je, alleen vanwege één nacht zeven jaar geleden, veroordeeld voelt om met een man die trouwen van wie je niet houdt!'

Abigail huilde nu openlijk. 'Waarom denk je dat ik niet van Johnny houd?'

'Omdat je nog steeds voor mij voelt. Probeer het niet te ontkennen. Ik kan het in je ogen zien.'

Abigail draaide hem haar rug toe. 'Ik vind dat je weg moet gaan.'

'De winkel uit? Of de stad uit?'

Zodra hij de woorden zei, had hij er spijt van.

Abigail draaide zich om om hem aan te kijken. Ongeloof en

112

pijn waren van haar mooie gezicht af te lezen.

'Het spijt me,' zei Josiah. 'Dat had ik niet moeten zeggen. Ik wil je geen pijn doen. Ik zal gaan.'

Hij draaide zich om om weg te gaan, maar toen herinnerde hij zich iets. 'Ik hoop dat je doorgaat met het sturen van die briefjes dat je voor me bidt om bemoediging. Ik kan je met geen woord vertellen hoeveel die voor mij betekenen.'

Ze keek hem onbegrijpend aan.

Juist op dat moment bewoog het gordijn dat de winkel scheidde van de achterkamer. Een vrouw van middelbare leeftijd stapte erdoorheen met een stapel kleren in haar handen. Achter de winkelierster liep Judith Usher, de moeder van de twee meisjes die in de brand waren omgekomen.

De winkelierster begon midden in een zin alsof ze het gesprek met Abigail opnam waar ze het had laten rusten. '... dieper begraven dan ik dacht. De kleur is niet wat ik me herinnerde. Maar het patroon...' Ze stopte midden in een stap en een zin toen ze Josiah zag. De vrouw keek snel naar de huilende Abigail en begon toen te fronsen.

Judith rende de winkelierster voorbij naar Abigail, trok haar opzij en praatte fluisterend met haar.

De winkelierster keek Josiah dreigend aan, als een leeuwin die haar territorium wil beschermen. 'Komt u vandaag iets kopen, dominee Rush?' gromde ze.

'Nou, ik had gehoopt van wel.' Zijn ogen keken langs de planken en bleven rusten op het eerste stuk mannenkleding dat hij zag. 'Ah! Daar is het! Ik kwam voor een...'

De winkelierster volgde zijn blik. 'Een hoge hoed?' vroeg ze sceptisch.

'Ja!' zei Josiah iets te enthousiast. 'Ik heb er altijd al een willen hebben die gemaakt was van vilt.'

De winkelierster pakte de hoed voor Josiah.

Hij zag er belachelijk mee uit. Niettemin kocht hij de hoed en stond hij erop dat hij hem droeg toen hij de winkel uitliep.

17

De volgende woensdag wachtte Josiah op de komst van Grace en Mercy. Het gewone uur kwam en ging. Er ging een uur voorbij, toen nog een. Josiah werd bezorgd. Uiteindelijk kon hij niet langer wachten. Maar toen hij de deur uitstapte, zag hij Grace op het huis toelopen.

Alleen.

'Ik blijf niet,' beet ze. Ze gaf hem een stapeltje enveloppen die met een touwtje bij elkaar gebonden waren en een boek.

'Ik begon bezorgd te worden,' zei Josiah. Hij pakte aan wat hem werd aangeboden zonder dat hij wist wat het doel ervan was. 'Is Mercy in orde?'

'Mercy voelt zich niet goed. Ze wilde dat u dit kreeg. De brieven komen van een nicht in Northampton. U mag het boek terugbrengen wanneer u wilt.' Grace draaide zich om om te vertrekken.

Josiah riep haar na.

Grace bleef doorlopen.

'Ik ga met je mee,' bood hij aan en hij haastte zich om haar in te halen. 'Ik zal met haar bidden. Het is toch geen pokken?'

'Het is geen pokken,' gaf Grace kort terug.

'God zij dank,' zei Josiah opgelucht. De pokkenepidemie was bijna uitgewoed. Als Mercy er nu door geveld was, zou het dubbel tragisch zijn.

Josiah viel nu met Grace in de pas. Maar het volgende ogenblik merkte hij dat hij alleen liep.

'Mercy is niet in staat bezoek te ontvangen,' zei ze.

'Ik verwacht niet vermaakt te worden. Dit is een pastoraal bezoek.'

'Ze is niet in staat pastoraal bezoek te ontvangen.'

Grace stond met haar handen op haar heupen, als het spreekwoordelijke onbeweeglijke standbeeld.

'Goed,' gaf Josiah toe. 'Zeg tegen haar dat ik haar morgen opzoek. Ik zal vanavond een pan soep opzetten en haar wat brengen. Houdt ze van...'

Grace onderbrak hem. 'Bent u altijd zo'n domkop?

'Waar heb je het over?'

'Ik zal het voor u spellen. Mercy is niet in staat om bezoek te ontvangen van *u*.'

Josiah dichtte de afstand tussen hen. Met een zachte stem zei hij: 'Grace, heb ik iets gedaan wat Mercy me kwalijk neemt?'

Grace rolde ongelovig met haar ogen. Ze wurmde zich langs hem heen en vervolgde haar weg.

Josiah bleef alleen op de weg staan. Hij stond perplex en hield het bundeltje brieven en het boek steviger vast.

Grace draaide zich lang genoeg om om hem nog een laatste blik te schenken – zo een die melk kon doen stremmen. 'Laten we maar zeggen dat Mercy niet van hoge hoeden houdt.'

Ik ben bang dat ik er met Nabby en Mercy een kolossale puinhoop van gemaakt heb. Mijn pogingen om het recht te zetten hadden weinig succes.

Eerst ben ik naar het huis van de Parkhursts gegaan. Niet onverwacht werd mijn verzoek om Abigail te spreken afgewezen met een wasmand vol onaardige woorden van Eunice, die herhaaldelijk benadrukte dat ze in mij teleurgesteld was.

Daarna heb ik, ondanks Grace' waarschuwing, eenzelfde poging gedaan om Mercy te zien en werd ik op dezelfde manier gedwarsboomd door een bewaakster die mij geen audiëntie wilde toestaan. God, wat moet ik doen? U kent mijn hart. Ik wens geen van beide vrouwen verdriet toe, maar ik lijk bij alles wat ik doe grote doses daarvan uit te gieten. Ik geniet enorm van Mercy's gezelschap, maar mijn hart behoort Abigail toe.

115

God, hoe goed herinner ik me de preek van dominee Parkhurst over hoe U Rebekka koos voor Isaak. Sinds die dag heb ik geweten dat Abigail mijn Rebekka is en dat U het op Uw tijd en op Uw eigen manier mogelijk zal maken dat wij man en vrouw zijn – ondanks mijn geklungel, dat U vast en zeker zal grieven. Almachtige God, geeft U mij het verlangen van mijn hart, ondanks mijzelf.

Wat betreft de toestand van het stadje: de patronen die ik eerder beschreven heb worden elke dag bevestigd. De symptomen onthullen een ziekte die onmiskenbaar geestelijk is en het oordeel, het gevoel en de algemene gesteldheid van de geïnfecteerde aantast. (Het heeft bovendien gevolgen voor hun eeuwige staat, maar dat deel van de studie moet God beoordelen.)

Na maanden van observeren en gegevens verzamelen ben ik meer dan ooit overtuigd dat Havenhill leidt onder een zielsziekte-epidemie, die net zo dodelijk is – nee, dodelijker – dan de pokken. Twee dingen brengen me tot deze conclusie:

Eén: pokken valt het lichaam aan terwijl zielsziekte iemands eeuwige ziel aanvalt.

Twee: terwijl de pokkeninfectie voor iedereen te zien is, is de zielsziekte-infectie verraderlijker. Zij die met zielsziekte geïnfecteerd zijn, gaan vaak hun dagelijkse gang zonder dat ze zich van de symptomen en de ernst van de ziekte en het effect dat die heeft op hun leven en betrekkingen bewust zijn.

Symptomen van zielsziekte zijn overal. Sinds mijn terugkeer in Havenhill heb ik de gelegenheid gehad om te observeren en raad te geven in situaties van onenigheid en agressie, onverdraagzaamheid, immoraliteit, corruptie en goddeloosheid. Mannen hebben zich niet meer in de hand. Vrouwen zijn ijdel en onfatsoenlijk. Jonge mensen zijn verwaand en vol van zichzelf. Ouders verwekken hun kinderen tot boosheid. Elke dag zijn er driftbuien en overal zijn er daden van zelfzuchtige ambitie, meningsverschillen en verdeeldheid.

Gezien de infectie en het klimaat dat daarvan het gevolg is, is het een wonder dat ze hun eerste liefde verloren hebben en dat ze niet langer vreugde vinden in de eredienst of vrede in God?
God, hoeveel pijn heb ik in mijn hart om hen. Zoals een moeder-hart vol is van pijn om haar koortsige kind, zo is mijn hart vol van pijn om hen die U aan mijn zorg hebt toevertrouwd.

Mijn studie omvat ook een vergelijking van de inwoners van Havenhill die ik zeven jaar geleden gekend heb en nu; gesprekken met mensen over hun leven en betrekkingen, hun kinderen en hen-zelf; en een leven lang van herinneringen aan mensen die ik ont-moet en geobserveerd heb.
Een definitieve studie zal jaren kosten, maar ik geloof dat ik genoeg materiaal verzameld heb om de hypothese te stellen dat er zes ver-schillende fasen zijn in de zielsziekte.

1. *Ongevoeligheid. In deze eerste fase bekoelt het geestelijk vuur. De eredienst wordt routine. Het Bijbellezen en het gebed worden verwaarloosd. De dingen van deze wereld worden belangrijker dan de dingen van Gods Koninkrijk. God wordt veraf gewaand en dus niet langer gevreesd. De mensen verharden zich.*

2. *De eerste pijn. Zij die geïnfecteerd zijn, worden steeds ontevre-dener over het leven. Dingen die eerst plezierig waren, worden gewoon, zelfs vervelend. Er is geen bevrediging meer in het werk. Familieleden worden als vanzelfsprekend gezien en genegeerd. Eten en drinken verliezen hun vermogen om op te wekken. Er is een algemeen gevoel van angst voor het leven.*

3. *Meer pijn. De depressie begint, evenals de bitterheid en de wre-vel. De ontevredenheid wordt woede. Zij die geïnfecteerd zijn, geven snel anderen de schuld en zien snel fouten van anderen. Ze slapen en eten slechter. In deze fase veroorzaken relaties meer*

pijn dan vreugde. Mensen voelen zich snel aangevallen en zijn snel boos.

4. Er ontstaat onkarakteristiek gedrag. De persoonlijkheid verandert merkbaar. Er zijn bewuste daden van wraak en haat die iemand nooit eerder vertoonde. Kameraadschap en verkeerde vreugde wordt gevonden in het zoeken van verdeeldheid. (In deze fase realiseren christenen zich vaak dat wat ze doen verkeerd is, maar ze kunnen er niet mee stoppen.) Het schuldgevoel begint.

5. Het destructief gedrag neemt toe. Schandelijke, pijnlijke, verdeeldheid zaaiende daden worden gerationaliseerd en gerechtvaardigd. De geïnfecteerde personen zijn blind voor de gevolgen van hun daden. Een trotse martelaarsgeest wordt zo groot dat de geïnfecteerde personen niet alleen geloven dat hun zondige daden gerechtvaardigd zijn, ze zijn zelfs trots op hun zonden.

6. De geest sterft. In deze fase is elk schuldgevoel verdwenen. Een persoon zondigt zonder angst voor straf. Corruptie, immoraliteit, godslastering, drift, dronkenschap, orgieën, verdeeldheid en afgoderij worden geaccepteerd en bij tijden omhelsd als deel van het menselijk wezen. Zondige daden worden gezien als iets wat meer kracht geeft. Er wordt genoten van geweld. Het gevolg is zelfvernietigend gedrag. De persoon leeft als een antichrist.

Anders dan andere ziekten lijkt er geen algemeen tijdspatroon te zijn bij zielsziekte. In de ergste gevallen volgen de fasen elkaar angstwekkend snel op. Vaker duurt het jaren voor iemand alle fasen heeft doorlopen en vaak blijft hij een tijd in een bepaalde fase steken. Het onvermijdelijke einde van zielsziekte is zelfvernietiging of zulk gedrag dat de gemeenschap ertoe dwingt de geïnfecteerde aan te pakken of te vernietigen om zichzelf te beschermen. In veel gevallen sterft de geïnfecteerde persoon in ellende, gedesillusioneerd over het leven.

118

Josiah ging achterover zitten. Het besef van wat hij geschreven had drukte zwaar op zijn borst.

Hij doopte zijn pen in de inkt en leunde voorover om het af te maken.

Omdat zielsziekte naar haar aard een geestelijke ziekte is, moet de behandeling ook geestelijk zijn. Velen zijn in staat de symptomen tijdelijk te verzachten met vermaak. Maar zolang de wortel van de ziekte niet aangepakt wordt, zullen de symptomen terugkeren en zal de ziekte zich verder ontwikkelen. Geestelijke vernieuwing en zuivering alleen kunnen deze ziekte genezen en de ziel reinigen. En zo'n vernieuwing en zuivering kan alleen komen van God door het gebed.

Josiah legde zijn pen op tafel en wreef over zijn vermoeide ogen. Hij was tevreden met wat hij had geschreven. Maar als zijn rol in het pokkenincident een graadmeter was, waren zijn kennis van de aard van de ziekte en zijn genezing niet genoeg als de mensen niet naar hem wilden luisteren. Op de een of andere manier moest hij een manier vinden om met hen te argumenteren, om hen te helpen in te zien wat ze nodig hadden en hen te leiden naar God, de Bron van alle genezingskracht.

Maar hoe?

Mercy's bundel brieven en het boek dat ze hem geleend had lagen op de rand van zijn bureau. Josiah was van plan geweest er vanavond naar te kijken voor hij naar bed ging, maar zijn ogen waren vermoeid en zijn rug deed zeer.

Hij blies de kaars uit, wankelde in het donker naar zijn bed en viel in een onrustige slaap.

18

Het koordje dat Mercy's brieven samengebonden had gehouden, lag los. De brieven zelf lagen opengevouwen en over elkaar heen gegooid op Josiahs bureau. De morgen liet lange uitgestrekte zonnestralen over ze heen vallen.

Met een hand voor zijn mond staarde Josiah met glinsterende ogen naar de brieven. Zo overmand door emoties was hij, het was een wonder dat hij niet openbarstte!

In deze brieven was het antwoord vervat waar hij naar gezocht had, naar verlangd had, om gebeden had! Hij kon het niet geloven! Maar hier was het – genezing voor zielsziekte. Hij was er zeker van.

Met een kreet stond hij op; zijn stoel viel ervan om.

'Dank U, God! Dank U!' schreeuwde hij naar het plafond.

Zo donker was de afgrond van wanhoop geweest die hij ontdekt had tijdens zijn studie naar de geestelijke ziekte, dat hij er bijna aan gewanhoopt had ooit een genezing te vinden. Maar nu had hij die gevonden! Het was naar hem toegevlogen op de vleugels van Mercy.

Hij lachte bij de gedachte.

Mercy had niet echt vleugels, maar ze had een nicht die haar brieven schreef. En wat voor brieven! Wonderlijke brieven! De brieven die op het moment op Josiahs bureau lagen te baden in het morgenlicht.

Een belofte van een betere toekomst, een regenboog voor Havenhill?

'En dank U, God, voor Mercy!' schreeuwde Josiah. 'En voor haar nicht, Esther Garrick uit Hadley. God zegene hen beiden!'

Zijn energie had een uitlaatklep nodig, dus liep Josiah een

rondje – en nog eens, maar hij liep nooit te ver weg van de bron van zijn vreugde.

Hij zette zijn stoel rechtop, ging zitten en pakte de bovenste brief op en las die opnieuw. Toen stond hij op. Hij was niet in staat de energie te beteugelen die in hem opwelde.

Hij ijsbeerde lezend. Hij keek snel de eerste alinea's door die vooral familiezaken, verslagen van ziekte en opmerkingen over het weer bevatten.

Hij concentreerde zich toen hij de alinea vond die hij zocht:

Beste Mercy, ik kan je niet vertellen hoe opwindend het is om het kerkgebouw te zien volstromen met zielen die een nieuwe uitstorting van de Geest van God zoeken! Sinds de opwekking begonnen is, zijn er honderden harten gesmolten, waaronder die van verscheidene ouderlingen van onze kerk. Sommigen van hen hebben openlijk gehuild tijdens de preek en geroepen tot God om bij Hem te pleiten voor hun redding en voor de genezing van hun gezinnen. Hadley is niet meer hetzelfde sinds de opwekking begonnen is. O, Mercy, voor het eerst in jaren zijn de mensen gelukkig!

Josiah pakte een andere brief op.

Ik wilde dat je hier kon zijn, Mercy. Dominee Edwards – je zou hem mogen. Hij is een heel statige en beheerste dominee – hij heeft afgelopen zondag bij ons gepreekt. 'De HERE, onze Gerechtigheid' was zijn onderwerp. Tijdens de preek werd een jong meisje onrustig, ze zonk op haar knieën. Ze riep tot God met zo'n hartelijk verlangen dat er golven van overtuigingskracht uit haar leken op te wellen, waardoor het ene stenen hart na het andere smolt.

En een andere brief, een week later gedateerd:

Niet alleen in Hadley en Northampton wordt een grote beweging van de Geest van God gevoeld, maar ook in omliggende gebieden:

Suffield, Sunderland, Deerfield, Hatfield, Longmeadow, Coventry, East Windsor, Lebanon, Durham, Stratford, Ripton, Guilford, Tolland, Bolton, Groton en Woodbury. O, Mercy, het hele platteland staat in vuur en vlam door de Geest!

Josiah liet de brief zakken. 'En Havenhill, God? Zult U Havenhill aan dit lijstje van steden en dorpen toevoegen?'
Weer een andere brief:

Beste Mercy, de gebeurtenissen van de laatste tijd zijn verbijsterend. Ik kan ze zelf nauwelijks geloven. Er hebben een paar ongelofelijke veranderingen plaatsgevonden bij mensen die, tot nu toe, van de meest jammerlijke soort waren. Ze komen naar het kerkgebouw in een onbezonnen en ijdele geest, ze kunnen zich nauwelijks met normaal fatsoen gedragen, maar opeens raken ze op een overweldigende manier overtuigd van hun zonden. Ik heb vrouwen gezien die de pilaren van de kerk vastgrepen alsof ze in een poel van verdoemenis weggleden en die tot God riepen om redding. En Hij redt, Mercy! O, Hij redt! Als ze zich hebben laten onderdompelen in de reinigende kracht van Gods Heilige Geest, vinden ze voor het eerst in – wel, soms in tientallen jaren – vrede voor hun gemoed!

Een andere brief:

Ik reisde met Hank Ury en zijn vrouw – je herinnert je Martha wel, hè? Zij is het die oorsmeer gebruikt voor haar lippen. Hoe dan ook, ik reisde met de Ury's naar Enfield waar we dominee Edwards hoorden preken over 'de tijd dat hun voet zal wankelen'. Het was een krachtige preek, schat. Dominee Edwards zei: 'Het is alleen door Gods welbehagen dat wij op dit moment niet worden opgeslokt in altijddurende vernietiging.' En toen vertelde hij hun hoe God hun een buitengewone gelegenheid bood, want Hij had de deur van genade opengeworpen zodat zondaars met luide stem konden roepen. O Mercy, schat, elke dag komen er velen van oost, west, noord en zuid. Ze komen in een ellendige toestand en vertrekken met hun harten vol van liefde voor Hem die hen heeft liefgehad!

Josiahs borst ging opgewonden op en neer. Hij hield de brieven in zijn vingers geklemd en schreeuwde: 'Wees gezegend, Mercy Litchfield! Wees gezegend!'

Mercy had Josiah niet alleen de brieven van haar nicht geleend, maar ook een boek – een dat een nu bekende naam op de rug droeg. In zijn opwinding over de verslagen in de brieven was het Josiah bijna niet opgevallen, zo graag wilde hij iemand vertellen over de wonderlijke gebeurtenissen die in het noorden gebeurden.

Echter, uit nieuwsgierigheid sloeg hij het boek open en las de titelpagina:

Een getrouw VERSLAG
van het
verrassende werk van God
door de
BEKERING
van vele honderden zielen in Northampton,
en de naburige steden en
dorpen van New Hampshire in
New England
in een BRIEF aan dr. Benjamin
Colman te Boston.
Geschreven door ds. Edwards, predikant te
Northampton, op 6 november 1736
en gepubliceerd
met een uitgebreid VOORWOORD
door dr. Watts en dr. Guyse.
LONDEN

Geïntrigeerd begon Josiah te lezen. De verslagen zoals dominee Edwards ze opgeschreven had, boeiden hem:

Ik was verbaasd over een jonge vrouw die een van de grootste allemansvriendinnen in de hele stad geweest was. Toen ze bij me kwam wist ik niet dat ze op de een of andere manier serieus geworden was, maar door het gesprek dat ik toen met haar had bleek me dat waar ze van vertelde een glorierijk werk van Gods onmetelijke kracht en soevereine genade was; en dat God haar een nieuw hart gegeven had, echt gebroken en geheiligd. Ik kon er toen niet meer aan twijfelen en ik heb sindsdien in mijn omgang met haar veel gezien dat het bevestigt.

Op een andere pagina:

Kort daarop werd in alle delen van de stad en onder mensen van alle rangen en leeftijden algemeen een grote en ernstige zorg gevoeld over de grote dingen van de godsdienst en de eeuwige wereld.
Het geruis onder de dorre beenderen werd luider en luider; al het gepraat anders dan over geestelijke en eeuwige dingen werd spoedig overboord gegooid; alle gesprekken in alle gezelschappen en bij alle gelegenheden gingen alleen maar hierover, behalve dan voor zover het noodzakelijk was om de mensen hun gewone dagelijkse dingen te laten doen.
Praten over iets anders dan de dingen van de godsdienst werd in welk gezelschap dan ook nauwelijks toegestaan. De mensen waren met hun gedachten wonderlijk van de wereld afgeleid. Die werd onder ons gezien als van weinig betekenis. Ze leken hun wereldlijke zaken meer als een deel van hun plicht te behartigen dan omdat ze er belang bij hadden; de verleiding leek nu hierin te liggen dat wereldlijke zaken te veel verwaarloosd werden en er te veel tijd besteed werd aan het direct beoefenen van de godsdienst.

En weer een andere pagina:

Er was nauwelijks iemand in de stad, oud of jong, die zich niet druk maakte over de grote dingen van de eeuwige wereld. Onder hen die altijd het meest ijdel en lichtzinnig waren en onder hen die altijd luchtig gedacht en gesproken hadden over de levende en bevindelijke godsdienst vonden nu de grootste opwekkingen plaats. En het werk van bekering ging op de meest verbazingwekkende manier door; het werd groter en groter; zielen kwamen als het ware in kuddes tot Jezus Christus. Maandenlang konden er van dag tot dag duidelijke voorbeelden gezien worden van zondaars die teruggebracht werden uit de duisternis tot het wonderbaar licht en die bevrijd werden uit een poel van verschrikking en uit de modderige klei en op een rots geplant werden met een nieuw loflied voor God op hun lippen.

In zijn opwinding begon Josiah sneller te lezen dan zijn gedachten het bevatten konden, met uitzondering van de namen van de steden en dorpen. Ze lichtten op als sterren aan de nachtelijke hemel:

In de maand maart begonnen de mensen in SOUTH-HADLEY gegrepen te worden door een diepe zorg over de dingen van de godsdienst; wat heel snel algemeen werd... Rond dezelfde tijd begon het uit te breken in het westelijke deel van SUFFIELD (waar het erg groot geweest is) en spoedig verspreidde het zich door alle delen van de stad. Het verscheen in SUNDERLAND en het verspreidde zich snel door de stad: en het was daar, geloof ik, met reden niet minder opmerkelijk dan hier. Rond dezelfde tijd begon het in een deel van DEERFIELD, Green River genaamd, en later vervulde het de stad en er is daar een glorierijk werk gedaan. Het kwam ook tevoorschijn in het zuidelijke deel van HATFIELD, in een plaats genaamd Hill en de hele stad leek in de tweede week van april gegrepen, als het ware in één keer, door zorg over de dingen van de godsdienst; en het

werk van God is daar groot geweest. Er is ook een zeer algemene
opwekking geweest in WEST-SPRINGFIELD *en* LONGMEADOW *en*
in ENFIELD.

'En Havenhill, God, en Havenhill!' mompelde Josiah. Hij voelde zijn vlees tintelen van de emotie.

De wonderbaarlijke gebeurtenissen van God, zoals verteld
door dominee Edwards, begonnen neer te storten als een lawine van Gods genade en barmhartigheid:

Ongeveer in dezelfde tijd dat dit in Enfield gebeurde, informeerde
dominee Bull van Westfield mij dat daar een grote verandering ge-
weest was en dat daar in één week meer gedaan was dan in de
zeven jaar daarvoor.
Dit lijkt een zeer buitengewone bestiering van de voorzienigheid;
God is in veel opzichten afgegaan van, en veel verder gegaan dan
Zijn normale wegen.
Het werk in deze stad en andere om ons heen is een duidelijk
bewijs van het universele karakter hiervan. Het raakt alle soorten,
verstandigen en losbandigen, hoog en laag, arm en rijk, wijs en niet
wijs.
Deze opwekkingen hebben, als ze mensen voor het eerst aangrepen,
twee gevolgen gehad; het ene was dat ze hen direct de schuld van
hun zondige praktijken deden inzien; en de meer lichtzinnigen
werden ertoe gebracht dat ze hun oude ondeugden en uitspattingen
verzaakten.
Toen de Geest van God eenmaal zo wonderlijk en algemeen in de
stad uitgestort begon te worden, hadden de mensen snel genoeg van
hun oude ruzies, achterklap en het zich met andermans zaken
bemoeien.
De herberg bleek spoedig leeg en de mensen werden veelal thuis
gehouden; niemand ging de deur uit dan voor dringende zaken of
voor iets godsdienstigs en elke dag leek in veel opzichten op een
zondag.

Het heeft mensen ertoe aangezet zich ernstig toe te leggen op de middelen van redding: lezen, bidden, mediteren, de bijeenkomsten in Gods huis en bij elkaar thuis; de roep was: 'Wat zullen we doen om zalig te worden?' Het toevluchtsoord was nu een ander; het was niet langer de herberg, maar het huis van de dominee waar de mensen zich veel meer verdrongen dan vroeger in de herberg.

Bekering is een groot en glorierijk werk van Gods macht. Het verandert in één keer het hart en vult de dode ziel met leven.

Josiah kon zich niet langer bedwingen. Hij greep de brieven en het boek bij elkaar, sprong naar de deur en rende de hoofdweg op voor hij zich realiseerde dat hij zijn voordeur open en een stoofpot op het vuur gelaten had.

Hij duwde de gedachte weg om op zijn schreden terug te keren. Het ging om eeuwige zaken. Hij had genezing gevonden voor Havenhills zielsziekte. De zorgen voor deze wereld vervaagden daarbij vergeleken tot onbelangrijke nietigheden.

19

Een huisknecht met een lang gezicht en een landarbeider met
een zwarte baard keken boos naar Josiah terwijl hij opgewonden een gedeelte van het boek van dominee Edwards voorlas
aan Philip.

Josiahs geestdriftige aankomst bij het huis had zo'n herrie
veroorzaakt dat verscheidene bedienden dachten dat er alarm
geslagen werd. De landarbeider was aan komen rennen met
een hooivork. De huisknecht was verschenen met een vuur-
steengeweer, dat hij nu stevig vasthield.

Philip, eerst geschrokken, vond het nu vermakelijk. Hij keek
met een droge glimlach naar zijn opgewonden vriend.

'Hier is het,' riep Josiah. Hij vond de plaats in het boek en
las voor:

*'God was zo opmerkelijk onder ons aanwezig door Zijn Geest, er
was geen boek zo heerlijk als de Bijbel; vooral de Psalmen, de pro-
fetieën van Jesaja en het Nieuwe Testament. Sommigen waren,
vanwege hun liefde voor Gods Woord, soms zo wonderlijk verrukt
en aangedaan bij het zien van de Bijbel; en ook werd er geen dag
zo hoog geschat als de dag des Heren en naar geen plaats ter wereld
zo verlangd als naar Gods huis. Onze bekeerlingen bleken ook
opmerkelijk eensgezind in hun lieve genegenheid voor elkaar en
velen hebben veel van die geest van liefde tot uitdrukking gebracht
die ze voelden voor de mensheid; en vooral voor hen die het minst
vriendelijk tegen hen geweest waren. Nooit, geloof ik, werden er zo
veel schulden beleden en onenigheden bijgelegd als in het afgelopen
jaar.'*

Josiah keek op. 'Nou, wat denk je ervan?'

Philip keek hem even aan. 'Het klinkt als de droom van elke predikant.'

'Zie je het niet, Philip? Dit is waar we voor gebeden hebben... waar Havenhill zo ontzettend veel behoefte aan heeft. Opwekking! Een bekering van de hele stad. Dit is de genezing voor de zielsziekte!'

'Zielsziekte?' Philip trok zijn wenkbrauwen op.

Josiah schoof nerveus met zijn voeten. In zijn opwinding ging hij te snel. 'Een term die ik bedacht heb om de geestelijke toestand van de inwoners van ons stadje te beschrijven. Zie je, Philip, na veel observatie en gebed ben ik tot de conclusie gekomen dat deze stad lijdt aan een geestelijke ziekte. En omdat de ziekte geestelijk is, moet ook de genezing geestelijk zijn. En dit is de genezing!' Hij tikte nadrukkelijk met zijn vinger op de pagina. 'Geestelijke vernieuwing. Opwekking. Een nieuwe beweging van de Geest!'

Philip sloeg zijn armen over elkaar. Met een knik gaf hij zijn gewapende bedienden het teken dat ze niet langer nodig waren. Hij zette zijn zakelijke gezicht op. 'Als ik je goed begrijp, lijdt Havenhill onder een onzichtbare epidemie van geestelijke aard.'

'Juist! Het uit zich in de houding en het gedrag van mensen.'

'En je denkt dat deze...' Philip wees naar het boek.

'Edwards. Jonathan Edwards. Hij is dominee in Northampton.'

'Dat deze Edwards er een genezing voor gevonden heeft?'

'Precies! God heeft zijn prediking op een nooit eerder vertoonde manier gebruikt als voertuig voor Zijn Geest om redding en geestelijke vernieuwing te bewerken in tientallen steden en dorpen in Connecticut.'

'En je stelt voor...'

'Dat we hem uitnodigen om in Havenhill te preken.'

'Om de genezing te brengen, zeg maar, waar de stad volgens

jou zo ontzettend veel behoefte aan heeft.'

'Wat denk je ervan?' vroeg Josiah.

Philip haalde diep adem. 'Nou... moet ik eerlijk zijn? Om te beginnen, het lijkt erg veel op dat pokkenvaccinatiegedoe van onlangs. En we weten allemaal wat daarvan terechtgekomen is.'

De herinnering aan Josiahs eerdere mislukking deed zijn enthousiasme in elkaar zakken. Hij voelde zijn hoop wegvloeien.

'In deze zaak stel je ongeveer hetzelfde voor, niet waar?' vroeg Philip. 'Je stelt voor om iemand van buiten te halen in een poging een genezing te brengen die niemand wil. Alleen gaat het in deze zaak om een genezing voor een ziekte waarvan niemand weet dat ze die hebben.'

'Maar dat komt door de verraderlijke aard van de ziekte, Philip!' riep Josiah. 'De mensen lijden onder de gevolgen, maar toch zijn ze zich voor het grootste deel niet bewust van de oorzaak van hun problemen. Ze halen er hun schouders over op alsof het de menselijke natuur of een persoonlijke hebbelijkheid is of ze rechtvaardigen hun daad als de fout van iemand anders. In werkelijkheid zijn hun harten geïnfecteerd door de zonde.'

'Ah, de zonde! Nou, kijk, dat is toch het probleem?' redeneerde Philip. 'Je hebt het over goede mensen. Godvrezende mensen voor het grootste deel. Denk je echt dat het wijs is om hen publiekelijk uit te maken voor afvalligen en zondaars?'

Josiah voelde zich in de verdediging gedrongen en zocht naar een manier om het Philip uit te leggen. Misschien had hij Philip er te plotseling mee overvallen. *Immers*, dacht Josiah, *de studie naar zielsziekte heeft mij maandenlang beziggehouden*. Misschien was het te veel gevraagd voor Philip om in slechts enkele minuten de omvang van dit alles te vatten.

Josiah sloeg het boek dicht. Met een kalmere stem zei hij: 'Misschien heb je gelijk. Maar toch zou ik graag naar Northampton gaan en dit verschijnsel zelf zien. Het kan best zijn dat dit' – hij hief het boek op – 'het hele gebeuren wat overdreven beschrijft.'

Philip knikte instemmend. 'Na het vaccinatiefiasco denk ik dat het wijs is dat we ons niet overhaast ergens in storten. Ga maar naar de man toe om hem te horen preken, doe indrukken op en dan praten we verder.'

Josiah glimlachte en deed zijn uiterste best om zijn teleurstelling te verhullen.

'Ondertussen,' zei Philip hartelijk, 'komt het goed uit dat je juist nu langskomt.'

'Hoe dat zo?'

Philip kuierde verder het huis in. Josiah volgde hem. Ze kwamen op hun korte reis langs allerlei bezienswaardigheden – olieverfschilderijen van Engelse adel, zeer smaakvol ontworpen Frans meubilair en Vlaamse wandtapijten – die hem herinnerden aan Philips succes.

'Ik heb zojuist bericht ontvangen uit Engeland,' zei Philip opgewonden. Hij liep naar de schoorsteenmantel waar hij een brief oppakte. Hij draaide zich naar Josiah om met een snaakse grijns. 'Van Anne.'

'Anne Myles?'

Josiah legde het boek op een klein tafeltje. Het was meteen vergeten.

'Herinner je je de dag dat je in Havenhill aankwam?' vroeg Philip. Hij leek te barsten. 'Ik kwam net terug uit Engeland...'

'En te oordelen naar die grijns op je gezicht, vermoed ik dat het niet alleen maar een zakenreis was.'

'Ik heb Annes voogd ontmoet.'

'Jij sluwe vos! Waarom heb je me dat niet verteld?'

'Eerlijk gezegd, ik was er niet zeker van hoe het zou uitpakken. Maar nu...' Philip hield triomfantelijk de brief omhoog.

'Hij heeft jou en Anne zijn toestemming gegeven!' riep Josiah.

Philip bloosde. 'Ja.'

'Gefeliciteerd! Ik meen het, Philip! Dat is het beste nieuws dat ik in lange tijd gehoord heb!'

Josiah hief zijn arm op voor een lange pompende handdruk en er volgde een vriendschappelijk vechtpartijtje. Met zijn vrije hand sloeg Josiah Philip op de arm.

'Je brengt haar toch hierheen, hè?' vroeg Josiah, plotseling bang dat het het goede nieuws misschien een angel bevatte.

'O, ja,' straalde Philip. 'Anne komt terug naar Havenhill.'

'Dat is geweldig nieuws, Philip! Geweldig nieuws! Hoe lang is het geleden?'

'Zeven jaar,' zei Philip.

'Natuurlijk!'

In de vreugde van het ogenblik had Josiah even een gat in zijn herinnering gehad. Natuurlijk was het zeven jaar geleden. Anne Myles was naar Engeland teruggegaan, net twee maanden voor de brand die Josiahs leven veranderd had.

Philip had het moeilijk gehad met haar vertrek. Anne Myles was zijn Nabby geweest. Terwijl Josiah verliefd op Abigail Parkhurst was, smachtte Philip naar Anne. Haar vader was advocaat, en behartigde belangen van kooplieden in de koloniën. Voor zijn zaken ging hij regelmatig naar Engeland. Vaak liet hij Anne dan achter, maanden achter elkaar, bij de Parkhursts. Haar moeder was gestorven toen ze jong was.

Twee maanden voor Josiahs leven voor altijd veranderde, was dat ook met het leven van Anne Myles gebeurd. In Engeland was haar vader verongelukt toen hij de macht over zijn koets verloren had. Anne was naar Engeland teruggekeerd, waar haar oom haar had opgevoed.

Ze hadden haar allemaal gemist. Anne en Abigail waren vriendinnen. Josiah en Philip waren vrienden. En toen Anne naar Engeland voer was het gewoon niet meer hetzelfde.

'Je hebt al die tijd contact met haar gehouden?' vroeg Josiah.

'Ja.'

'En je hebt haar nooit opgegeven.'

Philip keek hem stralend aan.

'Een bruiloft in de herfst? Of in de lente?'

'Waarschijnlijk in de lente.'

Josiah kon niet stoppen met grijnzen. Dit was echt Philip. Hij bleef ergens achteraan zitten tot hij het had, zelfs een vrouw.

'Twee van de drie,' zei Philip. 'Twee van de drie.'

'Ik volg je niet.'

'Johnny en Abigail. Nu Anne en ik. Wanneer ga jij de sprong wagen, oude vriend? Je moet het proberen. Het water voelt prima.'

Deze opmerking had net zo goed een vuist kunnen zijn. Hij raakte Josiah hard in zijn maag en veegde de grijns van zijn gezicht.

Philip was nog één en al glimlach. Hij leek zich niet bewust van wat hij gezegd had.

'Ja, nou...' Josiah wist niets te zeggen. Hij draaide Philip zijn rug toe om te pijn te verbergen en pakte zijn boek weer op. 'Ik... ik zal mijn reis naar Northampton voorbereiden,' zei hij zwak. 'Ik zal wel langer dan een week of twee weg zijn.'

De twee mannen liepen naar de voordeur.

'Mag ik je wat advies geven?' zei Philip.

Josiah draaide zich om en keek hem aan.

'Wees geduldig. Dit zijn goede mensen. Geef hun een kans om het goede te doen en ze doen het. Maar ze zijn nogal koppig. Dwing ze om iets te doen en ze zetten hun hakken in het zand en balken als ezels tot iedereen te moe is om nog wat te doen.'

'Ik zal dat in gedachten houden.' Josiah kwam bij de deur. 'En nogmaals, gefeliciteerd. Het zal goed zijn om Anne weer te zien. Is ze nog net zo knap als toen we op school zaten?'

'Nog betoverender.'

Josiah fabriceerde een glimlach.

Josiah vond het dienstmeisje van Eunice Parkhurst ongeduldig voor zijn deur staan dansen toen hij thuiskwam. Haar was blijkbaar opgedragen om op hem te wachten, want toen ze hem zag komen, rende ze naar hem toe en zonder een woord stak ze hem een briefje toe. Het volgende ogenblik liet ze het stof op de weg opstuiven terwijl ze naar huis rende.

Midden op de weg staand vouwde Josiah het stukje papier open.

Het gezin Mason heeft bezoek nodig.
Mevrouw Parkhurst

Het was het eerste briefje van Eunice sinds het overlijden van mevrouw Delor. Was dit haar manier om hem een kans te geven het goed te maken?

Josiah ging weer terug naar de hoofdweg, op weg naar het huis van de Masons.

20

De deur van het huis van de Masons stond op een kier toen Josiah eraan kwam. Binnen klonk het bekende geluid van een jammerende vrouw. Toen hij Phoebe voor het eerst ontmoette, op de dag van de pokkenuitbraak, jammerde ze. Sindsdien was de vrouw bij elk bezoek van Josiah of aan het huilen, of aan het schreeuwen. Ze was de luidruchtigste vrouw die Josiah ooit gekend had.

Toen hij voor de deur stond, kondigde hij zichzelf aan. Hij sprak precies tijdens een pauze in Phoebes gejammer, toen ze even ademhaalde.

'Jabez?'

Hij wachtte. Er reageerde niemand. Phoebe begon opnieuw te jammeren... te gillen was het dit keer meer.

Weer wachtte Josiah tot ze ademhaalde.

'Moeder Mason?'

Hij wachtte. Phoebe begon weer.

Het was donker in het huis, net zoals bij zijn eerdere bezoeken. Josiah keek buiten om zich heen in de hoop dat hij Jabez ergens aan het werk vond. Maar gezien de vervallenheid van het huis leek de kans klein dat hij Jabez aan het werk zou vinden.

Na een derde vergeefse poging zichzelf aan te kondigen, duwde Josiah voorzichtig de deur open en riep opnieuw. Hij stapte naar binnen.

Toen zijn ogen aan het schemerige interieur gewend waren, vond hij de kamer zoals hij die zich herinnerde – bezaaid met rommel en kleren en kapot meubilair. In de hoek, bij elkaar gekropen op hun gebruikelijke plek op de in elkaar gezakte sofa, zaten Phoebe en haar moeder.

'Mevrouw Mason,' zei Josiah. Hij liep op hen toe. 'Ik heb gehoord...'

Mevrouw Mason draaide zich om met een woestheid die hij nooit voor mogelijk had gehouden. Het leek wel of haar ogen vuur spuwden. Naast haar viel Phoebe plotseling angstwekkend stil.

Josiah voelde het achter in zijn hals prikken, alsof hij tegenover een paar wolven in hun hol stond.

'Is... is... J... Jabez,' stamelde Josiah. Hij deed uit voorzorg een stap achteruit.

'Naar de haven om uw vriend te vermoorden,' zei mevrouw Mason op een toon van gerechtvaardigde voldoening.

'Wat?' riep Josiah. 'Johnny? Jabez is naar de haven om Johnny te vermoorden? Waarom?'

'Hij heeft mijn jongen vermoord.' Mevrouw Mason rees op van de sofa en kwam op hem toe. Nu *leek* ze niet alleen op een wolf, ze *bewoog* zich ook als een wolf.

'Vermoord... ik begrijp niet...' Maar toen, het volgende ogenblik, begreep hij het. 'George? Nee... is George dood?'

Bij het horen van haar broers naam, begon Phoebe weer te jammeren.

Mevrouw Mason bleef op hem toe komen.

Josiah week terug en struikelde over een oude laars. 'Ik moet hem tegenhouden!' riep hij.

'Als u weet wat goed voor u is, houdt u zich er buiten,' waarschuwde mevrouw Mason. 'Oog om oog, tand om tand. Is dat niet wat de Bijbel zegt?'

Waarom konden mensen die geen enkel ander Bijbelvers konden citeren, wel dat vers citeren?

Josiah draaide zich om naar de deur, maar nog zonder zijn oog van mevrouw Mason af te wenden. 'Ik... ik zal later terugkomen, als u meer...'

Josiah maakte de zin niet af. De volgende moment was hij de deur uit en rende hij naar de haven.

Niet voor Josiah halverwege de weg naar de haven was, realiseerde hij zich dat hij niet precies wist waar hij Jabez of Johnny kon vinden. Maar als er een gevecht uitbrak, zou dat immers vanzelf de aandacht trekken?

Onder het rennen overwoog hij eerst naar Philip te gaan om de hulp in te roepen van zijn hooivork dragende arbeider, maar hij besloot dat toch niet te doen. De tijd die dat kostte kon het verschil betekenen tussen leven en dood.

Van Johnny of van Jabez? vroeg hij zich af.

In al de jaren dat Josiah Johnny gekend had, was er één ding dat wat Johnny betreft als een paal boven water stond, namelijk dat hij altijd in staat was voor zichzelf te zorgen. Bovendien, Jabez drong Johnny's koninkrijk binnen. De havenarbeiders en zeelieden zouden vast en zeker Johnny te hulp komen?

Maar wie wist wat een puinhoop een halfgekke, wraakzuchtige man als Jabez kon aanrichten?

Dat deed Josiah aan George denken. Kon het waar zijn? Was hij dood? En aangezien Josiah geen minuut dacht dat Johnny hem gedood had – wat had de Masons dat laten geloven?

'Ik heb dingen gezien. Dingen gehoord.'

Was dat niet wat George hem verteld had?

'Alles wat ik weet is dat er iets heel erg scheef zit met die schepen. Of uw vrienden zijn blind of ze zitten erachter.'

Josiah bereikte Summit Street en High Street en bleef lang genoeg staan om op adem te komen. Onder hem waren de haven, de kades en de pakhuizen van Philip en Johnny.

Alles leek vredig.

Zat de verschrikking verscholen in de schaduwen? Of had ze al toegeslagen? Er kwam een gedachte in Josiah op: *stilte is een eigenschap die vrede en dood delen.*

Toen Josiah de waterkant bereikte, trof hij de kades relatief rustig aan. Niemand kon hem vertellen waar hij Johnny Mott kon vinden. De hele dag had niemand hem gezien. Alles wat ze konden zeggen, was dat een man met een grote zwarte baard ook op zoek was naar Johnny Mott.

Josiah ging half lopend half rennend door Water Street, langs het ene pakhuis na het andere en bad om een glimp van iets – een teken, een aanwijzing, *iets.*

Alles was stil. Te stil.

De middagzon scheen op de massieve muren van de pakhuizen. De schaduwen ertussen werden gereduceerd tot smalle zwarte reepjes. Het was geen geschikte tijd om je te verschuilen. Dat werkte toch in zijn voordeel?

Maar de zon werkte hem ook tegen. Oververhit en doorweekt knipperde Josiah zout zweet uit zijn ogen. Vermoeid van het rennen en uitgedroogd door de zonnestralen, was Josiahs kracht danig verminderd. Zelfs als hij Jabez tegen zou komen, wist Josiah niet hoeveel hij nog kon opbrengen om de man tegen te houden als het erop aankwam.

Josiah bereikte de laatste pakhuizen. Dit was om gek van te worden. Net als die nacht toen...

De herinnering deed hem stokstijf stilstaan.

Die nacht. Hij was Johnny tegengekomen in een van de pakhuizen. Het was maar een ingeving, maar wat als Johnny niet in zomaar een pakhuis geweest was? Wat als hij een kantoor of werkplek in dat pakhuis had? Het was toch mogelijk? Er moest een plek zijn waar ze de papieren bewaarden. En omdat de kades Johnny's domein waren...

Josiah maakte rechtsomkeert in de hoop dat hij zich kon herinneren welk pakhuis het was. Toen was het donker geweest, maar hij kon zich vast wel het gebouw herinneren waar Johnny hem uitgegooid had.

Dit!

Josiah vond de deur en probeerde hem.

Hij zat op slot.

Maar Johnny had hem het hele pakhuis doorgesleept. Mogelijk was het kantoor helemaal aan de andere kant.

Josiah versnelde zijn pas. Hij voelde dat elke seconde telde.

Halverwege het steegje hoorde hij iets anders dan het gestamp van zijn eigen schoenen. Hij hoorde stemmen. Geschreeuw.

Jabez!

Josiah begon te rennen.

Toen hij de ruimte binnenviel – het was niet moeilijk uit te maken welke ruimte toen Josiah eenmaal bij de deur was – vond hij bijna precies wat hij verwacht had. Alleen waren de posities van de vechters andersom.

Jabez lag op de vloer, zijn bijl buiten zijn bereik. Johnny zat boven op hem met een vuist klaar om op het gezicht van de man met de zwarte baard neer te komen. Beide mannen hadden een rood hoofd, waren woest en schreeuwden tegelijk.

Josiahs binnenkomst trok Johnny's aandacht, waardoor de dreigende aframmeling even vertraagd werd.

'Wat doe jij hier?' schreeuwde Johnny.

Omdat hij buiten adem was, duurde het even voor Josiah kon antwoorden. 'Jou redden,' zei hij zwak.

'Draai je om en ga de deur uit,' beval Josiah. 'Dit gaat jou niet aan.'

Als het tot een vuistgevecht, of wat voor lichamelijk gevecht ook kwam, was Josiah Rush van de drie mannen degene die de minste kans had het te overleven. Niettemin deed hij een grote stap de ruimte binnen en sloot de deur achter zich.

'Eruit!' schreeuwde Johnny.

'Ja, dominee,' zei Jabez. 'U kunt beter weggaan.'

Ironisch, dacht Josiah. Er was tenminste iets waarover de twee vechters het eens waren.

In plaats daarvan sloeg hij zijn armen over elkaar. 'Ik ga nergens heen.'

Toen zag hij de bijl op de vloer en pakte hem op. Hij hief hem een paar keer op om aan het gevoel te wennen.

'Ik zie het zo,' zei hij. 'Een van jullie gaat de ander bewusteloos slaan. Op het moment lijkt Johnny in het voordeel te zijn, want zijn arm staat omhoog en zijn vuist is recht op jouw gezicht gericht, Jabez. Het is een paar jaar geleden, maar ik heb Johnny's klappen gezien. Hij kan een flinke stier aan het wankelen brengen. Het ziet ernaar uit dat hij je buiten westen slaat. Op het moment dat hij dat doet, komt de platte kant van deze bijl in botsing met zijn achterhoofd.'

Johnny keek Josiah vol ongeloof aan.

'O ja, ik doe het,' beloofde Josiah hem. 'Maar zelfs met een goede zwaai denk ik niet dat ik dat dikke hoofd van jou echt schade kan toebrengen. Gewoon genoeg om mijn doel te bereiken. Als jullie tweeën eenmaal naast elkaar op de vloer liggen, zal ik de gevangenbewaarder halen om jullie beiden in de ijzers te slaan en jullie naar aparte cellen af te voeren zodat we dit alles uit kunnen zoeken.'

'Dat doe je niet,' zei Johnny.

Josiah hief de bijl op om de zwaai voor te bereiden. 'Ik zie het zo. Als ik dat niet doe, zal iemand deze ruimte niet levend verlaten.' Hij grinnikte. 'Natuurlijk, met de hoofdpijn die jullie allebei zullen hebben, kan ik me voorstellen dat er momenten zullen zijn dat jullie de verlossing van de pijn die de dood zou brengen zouden verwelkomen. Maar daar kom je wel overheen.'

Johnny beet op zijn onderlip, alsof hij overwoog of Josiah zijn bedreiging zou uitvoeren.

Jabez greep Johnny's besluiteloosheid aan om zich los te rukken. Hij gleed op zijn ene zij en sloeg Johnny hard op de arm. Hij zou meer geluk gehad hebben als hij geprobeerd had met een enkele klap een eik te vellen.

Johnny zette het hem betaald door harder op zijn borst te drukken. Jabez trok een grimas en kreunde omdat hij geen adem kon halen. Josiah hief de bijl.

In het vertrouwen dat hij Jabez onder controle had, richtte Johnny zijn aandacht weer op Josiah. 'Alles wat ik weet is dat ik aan het werk was en dat deze waanzinnige mijn kantoor binnenviel en me met een bijl probeerde te vermoorden!'

'Hij heet Jabez Mason,' reageerde Josiah droog. 'We hebben samen met hem op school gezeten.'

Johnny keek neer op zijn aanvaller alsof hij iets bekends probeerde te ontdekken achter de dichte zwarte begroeiing die het gezicht van de man bedekte.

'En natuurlijk, Jabez, jij kent Johnny al.' Josiah probeerde een luchtige toon te blijven gebruiken.

'Hij heeft mijn broer vermoord!' piepte Jabez, met zo veel stem als hij nog kon aanwenden gezien de massa op zijn borst.

'Ik heb helemaal niemand vermoord!' schreeuwde Johnny.

Voor Josiah was dit het moeilijkste deel. In zijn haast om Jabez te beletten Johnny te vermoorden, hadden zijn gedachten niet genoeg tijd gekregen om te verwerken dat George Mason inderdaad dood was.

'Zijn broer is George Mason,' legde Josiah uit. 'Hij is bemanningslid op de Nightingale.'

De uitdrukking op Johnny's gezicht bevestigde George' dood. 'Was dat jouw broer?' zei Johnny tegen Jabez.

Jabez' enige reactie was een onverhulde haat in zijn ogen.

'Het was een ongeluk,' zei Johnny tegen Josiah. Hij deed geen poging om de man onder hem te overtuigen, want dat was duidelijk onbegonnen werk.

'Leugenaar!' schreeuwde Jabez. 'Het was geen ongeluk! Ik kan zo een dozijn zeelui optrommelen die wat anders zullen zeggen! Georgie is doodgeslagen!'

Johnny wendde zijn hoofd af.

'Is dat waar?' vroeg Josiah aan Johnny.

'Hoor hem nou!' schreeuwde Jabez. 'Tuurlijk is het waar!'

Johnny haalde diep adem en zei tegen niemand in het bijzonder: 'Het was een disciplinair probleem dat uit de hand is gelopen.'

'Jouw kapitein beval dat Georgie dood moest! En het is niet de eerste keer dat hij een van zijn bemanningsleden gedood heeft. George heeft me dat zelf verteld.'

Josiah keek Johnny aan in de hoop dat hij Jabez' woorden zou ontkennen. Dat deed hij niet.

'Johnny...' probeerde Josiah.

'Soms is er een harde hand nodig om de orde aan boord van een schip te handhaven,' zei Johnny plechtig.

Josiah kromp ineen. 'Maar Johnny! Een man doodslaan?'

'Op *zijn* bevel!' schreeuwde Jabez. 'Het zijn *zijn* schepen. Hij huurt de kapiteins in.'

'Dat is niet waar!' zei Johnny snel. Heftig. 'Ik heb niets te zeggen over de kapiteins.'

'Leugenaar!' schreeuwde Jabez. 'Iedereen weet dat het zijn schepen zijn!'

En van Philip, dacht Josiah. Maar hij vond het beter om niets te zeggen, want stel dat Jabez zijn wraaktocht zou uitbreiden tot Philips huis. Josiah bestudeerde Johnny. De blik op het gezicht van zijn oude vriend was hulpeloos. Hij sprak de waarheid.

'Jabez, ga naar huis,' beval Josiah.

'Ik ga nergens heen tot ik Johnny Mott gedood heb.'

'Denk na, man! Wat denk je dat er gaat gebeuren? Je ligt plat op je rug als een vlieg die op het punt staat geplet te worden.'

Jabez knipperde een paar keer met zijn ogen terwijl Josiahs beschrijving van de situatie tot hem doordrong. Hij deed een laatste poging om onder Johnny vandaan te kronkelen en realiseerde zich blijkbaar dat wat Josiah zei waar was. 'Goed,' zei hij. 'Haal die os van me af.'

Josiah knikte naar zijn vriend.

Eerst leek Johnny geen zin te hebben zijn voordeel te laten varen. Toen stond hij behoedzaam op en stapte achteruit.

Grijpend naar zijn borst en happend naar adem slaagde Jabez erin overeind te komen. Met knikkende knieën wankelde hij naar de deur. 'Je weet dat ik terugkom,' zei hij tegen Johnny. Hij meende het ook. Hij keek moorddadig uit zijn ogen.

Johnny's houding straalde uit dat hij er klaar voor zou zijn.

'Nee, dat doe je niet,' zei Josiah.

Jabez wendde zich tot hem. 'Noemt u mij een leugenaar?'

'Nee, ik zeg alleen maar dat je met Johnny klaar bent.'

'Ik ben niet klaar tot ik hem gedood heb. Georgie verdient dat.'

'Hier dan...' Josiah overhandigde Jabez de bijl.

'Wat? Josiah! Wat doe je?' Johnny's hand vloog omhoog om zich te verdedigen.

Jabez grijnsde boosaardig om zijn goed geluk. Hij greep de bijl handig vast.

'Maar dan moet je wel ons allebei doden,' voegde Josiah eraan toe. Hij stond voor Johnny. 'En je moet mij eerst doden.'

Jabez greep de bijl. Hij hield Josiahs ogen vast met de zijne. 'Je bent geen partij voor mij. Ik kan je aan.'

'Ik ben niet van plan met je te vechten.' Josiah strekte zijn armen uit. 'Je zult me moeten vermoorden.'

Jabez' ogen knipperden bij het woord *vermoorden*.

'Ja. Vermoorden. Want ik zal me niet verdedigen.'

Jabez aarzelde.

'Maar ik denk niet dat je mij zult doden,' zette Josiah hem onder druk, 'want je bent geen moordenaar.'

Jabez staarde hem aan. Hij snoof. Toen, met een moorddadige schreeuw, zwaaide hij de bijl uit alle macht naar Josiahs hoofd.

Het blad van de bijl ging hoog de lucht in en gaf Josiahs mond nauwelijks de tijd om open te vallen.

Johnny schoof Josiah opzij, deed een stap naar voren en ving het handvat van de bijl onder het blad op, net toen hij naar beneden begon te komen.

De dodelijke rand bleef midden in de lucht steken, zo abrupt alsof hij zich in een stevige boom had verankerd. Zo sterk was Johnny. Met gemak trok hij de bijl uit Jabez' handen en in één doorgaande beweging zwaaide hij met het handvat, raakte Jabez tegen zijn kaak en sloeg hem bewusteloos tegen de grond.

Tegen die tijd was Josiahs mond opengevallen. Sprakeloos staarde hij naar zijn gevallen aanvaller.

'Dat was dom,' zei Johnny tegen Josiah.

Josiah was het daar niet mee oneens.

'Maar bedankt,' voegde Johnny eraan toe. 'Voor wat je gedaan hebt, was moed nodig. Het was dom. Maar er was moed voor nodig.'

'Ja,' zei Josiah.

Dat was alles wat hij kon zeggen toen de werkelijkheid van wat er bijna gebeurd was tot hem doordrong.

21

De dag nadat Josiah zich bijna had laten vermoorden terwijl hij de moord op Johnny Mott probeerde te voorkomen, reed hij over de postweg de stad uit.

Ondertussen zat Jabez Mason met een zere kaak in de gevangenis terwijl het verhaal van Josiahs heldendaad het stadje rondging. Tot Josiahs opluchting had Johnny Mott voor het gemak het deel van het verhaal waarin Josiah de bijl aan Jabez had teruggegeven, weggelaten. Volgens Johnny was Josiah tussen hen in gesprongen, was er een worsteling geweest en was Jabez bewusteloos geslagen.

Johnny's genereuze weergave van het verslag had Josiah er niet van weerhouden hem onder druk te zetten over de dood van George Mason.

'Wist je van kapitein Coytmores barbaarse straffen?'

'Ja.'

'Zijn er meer mannen omgekomen door dat soort afranselingen?'

'Ja.'

'Zal Coytmore rekenschap af moeten leggen voor de dood van George Mason?'

'Waarschijnlijk niet.'

'Waarom niet?'

'Dat is niet aan mij. Vraag het aan Philip.'

'Wist je wat voor karakter Coytmore had toen je hem inhuurde?'

'Ik huur geen kapiteins in.'

'Wie wel?'

'Philip.'

'Maar jij...'

'Ik praat verder niet meer met je.'

'Maar...'

'Ga met Philip praten.'

'Johnny...'

'Ga met Philip praten.'

Josiah was regelrecht van de haven naar Philips huis gegaan.

Toen hij Philip had gevraagd naar Coytmore, leek Philip oprecht verontrust over de daden van de kapitein en de dood van George Mason. Echter, Philip verklaarde dat de dienstbetrekking van Coytmore een concessie was aan zijn financiers van dat hij, hoewel hij het incident zou onderzoeken, betwijfelde of het gevolgen zou hebben.

Zakenlieden waren het er in het algemeen over eens dat het gezag van de kapitein van een koopvaarder over de mannen aan boord van zijn schip niet betwijfeld mocht worden. Het leven op zee was gevaarlijk en meedogenloos. Kapiteins deden wat nodig was om de goederen die aan hen waren toevertrouwd af te leveren. Soms konden hun daden wreed lijken voor niet ingewijden, maar voor hen die dagelijks hun leven op zee riskeerden, waren zulke strenge maatregelen noodzakelijk om te overleven.

Philips uitleg was lang niet bevredigend, maar wat kon hij eraan doen? Josiah voelde pijn elke keer als hij aan George Mason dacht. Hij herinnerde zich de eerste keer dat hij de man ontmoet had. Net terug van de Cribbey-eilanden lag George op bed, bedekt met pokken. Josiah herinnerde zich ook dat George in de gevangenis zat en hem vertelde hoezeer hij de zee haatte, maar dat hij vond dat hij geen andere keus had dan naar het schip terugkeren.

George had beter verdiend.

De gedachte die Josiah het meest plaagde, was dat hij niet wist of het George beter verging in het volgende leven. De enige keer dat Josiah het onderwerp van George' geestelijke toestand had aangesneden, had George gegrinnikt en hem ervan beschuldigd dat hij zich gedroeg als een dominee. Toen was hij van onderwerp veranderd.

Maar George was zich toch bewust geweest van geestelijke zaken? Hij had bevestigd dat er kwaad in de stad was. Was hij zich ook bewust geweest van de zonde in zijn eigen hart?

Josiah had het grootste deel van de nacht wakker gelegen. Hij had het betreurd dat hij de zaak bij George Mason niet meer benadrukt had toen hij de kans had.

Hij had gedacht dat hij meer kansen zou krijgen.

Toen, die morgen, voor hij op weg ging naar Northampton, had Josiah weer een anoniem briefje gevonden dat onder een lat bij de deur geschoven was.

Ik heb gehoord van uw moedige daad en ik kan niet zeggen
dat ik verbaasd ben. Hopelijk gaan de inwoners van deze stad
u nu met andere ogen bekijken, zoals ik doe.
Ik bid elke avond voor u.

Na dit hartverwarmende bericht besloot Josiah om bij het verlaten van Havenhill bij de Parkhursts langs te gaan. Hij kon Eunice ervoor bedanken dat ze hem geïnformeerd had dat de Masons een bezoek nodig hadden. Daardoor was er immers een leven gered? En hij kon hun vertellen over zijn geestelijke zoektocht naar Northampton. Hij kon hun vragen te bidden dat hij succes mocht hebben. Niemand kon er toch bezwaar tegen hebben dat hij om een gebed voor zijn reis vroeg?

Maar toen hij het centrum van de stad bereikte, spoorde hij zijn paard juist aan in plaats van dat hij bij het huis van de Parkhursts aanging. Elke voorstelling van zijn bezoek die door zijn gedachten gegaan was, was erop uitgelopen dat Nabby in zijn armen rende en uitdrukking gaf aan haar onsterfelijke liefde en haar bewondering voor zijn recente heldendaden. Wie hield hij eigenlijk voor de gek? Hij kon er zelfs zichzelf niet van overtuigen dat zijn bezoek van geestelijke aard was.

Bovendien, voor de eerste keer sinds zijn terugkeer in Havenhill, stond hij in de gunst bij Johnny Mott. Het zou dom zijn om dat zo snel weer om zeep te helpen.

Hij ging echter wel aan bij het huis van Mercy en Grace om de brieven terug te geven aan Mercy en haar te vragen of ze wilde dat hij een brief bij haar nicht in Hadley bezorgde.

Aan de deur deelde Grace hem kortaf mee dat Mercy nog niet in staat was om bezoek te ontvangen.

Hadden ze nog niet gehoord van zijn heldendaden?

Josiah kon geen bescheiden manier bedenken om ernaar te vragen en dus beloofde hij voor Mercy te zullen bidden en liet het daarbij.

Toen het paard waarop hij reed Fiedler's Knob beklom, werd de pijn in zijn maag minder en na een tijdje verdween die helemaal. Het gevoel van opluchting was zo ongelofelijk dat Josiah zich bijna duizelig voelde. Het was een veelbelovende start van zijn reis.

Josiah bereikte de rivier de Connecticut net onder Hartford. Philip had hem aangeboden dat hij kon meevaren met een schip de rivier op tot Hartford, maar dat zou een week vertraging betekend hebben, want het schip moest eerst uitgerust worden. Josiah wilde zo snel mogelijk vertrekken.

Dat was niet de enige reden dat hij het aanbod afgewezen had. Met het incident met George Mason zo vers in zijn geheugen wilde Josiah zich niet graag onderwerpen aan het gezag van een scheepskapitein.

Josiahs hoop werd sterker toen hij op weg ging naar Hartford. Hij was nooit in die stad geweest. Het enige wat hij wist was dat hier in 1639 de *Fundamental Orders* waren aangenomen, een document waarmee een regering werd ingesteld bij de goedkeuring van het volk. Het idee van een regering via lokale vertegenwoordiging was een diep gewortelde traditie

onder kolonisten – een die Engeland graag leek te willen uit-
roeien nu de koloniën groter en welvarender werden. In herbergen en vergaderzalen werd steeds vaker gesproken over hoe
Engeland met ijzeren vuist de koloniën bestuurde.

Van Hartford volgde Josiah de loop van de Connecticut naar
het noorden door Windsor en Longmeadow.

De weg naar Northampton daalde geleidelijker dan de weg
naar Havenhill. Josiah zwaaide heen en weer op de rug van zijn
paard en genoot van het windje dat vanaf de rivier de oever op
woei.

De wind was meer dan alleen maar vochtige lucht. Op de
golven ervan kwam genezing en verfrissing mee die als balsem
over Josiah heen spoelden. Hier leefde de opwekking. Hij kon
het voelen.

Eerst zei hij tegen zichzelf dat hij het zich verbeeldde – dat
het goede gevoel niets anders was dan het gevolg van dat hij
weg was van de druk en de verantwoordelijkheden van Havenhill. Toen passeerde hij een man die zwoegde onder een
zware zak. Josiah groette hem en in ruil ontving hij stilte en
een harde blik. De ongastvrije begroeting kwam niet als een
verrassing, want toen de man naderde kwam er knagende pijn
in zijn buik, het soort gevoel waar hij in Havenhill aan gewend
was. Het werd sterker hoe dichter de man bij hem kwam en
verdween zodra hij hem voorbij was.

Het korte, bekende gevoel overtuigde Josiah ervan dat er iets
anders was aan deze plaats.

De duisternis was over de stad gevallen toen Josiah aankwam. Hij vroeg een lantaarnaansteker de weg naar het huis
van dominee Edwards en spoedig vond hij het bescheiden
gebouw met vrolijk licht dat uit de ramen kwam.

Zijn kloppen werd beantwoord door een vrolijk kind met
een katoenen slab in de hand. Josiah begon zichzelf voor te

stellen toen er een aardige vrouw verscheen die een muts en een eenvoudig gewaad droeg. Het opvallendste aan haar was haar glimlach. Hij begon opnieuw. 'Vergeeft u mij dat ik u stoor. Ik ben dominee Josiah Rush uit Havenhill. En ik ben...'

'Gekomen om mijn man te spreken,' zei de vrouw glimlachend.

Achter de vrouw en het kind aan de deur waren vijf, zes, of misschien zeven andere kinderen van verschillende leeftijden druk bezig de tafel te dekken.

Josiah zweeg. 'Ik zie echter dat ik ongelegen kom...'

'Dominee Edwards is uit rijden. Ik verwacht hem elk moment thuis. Komt u alstublieft binnen.' Mevrouw Edwards deed de deur open en stapte achteruit om Josiah binnen te laten. Het kind met de slab – een klein meisje met schouderlange krullen – bewoog met haar mee.

Josiah deed zijn hoed af en herhaalde: 'Als ik ongelegen kom...'

'Onzin,' hield mevrouw Edwards vol. 'U eet vanavond met ons mee en vertelt ons alles over Havenhill.'

Toen ze de deur sloot, merkte Josiah dat hij het object was van steelse blikken. De kinderen waren niet onbeleefd – alleen nieuwsgierig.

De vrouw fluisterde iets dat het kleine meisje erop uitstuurde.

'Laat mij uw jas aannemen,' zei mevrouw Edwards.

Juist toen ging de deur open en een lange, magere man kwam binnen.

'Je bent laat!' riep mevrouw Edwards. Toen, met een glimlach: 'En ik kan zien waarom. Het is een productief ritje geweest, hè?'

Josiahs eerste gedachte was dat de man aangevallen was door motten. Zijn jas was bezaaid met kleine witte stukjes.

Mevrouw Edwards liet Josiah staan met één arm nog in zijn jas en richtte haar aandacht op haar echtgenoot. Ze begon los te maken wat Josiah nu herkende als kleine stukjes papier.

Edwards stond stil, zijn armen als een vogelverschrikker uitgestrekt, terwijl zij werkte.

'Hij krijgt ideeën onder het rijden,' legde mevrouw Edwards uit terwijl ze werkte. 'Hij schrijft ze op en maakt ze vast aan zijn jas.'

'Sarah verzamelt ze en ordent ze zodat ik ze later kan gebruiken,' zei Edwards. Hij draaide zich om zodat ze de twee briefjes kon bereiken die bij zijn rechterheup zaten.

Ze bewogen met een intimiteit die alleen ontstaat na jaren van echtelijke omgang.

Toen het laatste briefje verwijderd was, liet Edwards zijn handen langs zijn zij vallen en Sarah haastte zich weg met de briefjes. Ze hield ze vast alsof ze van grote waarde waren, waardoor Josiah des te nieuwsgieriger werd naar wat er op de briefjes geschreven stond. Wat voor stukjes inspiratie had Jonathan Edwards niet aan zijn geheugen durven toevertrouwen?

'Ik ben dominee Edwards,' zei de lange man. 'Waarmee kan ik u van dienst zijn?'

22

Na een maaltijd met gekookt vlees, rapen en brood – waaronder Josiah vrolijk de broodplank deelde met zijn begroetster met de krullen – maakten de mannen een wandeling terwijl Sarah Edwards de troepen commandeerde voor de afwas en voor hun uur avondlessen.

'Elke christelijk gezin hoort net een kleine kerk te zijn,' legde Edwards uit aan Josiah. 'Geheiligd in Christus en volledig beïnvloed en geleid door Zijn regels. Gezinsonderwijs en orde behoren tot de belangrijkste genademiddelen. Als die ontbreken, is het waarschijnlijk dat alle andere middelen vruchteloos blijken.' Hij wendde zich tot Josiah. 'Komt u uit een groot gezin, dominee Rush?'

'Ik ben wees,' antwoordde Josiah. 'Ik ben opgevoed door een godvrezende weduwnaar.'

'En nu? Hebt u een gezin?'

Josiah dacht aan Nabby. 'God heeft het nog niet goed voor mij gevonden mij een vrouw te geven.'

Edwards zei: 'Ik ben opgegroeid in een groot gezin. De vijfde van elf kinderen.'

Josiah trok zijn wenkbrauwen op.

Edwards grinnikte om zijn reactie, wachtte een ogenblik en voegde toen toe: 'De enige jongen.'

Josiah lachte. Gezien de manier waarop hij het vertelde, was het Edwards' bedoeling dat hij zou lachen. Josiah vond de predikant van Northampton bedachtzaam en welbespraakt. Er ging iets krachtigs van hem uit. Josiah voelde zich bij hem op zijn gemak.

Ze liepen onder een kristallen hemel. Edwards keek ernaar op zoals hij naar een oude vriend zou kijken. 'Het was John

Locke die mij erop wees dat kennis komt via de zintuigen. Sindsdien ben ik gaan geloven dat we Gods genade kunnen kennen uit de natuur.'

Hij liep gemakkelijk en gaf elke gedachte de tijd om voor zichzelf te spreken voor hij die ondersteunde met een nieuwe gedachte. Zijn manier van doen deed Josiah denken aan de Griekse leraars uit de Oudheid die leerden terwijl ze wandelden.

'Ik was gewoon te wandelen in het weiland van mijn vader,' ging Edwards verder. 'En onder het lopen keek ik op naar de lucht en de wolken. Daar kreeg ik zo'n heerlijk gevoel van de glorierijke majesteit van Gods genade dat ik die niet kon uitdrukken. Ik zag ze beide als één geheel – majesteit en zachtmoedigheid tegelijk. Een ontzagwekkende heerlijkheid; een hoge en grote en heilige zachtmoedigheid.

In die dagen was ik altijd ongewoon bang voor de donder; ik werd doodsbang als ik een onweersbui zag opkomen. Nu daarentegen doet het me juichen. Ik voel God, zeg maar, in de eerste tekenen van een onweersbui. Ik blijf vaak staan kijken naar de wolken en de bliksemflitsen en luisteren naar de majesteitelijke en ontzagwekkende stem van Gods donder, die vaak buitengewoon boeiend is en me tot heerlijke beschouwingen over onze grote en glorierijke God brengt. Op zulke momenten lijkt het me altijd vanzelfsprekend om mijn meditaties te zingen of om met een zingende stem in mezelf mijn gedachten uit te spreken.'

Josiah voelde een verwantschap, een gevoel van broederschap, die hen verbond. 'Ik word zelf vaak herinnerd aan het Schriftwoord: "De Koning der eeuwen, de onvergankelijke, de enige God..."'

Edwards maakte het af: '... zij eer en heerlijkheid in alle eeuwigheid! Amen.' Hij keek naar Josiah met een schittering in zijn ogen. 'Loopt u vaak, dominee Rush?'

Josiah glimlachte. '*Solvitur ambulando*'.

Edwards knikte en vertaalde: 'De oplossing komt door te lopen. Een goeie. Uit uw studietijd?'

'Harvard.'

Edward verdraaide zijn gezicht. 'Ik zal proberen u dat niet kwalijk te nemen. Ik kom van Yale.'

Toen ze een weiland in liepen, leek de lucht net een enorm donkerblauw zeil, bezaaid met spikkels glinsterend licht.

'Lopen met u herinnert me aan de tijd dat ik in New York woonde,' ging Edwards verder. 'Ik liep altijd langs de oevers van de Hudson met een vriend die John Smith heette. Dat waren heerlijke uren. We vergaten vaak de tijd omdat we spraken over de dingen van God, vooral als we het hadden over de komst van Christus' koninkrijk in de wereld en de glorierijke dingen die God in de laatste dagen voor Zijn kerk zou doen.' Hij zuchtte zwaar. 'Mijn hart was met een grote genegenheid aan John verbonden.'

Er klonk verdriet in die laatste zin en Josiah voelde dat er een onuitgesproken spanning met die betrekking verbonden was.

'Wel, dominee Rush,' zei Edwards met vernieuwd enthousiasme, 'waarom heeft God u naar Northampton gebracht?'

De vraag verraste Josiah en dat was vreemd, want hij had dit hele eind gereisd om die vraag te beantwoorden. Maar nu waren zijn gedachten om de een of andere reden een warboel. Zijn woorden bleven achter in zijn keel steken. Geen ervan wilde er als eerste uit komen. Wist hij alleen maar niet hoe hij moest beginnen?

De lengte van de stilte werd pijnlijk. Edwards keek naar Josiah om te zien of er iets mis was.

Eindelijk bracht Josiah uit: 'Havenhill is geïnfecteerd met een geestelijke ziekte.'

Edwards keek hem onderzoekend aan, alsof hij de woorden en de manier van doen van de spreker woog. 'En waarop baseert u die conclusie?'

Het was een goed antwoord. Josiah was er blij mee. De meeste dominees die hij kende, zouden snel een antwoord geven. Te snel. Ze wilden zich graag bewijzen – in elk geval in hun eigen gedachten – als een geestelijk wijze.

Hij haalde diep adem en beschreef vanaf de pokkenepidemie en het dagboek van dokter McCullough, waardoor hij op het idee gekomen was voor zijn eigen studie, zijn observaties en de lijst van symptomen van zielsziekte die er het resultaat van was.

Terwijl ze liepen, luisterde Edwards zonder hem te onderbreken.

Nadat hij verteld had hoe hij onverwacht was gestuit op een privécorrespondentie over de opwekking in Hadley en andere steden en dorpen en op Edwards' eigen verslag van de geestelijke vernieuwing, eindigde Josiah met te zeggen: 'En dat is wat mij hier gebracht heeft. Ik ben gekomen om u om raad te vragen en om u uit te nodigen om te komen preken in First Church in Havenhill.'

Ze kwamen bij een rij statige bomen, tijdloze zwarte wachters tegen de avondlucht. Licht gebogen onder een zwak windje leken ze voorover te leunen om te horen waar de twee mannen over praatten. Met een beweging van zijn hand gaf Edwards een verandering van richting aan, langs een smal voetpad dat hen langs de bomen en terug naar het huis zou brengen.

'Hebt u overwogen uw observaties en conclusies te publiceren?' vroeg Edwards.

'Ik heb er niet aan gedacht,' zei Josiah. Maar hij moest toegeven dat de gedachte hem aantrok.

'Hebt u een kopie meegenomen?'

'Ik heb mijn dagboek bij me.'

Met een buiging van zijn hoofd leek Edwards aan te willen geven Josiahs studie niet te willen lezen. Het was immers onbeleefd om te vragen iemands dagboek te mogen lezen.

'Ik zou graag willen dat u het zou lezen,' bood Josiah aan. 'Ik zou uw gedachten erover zeer verwelkomen.'

Edwards knikte. 'Wat betreft uw aanwezigheid hier, het lijkt erop dat u dezelfde strategie volgt als bij de pokkenepidemie. U ronselt iemand van buiten het stadje om de genezing te brengen. Bij de pokkenepidemie zocht u een dokter die het met u eens was, zowel wat betreft de ziekte als de behandelingsmethode. Ik neem aan dat u een plaatselijk arts in Havenhill hebt. Wat was zijn reactie op deze medische autoriteit van buiten?'

Josiah grijnsde schaapachtig. 'Hij praat alleen nog maar met me als het onvermijdelijk is.'

Edwards leek niet verbaasd dat te horen. 'Maar bij de zielsziekte bent u de geestelijke arts van het stadje. Dus komt de vraag op: waarom zoekt u hulp van buiten? U hebt de ziekte geïdentificeerd. U gelooft dat u de genezing kent. Waarom regelt u het niet zelf?'

Toen de richting van Edwards' gedachten duidelijk werden, kwam er angst en afschuw over Josiah. Hij had gehoopt dit deel van het verhaal te kunnen vermijden.

Moest de hele wereld weten wat er gebeurd was in die verschrikkelijke nacht zeven jaar geleden? Zijn zonde was een hond die hem achtervolgde, overal waar hij ging. Het leek erop dat het sinds die nacht zijn levenswerk was om de wereld persoonlijk te informeren, alle mensen, één voor één, over zijn morele fouten en het schuldgevoel dat daar het gevolg van was.

'Ik ben de laatste naar wie ze zullen luisteren,' zei hij nogal bot.

Edwards bleef staan. Hij fronste bezorgd. 'Nou, dat is een opmerking die uitleg nodig heeft.'

Beginnend met de gebeurtenissen in de nacht van de brand vertelde Josiah over zijn schande en zijn daarop volgende ballingschap, zijn tijd van zelfonderzoek en geestelijke studie in

Boston en Philips hand die hem weer thuisbracht.

'Betreurt u uw besluit om naar Havenhill terug te gaan?' vroeg Edwards.

'Ik heb de wijsheid ervan meer dan eens betwijfeld,' reageerde Josiah. 'Mijn aanwezigheid daar is voor veel mensen een dagelijkse herinnering aan hun persoonlijke verlies en pijn.'

'Het is ook een dagelijkse herinnering aan Gods verzoenende genade,' zei Edwards. 'Een mindere man zou naar een plaats gegaan zijn waar niemand zijn verleden kende. Nou, vertel me eens wat meer over de pokkenvaccinatie. Bent u zelf gevaccineerd, of adviseert u anderen nog steeds om zich te laten vaccineren? Sarah en ik zijn het over dit onderwerp niet altijd eens.'

De plotselinge verschuiving van het gesprek terug naar de pokken verraste Josiah. Tegelijk was hij blij dat Edwards niet op zijn zonde uit het verleden doorging. Maar zo hoorde het toch ook?

God had ermee afgedaan.

Het vergeven.

En het vergeten.

Zover het oosten is van het westen, zover doet Hij onze overtredingen van ons. Was dat niet wat de psalmist schreef? Waarom konden de mensen om wie hij het meeste gaf dan niet hetzelfde doen?

Hij had hun bezeerd.

Hij wist dat.

Hij had hun geliefden gedood en niets kon hen terugbrengen.

Dat wist hij ook.

Tegelijk wist Josiah dat als hij toegaf dat de mensen in Havenhill recht hadden op hun pijn en het recht hadden hem de rest van hun leven te haten, dat ook betekende dat er een zonde bestond die groter was dan Gods genade. Dat Jezus' dood aan het kruis genoeg was voor de meeste zonden, maar niet voor de echte grote zonden zoals die van hem.

Maar de Bijbel leerde dat geen enkele zonde groter was dan Gods genade en dat als God een zonde eenmaal vergeven had, Hij die ook vergat.

Nou, als de mensen in Havenhill nu eens hetzelfde deden...

'Vaccinatie,' drong Edwards weer aan, toen Josiah niet antwoordde. 'Zou u het aanraden?'

Josiah wendde zich tot zijn gastheer. Alleen al voor dit moment was de reis de moeite waard.

Toch kon hij het niet helpen dat hij zich afvroeg of Edwards' interesse in vaccinatie geen beleefde manier was om zijn uitnodiging om in Havenhill te preken af te slaan. Hij had Josiahs verzoek gehoord, maar nog geen antwoord gegeven.

Josiah vroeg zich af of hij het opnieuw moest vragen of dat dat onbeleefd zou zijn.

De rationele kant van hem antwoordde: 'De wetenschap van de vaccinatie snijdt hout.' Maar toen voegde de kant die zich de drie verschrikkelijke weken in bed herinnerde eraan toe: 'Maar de daad zelf is iets heel anders... een waar veel over nagedacht moet worden.'

23

Sarah Edwards stond erop dat Josiah bij hen de nacht doorbracht. Hij keek geïnteresseerd toe hoe de capriolen van de
jongere gezinsleden verstilden van een bedrijvige bijenkorf tot
de rust waar hij aan gewend was.

Hij zat met Edwards en diens vrouw bij het vuur. Met een
zachte stem, rekening houdend met de slapende kinderen, ont-
haalde Edwards Josiah op het ene persoonlijke verslag na het
andere van personen en gebeurtenissen die te maken hadden
met de opwekking in Connecticut Valley, verhalen die of te
persoonlijk of te lang waren om in zijn gedrukte verslag op te
nemen.

Josiah zat verrukt te luisteren. In gedachten betrok hij de
verhalen op de verschillende inwoners van Havenhill. Hij probeerde te kijken hoe zij zouden passen. Hij was blij met wat
hij voor zich zag.

Na een tijdje onderbrak Sarah haar man – die, dat was duidelijk, nog tot in de vroege ochtend door kon gaan om verhalen over de opwekking op te diepen – om Josiah te vragen
naar zichzelf en Havenhill.

Eigenlijk was het Edwards die haar vertelde over de brand.
Hij vertelde het verhaal verbazingwekkend gedetailleerd. Over
de gebeurtenissen zelf sprak hij feitelijk, maar hij werd leven-
dig toen hij het een wonderlijk voorbeeld van Gods verzoenende genade en Josiahs moed om naar Havenhill terug te
keren noemde.

Zoals Edwards het vertelde voelde Josiah zich bijna een
held. Het was absoluut de eerste keer dat hij zo'n gevoel over
de zaak kreeg.

Mogelijk merkte Edwards op dat Josiahs borst zwol, want de

dominee haastte zich om een laatste opmerking toe te voegen over hoe God in staat is een verachtelijke man te nemen en hem te hervormen tot een Godvrezende dienstknecht.

Josiah knikte om aan te geven dat hij het begrepen had. God alleen verdiende de lof voor de verandering in Josiahs leven.

Sarah Edwards toonde bijzondere belangstelling voor zijn betrekking met Eunice Parkhurst en Abigail. 'Dat zo'n mooie vriendschap zo afschuwelijk verschroeid is door de brand,' verwoordde ze het. Toen Sarah hem zei dat ze voor Abigail en zijn eventuele huwelijk zou bidden, realiseerde Josiah zich dat hij een belangrijk detail had weggelaten: dat Abigail Parkhurst verloofd was met een andere man. Nadat Sarah aangeboden had te bidden, vond hij het vervelend om haar dat te vertellen. Dus bedankte Josiah haar en liet het erbij.

Sarah leek op te leven van hun gesprek, terwijl haar man in zijn stoel begon in te dutten. Nadat ze hem twee keer met een opmerking wakker gemaakt had, pakte ze liefdevol zijn arm en stelde voor dat hij een gebed zou uitspreken voor Josiah voor ze naar bed zouden gaan.

Na het gebed werd Josiah een kamer gewezen die al verwarmd werd door vier slapende lichamen. Sarah had voor hem een smal schuifbed opgemaakt in de hoek met dekens van vlas, en een geborduurde sprei. Ze wenste hem goede nacht.

Josiah lag op zijn rug en staarde naar de donkere balken van het plafond. Gewend aan de stilte van het alleen slapen, kostte het hem even voor hij gewend was aan het geluid van de kinderen. Toen viel het gewicht van slaap op hem. Hij bezweek ervoor terwijl hij met zichzelf aan het overleggen was of hij zijn uitnodiging om te preken in de ochtend opnieuw aan Edwards moest voorleggen.

Het bleek dat dat niet nodig was.

'Ik heb gebeden over uw vriendelijke verzoek om te komen

preken en ik heb er met mijn vrouw over gesproken,' zei Edwards.

Het huis was weer vol bedrijvigheid. Kinderen in allerlei leeftijden kleedden zich aan en zongen hun morgengebedjes. Edwards leunde achterover in zijn stoel. Zijn bijbel lag open voor hem op tafel. Hij had er net een les uit gehaald uit het eerste boek van Samuël.

Het gedeelte dat Edwards hardop had voorgelezen, tekende de profeet Samuël die een zondige koning Saul aansprak. De profeet had de koning meegedeeld dat hij dom gehandeld had en dat God, omdat hij Diens geboden niet gehouden had, een nieuwe leider zou aanwijzen, een man naar Gods hart.

Edwards had het gedeelte voorgelezen met een grote plechtigheid alsof hij het was die het ongunstige nieuws moest overbrengen aan de koning.

Hij sprak nu op dezelfde toon. 'Hoe graag ik uw uitnodiging ook zou willen aannemen, ik ben bang dat ik die moet afslaan.'

Josiahs teleurstelling was groot, maar hij probeerde het niet te laten merken. Hij slaagde erin een zwakke glimlach te produceren en zei: 'Ik begrijp het en laat ik zeggen...'

'Ik ben nog niet klaar,' zei Edwards.

Op zijn vingers getikt, wachtte Josiah op de rest.

'Nadat ik gemediteerd en gebeden heb over de situatie in Havenhill, hebben Sarah en ik samen de overtuiging gekregen dat u gelijk hebt met uw conclusie dat alleen Gods Geest het stadje kan redden. En we verbinden ons met u om daarvoor te bidden.'

Josiah kon wel raden wat er verder kwam. Met zijn positie als predikant had God hem de zorg voor Havenhill opgedragen. Al zou het de rest van zijn leven kosten, het was zijn taak om hen te bedienen en een levend voorbeeld te zijn van Gods genade en vergeving. Het zou Josiah niets verbazen als deze vermaning gevolgd zou worden door een historische anekdote waarin de een of andere worstelende heilige werd opgevoerd als illustratie van de grote gelovige mannen en vrouwen die bezongen werden in het elfde hoofdstuk van Hebreeën en die geen van allen lang genoeg leefden om de vrucht van hun arbeid te zien.

'En Sarah en ik zijn het er ook over eens...'

Daar komt het.

'... dat u de laatste persoon bent naar wie ze zullen luisteren en dat er daarom een objectieve stem nodig is. Een man van God die tussen een dominee en zijn gemeente kan gaan staan en jullie kan herenigen, ongeveer zoals hij dat met een man en zijn vrouw zou doen.'

Josiah wist niet wat hij moest denken of antwoorden. Als dat was wat Edwards geloofde, waarom ging hij dan niet in op...?

Edwards ging verder: 'Ik weet zeker dat ik niet de man ben die u zoekt. Maar u zult die man vinden in Philadelphia.'

'Philadelphia?' zei Josiah verbijsterd.

'Hij preekt daar vandaag. Uit de verhalen die ik hoor begrijp ik dat de zegen van de hemel met hem meegaat, overal waar hij gaat.'

'Hoe kan ik hem vinden?'

'U moet naar Philadelphia gaan.'

Josiah hoopte op meer dan dat, maar Edwards had niet meer informatie dan dat Josiah zijn dominee in Philadelphia zou vinden.

'Nog één ding.' Edwards leunde naar voren en sprak op een vertrouwelijke toon. 'God heeft me ook een boodschap voor u gegeven.'

Josiah leunde naar voren om haar in ontvangst te nemen.

'Pas op voor de riviergoden,' zei Edwards.

'De riviergoden?'

'Voor hen die de handel in handen hebben. Zij die de winst in hun eigen zak steken ten koste van de boeren en de inwoners van het stadje.'

'De kooplieden.'

'Zij die de financiering, de verkoop en de distributie beheersen van Havenhills productie. Zij dienen angst, hebzucht en trots. Zij zijn slechte en ontaarde mannen die de mammon dienen, niet God.'

Net als Havenhill was Northampton economisch afhankelijk van de scheepvaart op de rivier de Connecticut.

'U moet uw gemeente ertoe brengen dat ze God vragen om de markt van Havenhill te veranderen met waarden die het algemeen welzijn bevorderen in plaats van het persoonlijk gewin.'

Josiah glimlachte. 'Herinnert u zich dat ik het gehad heb over Philip Clapp? Degene die het mogelijk maakte dat ik terug kon naar Havenhill? Hij is de belangrijkste koopman in het stadje. Een goede man. Belangrijker nog, een vriend. Ik kan op hem rekenen.'

Edwards ging weer achterover in zijn stoel zitten, nadenkend, bijna geschrokken, alsof hij het niet begreep. Na een paar ogenblikken zei hij: 'Ik heb de boodschap overgebracht. Dat is genoeg. Wat u vanaf nu gaat doen, moet u doen in geloof. God zal alles op Zijn tijd duidelijk maken.'

Tijdens de laatste ogenblikken van hun gesprek was het geluid van de bedrijvigheid om hen heen zozeer op de achtergrond geraakt dat Josiah zich er niet meer van bewust was geweest. Nu het gesprek tot een eind kwam merkte hij weer dat hij zich bevond in een huis met veel kinderen.

Josiah duwde zijn stoel achteruit. 'Ik wil u bedanken voor uw gastvrijheid. Maar als ik naar Philadelphia moet rijden, kan ik beter meteen vertrekken.'

24

Nu hij Northampton de rug had toegekeerd, kon Josiah het gevoel niet kwijtraken dat hij gefaald had, in elk geval gedeeltelijk. Hij was uit Havenhill vertrokken met het doel de auteur te ontmoeten van het boek over de opwekking in Connecticut Valley en dat had hij gedaan. Met grote vreugde, mocht hij er wel aan toevoegen. Maar hij was ook vertrokken met de hoop Edwards in Havenhill te laten preken.

Josiah vertrok uit Northampton met goede herinneringen aan hoe hij Edwards had horen verhalen van vertrouwelijke details over de opwekking en met een hernieuwde ijver om deze verhalen zich te laten herhalen in Havenhill. De tijd alleen met Edwards en de aardige Sarah was de reis waard geweest, en niet te vergeten de bevrijding van de constante buikpijn die hij in Havenhill had moeten doorstaan.

Echter, ondanks die gevoelens had hij nog steeds een probleem. Hij had tegen Philip gezegd dat hij de grote opwekkingsprediker zelf naar Havenhill zou halen. Nu hij daarin gefaald had, bevond hij zich op weg naar Philadelphia om een predikant te horen van wie hij nog nooit gehoord had. Een stem in zijn hoofd zei tegen hem dat hij zijn tijd niet langer moest verknoeien en terug moest gaan naar Havenhill om zijn verantwoordelijkheid te nemen. Het was de stem van Eunice Parkhurst. Een paar keer luisterde hij bijna naar haar.

Toen gebeurde er iets heel vreemds.

Een halve dagreis verwijderd van Philadelphia, haalde hij een paar andere reizigers in die op weg waren naar de stad – een boer en zijn vrouw. Zij waren luidruchtig en kinderlijk opgewekt, en eveneens op weg om de opwekkingsprediker te horen van wie Edwards gezegd had dat hij de zegen van de hemel bij zich had.

'Hebben jullie hem eerder horen preken?' vroeg Josiah.

'Nee. Maar we hebben wel veel over hem gehoord,' zei de boer.

'Vertel hem over de jongen,' zei zijn vrouw en ze porde haar man met een elleboog in de ribben.

De boer reageerde op de por, maar negeerde haar. Hij had zijn eigen verhaal te vertellen. 'Ik was buiten in het veld toen ik hoorde dat hij vandaag in de stad zou preken. Ik liet m'n gereedschap vallen en rende, zodra ik het hoorde rechtstreeks naar huis, hè Ebbie? Ik stopte met waar ik mee bezig was en rende naar binnen.'

Ebbie knikte. 'Hij liet meteen zijn gereedschap vallen.'

'Ik haalde mijn vrouw, ik haalde mijn paard en we gingen meteen op weg. Ik zei tegen haar: "We gaan naar die dominee Whitefield luisteren, want God weet, misschien krijgen we nooit meer een kans." Dat is precies wat ik zei, nietwaar, Ebbie?'

'Dat is wat hij zei, precies,' reageerde Ebbie. 'Vertel hem over de jongen.'

'En we zijn de hele dag nog niet gestopt. Ik hoop maar dat we niet te laat zijn.'

'Vertel hem over de jongen, Henry.'

Henry haalde een zakdoek uit zijn zak en veegde zijn voorhoofd af. Hij was een man van middelbare leeftijd en hij had al aardig wat rimpels in zijn gezicht, ongetwijfeld van lange uren in de zon. Ze liepen stevig door; het werd steeds moeilijker om dat vol te houden. Toen Josiah ze inhaalde, zaten ze allebei op het paard. Nu zaten ze er geen van beiden op, om het paard even rust te geven.

'Vertel hem over de jongen!' riep Ebbie.

Henry wuifde haar weg met zijn zakdoek zoals hij met een vlieg zou doen.

Josiah wachtte beleefd tot Henry aan de wensen van zijn vrouw tegemoet zou komen. Henry leek daar geen haast mee te hebben. Het leek alsof hij daar om geen andere reden mee wachtte dan om Ebbie te irriteren.

Uiteindelijk zei Ebbie: 'Er was in Jersey een jongen...'

'Stil, vrouw!' schreeuwde Henry.

Ebbie zweeg, maar niet zonder protesterend te fronsen.

Henry snoof. 'We hebben het zo gehoord: er was in Jersey een jongen... Hij jammerde en ging maar door op een verschrikkelijke manier. Het was alsof zijn kleine hartje zou barsten van het huilen.'

'Je hoeft het niet groter te maken dan het al is,' schold Ebbie. 'Vertel gewoon het verhaal.'

Henry wendde zich tot haar. 'Laat je het mij vertellen?'

Het paar wisselde blikken uit die ongetwijfeld blijk gaven van vele jaren oefenen.

'Zoals ik zei,' zei Henry, 'er was in Jersey een jongen...'

Ebbie rolde met haar ogen.

'... die huilde. Nou, dominee Whitefield brak zijn preek af, zomaar. Hij liet de jongen naar hem toe brengen, naar de wagen waarop hij stond te preken. En toen zei hij, zodat iedereen het kon horen, dat alle professoren en universiteiten in de wereld...'

'Je dwaalt af,' zei Ebbie.

Henry negeerde haar. '... niet tot Christus riepen. Maar dat deze jongen tot hen zou preken. Dat uit de mond van deze jongen God Zijn grootheid verklaarde en Zijn lof verkondigde.'

'Zijn *soevereiniteit* verklaarde,' corrigeerde Ebbie hem.

'Ik vertel het zoals ik het gehoord heb,' reageerde Henry.

'Je vertelt het fout. Hij zei dat God Zijn soevereiniteit verklaarde en Zijn lof vergrootte.'

'*Soevereiteit* is geen woord.'

'Wel waar. Het staat in de Bijbel.'

'Nou, dat moet je me dan maar eens laten zien, want ik zeg je dat *soevereiteit* geen woord is. Maar je kunt het me niet laten zien, hè? Weet je waarom niet? Omdat het geen woord is.'

Het was niet lang nadat hij het verhaal van de jongen uit Jersey gehoord had dat het verkeer op de weg drukker begon te worden. Ze waren nu dicht bij de stad. Maar tenzij Philadelphia twee keer zo groot was als Londen, was de hoeveelheid verkeer op de weg voor midden in de week opzienbarend.

De gesprekken onthulden spoedig dat iedereen om dezelfde reden naar Philadelphia reisde. Om George Whitefield te horen preken.

Er was een opwinding onder hen, ondanks het onderling gekrakeel zo nu en dan. Josiah had nooit zoiets gezien. Noch had hij deel gehad aan zoiets opwindends. Het vooruitzicht leek bij elke ontmoeting mooier te worden.

Tegen de tijd dat ze de rivier de Delaware overstaken, dacht Josiah dat de menigte niet meer opgewonden zou kunnen zijn als een jongen met twee broden en vissen met hen zou zijn opgetrokken en hun verteld had dat Jezus Zelf op de heuvel zou preken.

Josiah stond aan de rand van de menigte in de stad Philadelphia en verwonderde zich erover hoe duidelijk de spreker te verstaan was.

De predikant stond boven op de stoep van het gerechtsgebouw, op de hoek van Market Street en Second Street. Hij was jonger dan Josiah verwacht had – waarschijnlijk midden twintig. Van Josiahs leeftijd.

Wat Josiah het meest trof aan de man was dat hij geen typische dominee was. Whitefield liep driftig heen en weer over de bovenste stoeptrede. Zijn ogen vlamden en hij smeet het evangelie van zich af.

Het kruispunt stond volgepakt met al degenen die gekomen waren om hem te horen. Ze strekten zich in vier richtingen langs alle vier straten uit. Josiah had al genoeg gehoord om voor Jonathan Edwards een zegen af te bidden omdat hij hem naar Philadelphia gestuurd had.

'Zijn uitspraak is onberispelijk,' zei een stem.

Josiah draaide zich om naar de man die naast hem stond. Hij was gezet en had een bril. Zo te zien een geleerd iemand.

'U hebt hem eerder horen preken,' constateerde Josiah.

'In Londen en een paar keer hier,' zei de man. Hij was duidelijk gefascineerd door de spreker. 'Hebt u het gemerkt? Elk accent, elke nadruk, elke stembuiging is volmaakt uitgevoerd en getimed. Zelfs als men niet geïnteresseerd is in het onderwerp kan men alleen maar genieten van zijn redevoering. De toneelspeler David Garrick heeft eens opgemerkt over dominee Whitefield dat hij een gehoor kan laten huilen of sidderen alleen door het woord "O" te laten vallen.'

Te oordelen naar wat Josiah gehoord had, was de opmerking van de toneelspeler niet overdreven. Op het moment was Whitefield bezig te beschrijven hoeveel behoefte Georgia aan een weeshuis had. De kolonie was gesticht door schuldenaars, gevangenen en werklozen die jammer genoeg niet de werkzame gewoonten hadden die nodig waren om een welvarende kolonie te stichten. Whitefield legde zijn hoorders uit wat er aan de hand was en vroeg hun te doen wat ze konden om de bouw van een weeshuis te steunen.

De man naast Josiah sloeg zijn armen stevig over elkaar toen Whitefields mannen door de menigte gezonden werden om een offergave in te zamelen terwijl Whitefield verder ging met te vertellen wat er nodig was.

'Hierover verschillen we van mening,' zei de gebrilde man naast Josiah. 'Ik keur dominee Whitefields bedoelingen niet af, maar zijn voorstel zelf. Georgia heeft een gebrek aan de nodige materialen en arbeiders om zo'n voorziening te bouwen, terwijl we hier in Philadelphia zowel het materiaal als de arbeiders hebben. Waarom zouden we het huis niet hier bouwen en de kinderen ernaartoe brengen? Ik heb hem dat zelf voorgesteld. Maar hij is vastbesloten het op zijn manier te doen.'

De man sloeg zijn armen nog steviger over elkaar.

Josiah groef in zijn zak naar een paar zilveren dollars.

Toen een van de collectanten langskwam, gaf Josiah hem zijn munten. Tot zijn verrassing gaf de man naast hem een handvol kopermuntjes.

Whitefield ging door met zijn bede.

'U hebt hem dus persoonlijk gesproken,' zei Josiah. 'Staat u in voor zijn karakter? Ziet u, ik ben zelf dominee en ik denk erover om hem uit te nodigen om in mijn gemeente te preken.'

Voor hij antwoordde, bestudeerde de man Josiah. 'Waar komt u vandaan?'

'Uit Havenhill.'

'Ah, Connecticut! Om uw vraag te beantwoorden, er zijn er die beweren dat dominee Whitefield deze offergaven in zijn eigen geldkist stort. Maar ik heb bij een aantal zakelijke aangelegenheden met hem te maken gehad...'

'Wat voor zaken?'

'Uitgeverij. Dominee Whitefield heeft mij ingehuurd voor het laten drukken van zijn preken. En omdat ik zaken met hem gedaan heb, kan ik u er van verzekeren dat hij zich gedraagt als een eerlijk man.'

'Dat is goed om te horen.'

'Daarmee zeg ik niet dat hij geen vijanden of lasteraars heeft. Maar zij kunnen de resultaten van zijn prediking moeilijk betwisten. Het is wonderlijk om te zien welke verandering er plaatsgevonden heeft in het gedrag van onze inwoners. Eerst stonden ze onverschillig tegenover godsdienst en dachten ze er niet over na, maar nu lijkt de stad steeds godsdienstiger te worden. Men kan 's avonds niet door Philadelphia lopen zonder dat men in elke straat in de huizen psalmen hoort zingen.'

Josiah kon geen beter verslag gekregen hebben. Dit was precies waar hij voor zijn eigen stadje naar op zoek was.

Er werd weer een collecte gehouden. Grommend haalde de man naast hem vier zilveren dollars tevoorschijn en gaf ze aan de collectant.

Vanaf de trappen van het gerechtsgebouw preekte dominee Whitefield met steeds meer geestdrift. Een eerbiedige stilte kwam over de menigte.

'Hoeveel mensen denkt u dat er hier verzameld zijn?' vroeg de man. In zijn handen hield hij een potlood en een stuk papier. Zijn handen waren met deze gereedschappen vertrouwd.

Josiah keek om zich heen. De grootte van een menigte schatten was geen vaardigheid die hij als predikant had moeten oefenen.

'Beter nog, voor hoeveel mensen denkt u dat dominee Whitefield in de openlucht kan preken?' De man begon achteruit te lopen langs Market Street. 'Hoe ver kunnen we gaan tot we hem niet meer kunnen horen?' Er kwam een jongensachtige nieuwsgierigheid op het gezicht van de man.

Josiah ging met hem mee.

Ze liepen over de met kasseien geplaveide straat naar de rivier en stopten zo nu en dan om te beoordelen of ze de stem van Whitefield nog konden horen.

'Kunt u verstaan wat hij zegt?'

Als Josiah knikte dat hij dat kon, deed de man weer een paar stappen. 'En nu? Kunt u hem nog steeds horen?'

Josiah luisterde en knikte weer.

Dit ging door tot ze Front Street bereikten, waar het normale verkeer de woorden van Whitefield overstemde.

'Stelt u zich nu een halve cirkel voor, waarvan onze afstand tot de spreker de straal is. Vul die dan met hoorders, laten we zeggen' – hij dacht even na – 'een halve vierkante meter per persoon. Voor hoe veel mensen kan dominee Whitefield in het open veld preken, als we van deze cijfers uitgaan?'

De man krabbelde op zijn papier en Josiah liet het rekenen graag aan hem over.

De man keek triomfantelijk op. 'Volgens mijn berekeningen kan dominee Whitefield heel goed gehoord worden door meer dan dertigduizend personen, wat klopt met de krantenverslagen die vertellen dat hij in het veld voor meer dan vijfentwintigduizend mensen gepreekt heeft.'

Nu ze klaar waren met hun experiment gingen de twee mannen weer terug naar de rand van de menigte. Whitefield was aan het bidden. Na het gebed drentelde er weer een collectant voorbij die de hoorders een laatste kans gaf om bij te dragen voor het weeshuis.

Met een grom waar een mannetjeseland trots op zou zijn, stak de man een hand in zijn zak en maakte hem leeg. Hij gaf vijf gouden pistoletten aan de collectant.

Hij wendde zich tot Josiah en zei: 'Ik ben blij dat u mij geholpen hebt met mijn kleine experiment. Mag ik u in dank daarvoor aan dominee Whitefield voorstellen?'

'Daar zou ik u heel dankbaar voor zijn!' riep Josiah. Hij kon nauwelijks verhullen hoe blij hij daarmee was.

De man deed een stap naar voren, maar draaide zich toen om. 'Het schiet me opeens te binnen dat het dan wel handig is als ik weet hoe u heet.'

Met een grijns stelde Josiah zich voor.

'Prettig met u kennis te maken, dominee Rush,' zei de man. 'En ik ben Benjamin Franklin, tot uw dienst.'

25

Benjamin Franklin kende de straten en stegen van Philadelphia, maar door de stroom vertrekkende mensen die tegen
hen in werkte, vond de gehoopte introductie bij George
Whitefield nooit plaats.

Franklin was een en al verontschuldiging. Hij zond een leerjongen om te informeren naar Whitefields agenda en om
Franklins complimenten over te brengen met het verzoek om
een ontmoeting zo snel als het de evangelist uitkwam. Ondertussen, nadat hij zich verontschuldigd had voor de armoedig-
heid van zijn verblijf, voorzag de drukker Josiah van thee en
een eindeloze stroom van verhalen, anekdotes en observaties
over de menselijke natuur. Allemaal vermaakten ze Josiah
evenzeer.

Uiteindelijk kwam het gesprek weer op Whitefield.

'Er zijn er in onze stad die het voorstel gedaan hebben om
een gebouw neer te zetten voor dominee Whitefield, zodat de
guurheid van het weer zo nu en dan hem niet kan verhinde-
ren om te preken. Ze hebben genoeg geld ontvangen om de
grond te verwerven en een gebouw neer te zetten van dertig
bij twintig meter, ongeveer net zo groot als Westminster Hall.
Het werk is al begonnen.'

'En dominee Whitefield vindt het goed?' vroeg Josiah.

Er kwam een vermaakte glimlach op Franklins gezicht. 'U
zegt dat u dominee Whitefield nooit eerder hebt horen preken?'

'Vandaag was de eerste keer.'

Franklin knikte. 'U bent een scherpzinnig mensenkenner,
dominee Rush. In het begin probeerde dominee Whitefield te
preken in de kerken in de koloniën. Hij kreeg een paar uitno-

digingen. Echter, zijn dramatische stijl zorgde voor niet weinig ongenoegen onder sommigen van de meer bezadigde gemeenten. Daardoor werd dominee Whitefield de velden en de straten opgedreven, waar hij buitengewoon op zijn plaats is. Hij heeft laten weten dat hij er de voorkeur aan geeft om in de openlucht te preken.'

'En het gebouw? Wordt het nog gebouwd?'

'Het gebruik ervan zal toevertrouwd worden aan een raad van beheerders, zodat elke prediker die het verlangen mocht hebben om de inwoners van Philadelphia toe te spreken er gebruik van kan maken. Het zal niet voor een bepaalde groepering bestemd zijn, maar voor de inwoners in het algemeen, zodat zelfs als de moefti van Constantinopel zelf een zendeling zou sturen om de Islam aan ons te prediken, er een preekstoel voor hem klaarstaat.'

Josiah dronk van zijn thee.

Franklin bestudeerde Josiah. 'U bent het er niet mee eens, dominee Rush?'

'Ik ben uw gast, meneer Franklin. Het zou onbeleefd zijn...'

'Spreek vrijuit, jongen.'

Josiah kon het niet helpen dat hij dacht dat Franklin al wist wat hij ging zeggen voor hij het zei. Toch sprak Josiah zich uit. 'Ik vind het gewoon vreemd dat een goed christen zoals u een heidense spreker een preekstoel zou gunnen zodat hij ons het tegengestelde van de leer van Christus kan leren.'

Franklin barstte in een reusachtige schaterlach uit. 'Ik zie dat ik mijn eerdere opmerking dat u een scherpzinnig mensenkenner bent terug moet nemen. Als het op geloofszaken aankomt, vrees ik dat ik een afvallige ben. Ik waardeer de prediking van dominee Whitefield om de positieve effecten die ze heeft op onze burgers en hoewel ik de man oprecht mag en bewonder – we delen tenslotte beiden een eenvoudige achtergrond; we hebben beiden een ondernemersgeest en zijn onze eigen weg gegaan; en we zijn allebei als buitenstaanders in

Philadelphia gekomen – maar daar houden onze overeenkomsten op.'

'Maar u geeft zijn preken uit.'

'Zaken, mijn jongen. Ik geef boeken en kranten uit omdat er belangstelling voor is. En dominee Whitefield trekt veel belangstelling. Persoonlijk vind ik het onderwijs van dominee Whitefield irrationalistisch en dweperig. En hoewel hij meer dan eens voor mijn bekering gebeden heeft, vrees ik dat hij nog niet de voldoening gehad heeft dat hij mag geloven dat zijn gebeden verhoord zijn. Onze vriendschap is vooral beleefd, maar oprecht van beide kanten.'

'Als het u niet uitmaakt, meneer Franklin,' zei Josiah, 'zal ik met dominee Whitefield meebidden voor uw redding.'

Op dat moment ging de deur open en verscheen Franklins leerjongen. De verontschuldigende blik in zijn ogen gaf aan dat hij geen goed nieuws had. Whitefield was uit de stad vertrokken. Hij was op weg naar Boston.

De volgende morgen vroeg – na een onderhoudende avond doorgebracht te hebben met luisteren naar hoe Franklin zijn onzalige aankomst in Philadelphia als jonge man beschreef – ging Josiah op weg naar Boston.

Hij was wanhopig. Hij had zijn reis al verlengd in een poging een opwekkingsprediker te ronselen voor Havenhill. En hoewel hij onder de indruk was van George Whitefields prediking – meer dan onder de indruk eigenlijk; luisteren naar dominee Whitefield was als luisteren naar een man die regelrecht van Gods troon was gekomen met een boodschap van de Almachtige Zelf – voelde Josiah zich er ongemakkelijk over dat hij zijn terugkeer naar Havenhill nog verder moest uitstellen.

Er waren er in de kerk die gemopperd hadden over zijn eerdere reis naar Boston om dokter McCullough te halen. Ze hadden beweerd dat hij voor niks op reis was gegaan. En er waren er die vonden dat een dominee nooit weg moest gaan als dat betekende dat hij er niet zou zijn op een zondag. Er was niet veel voorstellingsvermogen voor nodig om de gesprekken te bedenken die op dit moment in Havenhill gevoerd werden over zijn afwezigheid, vooral nu zijn afwezigheid van zijn plichten langer ging duren dan hij van tevoren gezegd had. De woorden *onverantwoordelijk* en *plichtverzuim* werden vast en zeker gebruikt.

Er had een gevoel van fatalisme meegespeeld in Josiahs besluit om door te reizen naar Boston. De mensen in Havenhill die hem zouden kruisigen omdat hij langer weg was dan hij voorzien had, zouden nu het hout en de spijkers al wel klaar hebben liggen voor zijn terugkomst. Wat voor verschil zouden een paar extra dagen maken? Dus had Josiah met een korzelige houding zijn paard bestegen.

Maar binnen het uur was hij weer vol moed en was hij ervan overtuigd dat hij de juiste beslissing genomen had.

De verandering was gekomen niet lang nadat hij een groepje van bijna een dozijn reizigers had ingehaald. Gezien de manier waarop ze lachten en met elkaar omgingen, dacht hij dat ze een soort reizend gezelschap vormden. Toen ontdekte hij iets opmerkelijks: geen van allen hadden ze elkaar voor die morgen eerder ontmoet. En toch deden ze alsof ze elkaar al jaren kenden.

Hij liet zijn paard langzamer lopen en paste zich aan aan het tempo van de reizigers. Josiah kwam er snel achter dat het enige dat de reizigers gemeen hadden was dat ze allemaal een openluchtdienst van dominee Whitefield hadden bijgewoond, dezelfde die hij had bijgewoond. En ze waren er allemaal veranderd vandaan gekomen. Het effect was verbijsterend.

Het was anders dan een warme nagloed die een kleine groep vrienden misschien voelde na een theater- of musicalvoorstelling. Dit was dieper. Het was alsof de harten van dit groepje vreemdelingen aan elkaar geknoopt waren. En het was meer dan gewone nieuwe vriendschappen – het ging ook dieper dan dat – meer als bloedverwantschap, meer als familie.

Ze spraken open over intieme dingen. Ze luisterden zonder te oordelen. Ze deelden emoties zoals anderen een stuk brood zouden delen, ze aten van dezelfde vreugde of verdriet of passie. Ze stopten vaak en vielen dan op hun knieën om te bidden voor een opgebiechte zonde of een verkeerd woord; voor een ziek familielid of een afgedwaald kind; of voor wijsheid voor een huiselijke beslissing. Ze konden nauwelijks vijftig stappen zetten zonder een reden te vinden om te knielen en te bidden.

Natuurlijk waren ze geïnteresseerd in Josiahs indruk van de preek en van de opwekkingsprediker. Met hun gezichten geheven luisterden ze geconcentreerd. Ze dronken zijn verhaal in alsof het een fontein was voor uitgedroogde reizigers. Toen hij hun vertelde van zijn missie, duwden ze hem bijna op de grond, zo graag wilden ze bidden voor zijn succes. Aan alle kanten was hij omringd en er daalden een dozijn of meer handen op hem neer. Josiah voelde hun gewicht op zijn rug en schouders en hoofd drukken toen deze metgezellen – Josiah kende van de meesten zelfs hun namen niet, want hij had er maar een paar opgepikt in de gesprekken – om beurten smeekten om de tussenkomst van God en de engelen voor hem, zijn kerk en alle inwoners van Havenhill. Hun stemmen braken van emotie toen ze baden; de tranen stroomden vrijuit.

Het raakte Josiah toen hij zich realiseerde dat hij in het vuil op een openbare weg ergens tussen Philadelphia en Boston knielde, omgeven door mensen die hij voor vandaag nooit eerder ontmoet had terwijl hun handen hem neerdrukten. Wat een vreemd gezicht moest dat zijn. Maar het maakte hem niet uit. Hij dronk hun aanmoedigingen, hun steun, hun gebeden in.

Het moeilijkste deel van de reis naar Boston kwam voor Josiah toen hij zijn bestemming bereikte en hij vaarwel moest

zeggen tegen hen met wie hij meegereisd was. Hij had vijf uit-
nodigingen om te komen eten en drie aanbiedingen om te
overnachten. Wat belangrijker was: hij had een nieuw beeld
van de macht van de Heilige Geest. Als God een eenheid kon
vormen uit twaalf vreemdelingen, stel je dan eens voor wat Hij
kon doen onder mensen die tientallen jaren samen gewoond
en gewerkt hadden!

Maar de inwoners van Havenhill moesten het Hem wel toestaan. Josiah wist genoeg van God om te weten dat Hij nooit
iemand dwong om te veranderen als die dat zelf niet wilde.
Maar daar was dominee Whitefield voor. Als Josiah dominee
Whitefield kon overhalen om naar Havenhill te komen, om de
zaak van Christus en geestelijke vernieuwing te bepleiten zoals
hij dat in Philadelphia gedaan had, was Josiah er zeker van dat
er harten van steen zouden smelten en opnieuw zouden kloppen met de liefde van Christus.

Dat maakte het des te belangrijker dat hij in Boston succes
zou boeken. Josiah was ervan overtuigd dat George Whitefield
de sleutel vormde. Linksom of rechtsom, Josiah moest de evangelist zover zien te krijgen dat hij in Havenhill wilde komen
preken.

26

Josiahs drie dagen in Boston waren de meest frustrerende dagen van zijn leven. Hij had zeven jaar in de stad doorgebracht en daarom dacht hij dat hij Whitefield daar gemakkelijker zou kunnen benaderen dan in Philadelphia, waar de menigte zo groot was.

Josiah had opgemerkt dat de mensen in Boston – die tot de welvarendste in de koloniën behoorden – opmerkelijk goed waren in hun uiterlijke onderhouding van de rustdag. Men achtte de godsdienst hoog, maar dat was alleen maar uiterlijk. Godsdienst was in de mode in Boston.

Kinderen die gedoopt werden, waren in de mooiste kleden gewikkeld. Er werd zo veel moeite gedaan om ze te kleden, dat men haast zou denken dat ze naar het altaar van de beau monde gebracht werden in plaats van naar God.

In dat godsdienstige klimaat verwachtte Josiah dat dominee Whitefields charismatische openluchtstijl door de inwoners van Boston met gereserveerd vermaak begroet zou worden.

Hij had zich niet erger kunnen vergissen.

De menigten in de Old North Church in Boston waren zo groot dat gouverneur Belcher gedwongen werd om noodplannen op te stellen voor een onmiddellijke verplaatsing van de dienst naar het stadsplein waar zich volgens de verslagen in de kranten drieëntwintigduizend mensen verzamelden om de evangelist te horen preken.

Josiah kwam nooit tot op roepafstand van de predikant.

Met een vreemde mengeling van gevoelens ging Josiah naar het zuiden, naar Havenhill. Aan de ene kant was hij er zekerder van dan ooit dat hij wist wat de mensen nodig hadden. Ze hadden God nodig, zuiver en eenvoudig. Ze hadden een nieuwe uitstorting van de Heilige Geest nodig om opnieuw de liefde te ontsteken die ze eens gehad hadden voor de dingen van God.

Het gekmakende hieraan was dat Josiah niet alleen de genezing voor zielsziekte kende, maar ook wist wie de genezing kon brengen. Alleen, na herhaalde pogingen, was hij er niet in geslaagd om zich van het tegengif te verzekeren.

Zo dichtbij.

Zo dichtbij.

Hij nam de postweg – dezelfde weg die hij genomen had toen hij zeven maanden geleden naar Havenhill was teruggekeerd – hij liep met het paard naast zich. Niet dat het paard rust nodig had. Josiah liep omdat hij moest nadenken.

Solvitur ambulando.

De oplossing komt door te lopen.

Tegen de tijd dat Josiah in Dedham kwam, had hij een besluit genomen. Het zou betekenen dat de reis nog een paar dagen extra zou duren en de woede van zijn gemeente nog meer zou toenemen, maar de gedachte hun toorn te moeten ondergaan, verbleekte bij de gedachte terug te keren in een zieke stad zonder geneesmiddel.

Dus in Dedham maakte Josiah rechtsomkeert naar het hart van Massachusetts en hij vestigde zijn blik opnieuw op Northampton.

Het herfstfestival van New England, een jaarlijks evenement mogelijk gemaakt door de natuur, ging net luisterrijk van start toen Josiah Northampton binnenreed, dit keer vanuit het oosten.

Inmiddels had hij goed geoefend wat hij wilde gaan zeggen. Gedetailleerd, maar zonder dat het pedant zou klinken. Gepas-

sioneerd, maar niet zeurderig. Overtuigend, maar niet dwin-
gend.

Op een gegeven moment had hij overwogen om eerst Sarah
Edwards voor zich te winnen zodat zij hem kon helpen haar
man te over te halen in Havenhill te komen preken. Maar die
benadering leek achterbaks en misleidend. Josiah besloot dat
hij dat als laatste redmiddel zou doen.

Toen Josiah de stad binnenreed, werden zijn gedachten afgeleid door de vredigheid ervan, de nagloed van de opwekking.
Hij bad dat hij – als God het wilde – door Havenhill kon wandelen en hetzelfde kon voelen.

Maar dat zou nooit gebeuren tot ze genazen van de zielsziekte-epidemie. Op de een of andere manier moest Josiah Jonathan Edwards ervan overtuigen dat hij in Havenhill moest
komen preken.

Josiah bereikte het huis van de Edwards en steeg af. Toen hij
naar de deur liep, vroeg hij zich af of hij weer begroet zou
worden door het kleine krullenkopje.

Hij klopte.

Even later ging de deur open.

'Nee maar, dominee Rush! We zaten juist voor u te bidden!'
Een verbaasde Sarah Edwards glimlachte warm en nodigde
hem binnen.

Josiah bedankte haar. Hij verwierp de gedachte dat haar
begroeting onoprecht was. Hij kende haar nog niet lang, maar
wel goed genoeg om te weten dat als ze zei dat ze net voor
hem zaten te bidden, dat ze dat dan ook inderdaad aan het
doen waren.

Met één voet binnen en één nog buiten keek Josiah langs
zijn gastvrouw.

Wat hij zag deed hem zo plotseling verstijven dat het leek
alsof hij tegen een onzichtbare muur aan gelopen was.

Voor het vuur zaten Jonathan Edwards en George Whitefield.

27

Toen Josiah George Whitefield zag, die zijn benen uitgestrekt had voor het vuur van Jonathan Edwards, had hij even nodig om bij zijn positieven te komen. Ze waren alle kanten op gevlogen, als vogels die uit een boom gejaagd waren.

Als zijn gastheer Josiahs verwarring merkte, liet hij het niet merken. De langere man kwam met grote passen op hem toe en stak zijn hand uit om hem te begroeten. Edwards greep Josiahs lamme hand beet – want hij moest nog steeds zijn laatste positieven vinden – en trok hem de kamer in om hem voor te stellen.

Whitefield stond op en keek hem aan.

'Dominee Whitefield hier vertelde ons juist hoe graag hij u had willen ontmoeten,' zei Edwards.

'En blijkbaar heeft God die wens in vervulling willen laten gaan,' zei de evangelist terwijl hij Josiah zijn hand bood.

'Het... het...' stamelde Josiah. Hij schraapte zijn keel en probeerde het opnieuw. 'Inderdaad, dominee. Het genoegen is aan mij.'

Hoe gewoon lijkt hij, dacht Josiah. Als hij Whitefield onderweg als een vreemdeling gepasseerd was, zou hij geen aandacht aan hem geschonken hebben. Maar omdat hij hem op de stoep van het gerechtsgebouw van Philadelphia en later weer op Boston Common had zien preken, verwachtte Josiah om de een of andere reden meer. Toen hij erover nadacht, leek dat belachelijk. Verwachtte hij echt dat de man zou baden in een hemelse glans?

Van de drie mannen was Whitefield het kleinst. Hij had een sympathieke glinstering in zijn ogen en zijn mondhoeken krulden een beetje kwajongensachtig omhoog. Opnieuw trof het Josiah hoe jong de predikant nog was. Ze waren ongeveer van dezelfde leeftijd. En toch, zie hoezeer God Whitefield gebruikt had – eerst in Engeland, nu in de koloniën. Er kwam een gevoel van schaamte over Josiah omdat hij lang niet zo veel voor God gedaan had.

'Dominee Edwards vertelde me juist dat u naar Philadelphia gereisd was met de bedoeling mij te ontmoeten,' zei Whitefield. Zijn stem was helder en klonk bekend, al was het verrassend hem zo zacht te horen praten in plaats van dat hij zijn woorden als wilde paarden over de hoofden van duizenden mensen joeg.

Josiah knikte. 'Ja, dominee, dat was mijn bedoeling.'

Sarah bracht een derde stoel en zette die tussen die waar Edwards en Whitefield op gezeten hadden. Toen de drie mannen zaten, kon Josiah niet anders dan zien hoe gezegend hij was met zijn plek, met Jonathan Edwards links van hem en George Whitefield rechts.

'En vervolgens naar Boston,' zei Josiah.

'En ook in Boston?' riep Whitefield uit. Toen, tegen Edwards: 'God zegende ons in Boston met menigten die onze verwachtingen te boven gingen. En de mensen in Boston gingen mij aan het hart. Ze waren zeer aangedaan door het Woord en erg gul voor mijn lieve wezen.'

'Meer dan twintigduizend bij één bijeenkomst,' voegde Josiah eraan toe.

Edwards' ogen lichtten op bij dat aantal. 'Zo te zien zijn er nog een paar namen in Sardes over die niet hun kleden bezoedeld hebben.'

'Inderdaad,' reageerde Whitefield. 'Het was ons gebed dat God de rest die nog over is... wortel zal laten schieten en vrucht zal laten dragen en het land zal laten vullen!'

Er ging een siddering van plezier en verwachting door Josiah heen. Hij zat in een geestelijke oase tussen twee mannen van God – mannen die de geestelijke noden van de koloniën begrepen en die zijn hartelijk verlangen deelden om het volk terug tot God, zijn eerste liefde, te leiden. Nu wist hij precies hoe Petrus zich voelde op de Berg der Verheerlijking. Hij wilde zijn tent opslaan en blijven.

'Wat ons bij u brengt, dominee Rush,' zei Whitefield. 'Dominee Edwards heeft me verteld hoeveel indruk de diepte van uw geest op hem gemaakt heeft en hij heeft me verteld over de wetenschappelijke studie die u gedaan hebt naar de aard van de zonde. Ik geloof dat u het vergeleken hebt met een lichamelijke kwaal?'

Josiahs hoofd tolde. Zo goed mogelijk beschreef hij zijn observaties en conclusies met betrekking tot zielsziekte en zijn verlangen om genezing in het stadje te brengen.

Whitefield luisterde geïnteresseerd.

Het was op dit punt van het verhaal, realiseerde Josiah zich, dat Edwards hem gevraagd had waarom hij zelf de genezing niet bracht. Opeens voelde Josiah zich ongemakkelijk. Had Edwards Whitefield ook verteld over de brand en over de drie doden? Zou Whitefield ook zo veel begrip hebben?

Edwards leek zijn ongemakkelijkheid te voelen. 'Toen hij mij daar advies over vroeg, deed ik hem de suggestie aan de hand dat u misschien precies het recept was dat zijn stadje nodig heeft.'

Josiah wilde de oudere predikant wel omhelzen.

'Dat wil zeggen,' besloot Edwards, 'nadat u hier in Northampton gepreekt hebt.'

Whitefield lachte en Josiah kreeg de indruk dat dit de eerste keer was dat de vraag of Whitefield wilde preken gesteld werd.

'U hebt me vrijwel niet nodig in Northampton,' zei Whitefield. 'U vergeet dat ik uw *Getrouw verslag* gelezen heb. God heeft al een sterke stem in de woestijn gevestigd. Het was uw verslag van Gods daden hier in de koloniën waar ik mijn inspiratie voor Engeland vandaan had.'

'Ik moet u waarschuwen dat de koloniën als geheel een speciale uitdaging vormen,' zei Edwards. 'Wij die in een land vertoefd hebben dat met het Licht is onderscheiden en lang het evangelie genoten hebben en ervan zijn verzadigd, zijn, vrees ik, meer verhard dan de meesten. Er is een frisse stem nodig. Mijn uitnodiging blijft staan.'

Whitefield zweeg. Hij leek erdoor overvallen dat het Jonathan Edwards was die het verzoek deed. Eindelijk zei Whitefield: 'Ik ben uw nederige dienaar.'

Edwards glimlachte. 'U bent de verhoring van onze gebeden.'

Whitefield wendde zich tot Josiah. 'En als u nadat u mij ontmoet hebt, nog steeds wilt dat ik in Havenhill kom preken, zal ik dat graag doen.'

Misschien was het de angst die zich dag na dag in hem had opgestapeld; misschien was het de vermoeidheid van de reis. Wat de reden ook was, Josiahs ogen schoten vol. 'Dominee, u bent de verhoring van mijn gebed.'

'Uw vasthoudendheid ten behoeve van uw gemeente getuigt van uw liefde voor hen,' reageerde Whitefield. 'Ik beschouw het als een voorrecht om te preken op de kansel van iemand met uw karakter.'

Na een maaltijd van gestoofd rundvlees met uien en penen en een pudding, hervatten de mannen hun gesprek over de geestelijke behoeften van de koloniën terwijl Sarah en de kinderen afwasten en zich klaarmaakten voor de middaglessen.

'U vraagt zich misschien af waarom u onderwerp van gesprek was, voor u hier aankwam,' zei Edwards tegen Josiah.

Tot nog toe was die gedachte niet bij Josiah opgekomen, zo verbaasd was hij geweest toen hij aankwam dat George Whitefield voor hem uitgegaan was naar Northampton. Maar nu Edwards de vraag opwierp, vond hij het inderdaad vreemd dat ze over hem zaten te praten, juist toen hij aankwam.

Edwards haalde plechtig een pamflet tevoorschijn en gaf het aan Josiah. Josiah merkte een afkeurende uitdrukking op op Whitefields gezicht.

'Dergelijke pamfletten worden langs de rivier de Connecticut verspreid,' zei Edwards.

'En in Boston,' voegde Whitefield toe. 'Ik zag precies dezelfde pamfletten aangeplakt langs de kade.'

Op het eerste gezicht begreep Josiah niet wat het pamflet met hem te maken had. Het was de aankondiging van een slavenveiling. Hij wilde hem net aan Edwards teruggeven en vragen wat hij hiermee te maken had, toen hem een enkel woord onderaan het pamflet opviel.

Havenhill.

De slavenveiling werd gehouden in Havenhill.

'Dat moet een drukfout zijn,' mompelde Josiah.

Whitefield en Edwards keken elkaar even aan.

Josiah staarde stom naar het pamflet. 'Het moet een drukfout zijn,' hield hij vol. 'Anders is het niet te verklaren. De mensen van Havenhill zouden nooit...'

Whitefield schoof naar hem toe en wees de naam aan die helemaal onderaan het blad stond.

Josiah las hardop voor: '"Lord Percival Bellamont." Ik heb nooit van hem gehoord.'

Whitefield zakte terug in zijn stoel. 'Ik zou heel graag willen dat ik dat ook niet had. Het was zijn naam op het pamflet die mijn aandacht trok. Heel wat godvrezende mannen in Engeland strijden tegen de verdorven en immorele zakelijke praktijken van Lord Bellamont, onder wie dr. Isaac Watts, die een hand gehad heeft in de publicatie van Edwards' *Getrouw verslag.*'

Josiah kende Isaac Watts van zijn schitterende liederen.

'Bellamont zit achter de controversiële geldmaatregel waar op het moment over gedebatteerd wordt,' voegde Edwards eraan toe. 'Zoals u vast gehoord zult hebben, willen rijke kooplieden dat er een zilverbank gesticht wordt, die ervoor moet zorgen dat de hoeveelheid geld in omloop beperkt wordt tot de voorraad zilver.'

Josiah knikte. Hij had gehoord van de poging.

'Ondertussen roepen boeren en kleinere kooplieden om een landbank, die landeigenaren wettelijke inschrijfbewijzen moet verstrekken voor hun land voor de zekerheid.'

'Wat logisch is, gezien het feit dat de rijkdom van een boer in zijn land zit,' stelde Josiah.

'Maar de kooplieden voeren aan – en ze hebben een punt...' zei Edwards, 'dat een boer niet kan overleven zonder de risico's die de kooplieden nemen door zijn producten en hout en goederen in het buitenland te distribueren en dat met het geld dat ze daarvoor krijgen de boeren in staat zijn hun belasting te betalen.'

'Wat voor de kroon en het parlement een zwaarwegend argument is,' voegde Whitefield eraan toe. 'Echter, het probleem is niet dat de ene partij gelijk heeft en de andere niet. Het gaat erom dat er mannen zonder scrupules zijn die in het debat een gelegenheid zien om er zelf financieel beter van te worden.'

Josiah zag het verband. 'Lord Bellamont.'

'Zijn naam is in Engeland synoniem geworden voor meedogenloosheid en schandelijke zakelijke praktijken,' legde Whitefield uit. 'Hij heeft een enorm fortuin vergaard door rum te importeren. Onlangs echter, heeft hij bekendgemaakt dat hij van plan is zijn financiële imperium uit te breiden door agressief te investeren in de slavenhandel.'

Wat het pamflet verklaart, dacht Josiah. Maar hoe was Havenhill hierbij betrokken?

'Herinnert u zich dat ik u waarschuwde voor de riviergoden?' vroeg Edwards.

Josiah knikte. Hij herinnerde het zich.

'Lord Bellamont heeft verscheidene vergeefse pogingen

gedaan om voet aan de grond te krijgen in Connecticut Valley. Hij heeft gemakkelijk krediet geboden aan landeigenaren, met aantrekkelijke terugbetalingsregelingen.'

'Hij strikt landeigenaren en andere kooplieden door een beroep te doen op hun verlangen dingen te bezitten die ze niet verdiend hebben,' voegde Whitefield eraan toe.

'Mannen die dag aan dag in economische onzekerheid leven kopen voor hun vrouwen en dochters fluwelen kappen, rode mantels en zijden gewaden,' zei Edwards. 'Het resultaat is dat ze gevangen raken in een web van buitensporigheid en economische afhankelijkheid.'

'Wat is ervan gekomen?' vroeg Josiah.

'God is gekomen. Dat was in dezelfde tijd als dat de Heilige Geest door deze regio ging en de harten van mensen afgewend werden van de hebzucht en de zelfzucht. Echter, niet voordat velen van hen hun land met hypotheken bezwaard hadden bij Bellamont. Dus zijn er een paar godvrezende zakenlieden tussenbeide gekomen. Zij hebben degenen die in de schuld stonden bij Bellamont gered en hebben hem uit de regio verdreven.'

Josiah begon zich ongemakkelijk te voelen.

Whitefield wees naar het pamflet. Hij zei: 'Op het moment worden er door honderdvijftig schepen elk jaar vijfenveertigduizend slaven naar Amerika getransporteerd. Slechts vijfendertig procent van de slaven wordt in New England verkocht. Het grootste deel gaat naar het hart van de zuidelijke koloniën. Bellamont wil niet alleen een gedeelte van deze lucratieve handel. Hij wil die ook uitbreiden door het aantal slaven dat in de koloniën van New England verkocht wordt te verhogen.'

'Daarom was hij hier in Connecticut Valley,' zei Edwards. 'Hij zocht naar een geschikte haven om daar de slavenhoofdstad van het noorden van te maken.'

Josiah keek naar het pamflet in zijn handen. Het woord *Havenhill* brandde op het perkament. Had Lord Bellamont zijn slavenhoofdstad gevonden? Maar hoe?

28

Josiah bracht een onrustige nacht door in hetzelfde bed waar hij eerder in geslapen had toen hij bij het gezin Edwards verbleef. Terwijl de nachtelijke uren zich voortsleepten, kon hij alleen maar denken aan het pamflet over de slavenhandel. Philip moest er toch van weten? En hoeveel anderen wisten ervan? Wist het hele stadje ervan?

Twee keer sloeg Josiah de dekens van zich af omdat hij dacht dat hij niet tot morgen kon wachten. Hij moest terug naar Havenhill. En twee keer trok hij de dekens weer over zich heen. Nu vertrekken zou onbeleefd zijn tegenover zijn gastheer en gastvrouw. Bovendien, hij moest nog het een en ander regelen met Whitefield voor zijn komst naar Havenhill.

Josiah wierp zich op zijn zij.

Misschien kon hij de uitnodiging intrekken. Op de een of andere manier leek het niet gepast om een evangelist uit te nodigen in de slavenhoofdstad van New England. Natuurlijk had Josiah niet geweten dat het de slavenhoofdstad van New England was toen hij de uitnodiging deed. Maar Whitefield had het toch geweten? Of in elk geval vermoed. Hij had toegegeven dat hij de pamfletten in Boston gezien had. Hij wilde misschien juist wel graag in de slavenhoofdstad van New England preken. Welke evangelist niet? Het was net als preken in Ninevé of in Sodom en Gomorra.

Met een grom draaide Josiah zijn hoofd naar de muur.

Toen de morgen gekomen was, deed Whitefield Josiah uitgeleide. Sarah Edwards verontschuldigde haar man.

'Hij was ziekelijk toen ik kwam,' zei Whitefield over hun

gastheer. 'Maar sterk van geest, net als zijn vrouw. Een aardiger stel heb ik nog niet gezien.'

Josiah glimlachte. Hij merkte dat Whitefield ingenomen was met Sarah Edwards. Een paar keer betrapte hij hem erop dat de evangelist haar met de ogen volgde. Niet op een verdorven manier. Meer bewonderend.

'Ik vind de vrouw aantrekkelijk op een godvrezende manier, bent u het daar niet mee eens?' zei Whitefield alsof hij Josiahs gedachten kon lezen. 'Ze is getooid met een nederige en rustige geest; ze praat degelijk over de dingen van God en lijkt een grote hulp voor haar man. Bent u getrouwd, dominee Rush?'

'Nee,' zei Josiah een beetje wanhopig. De waarheid was dat hij Whitefields opmerkingen over Sarah Edwards graag tot de zijne maakte. Ze had op hem dezelfde indruk gemaakt.

Whitefield begon opnieuw over hun gastvrouw en zei: 'Ze heeft ervoor gezorgd dat ik mijn gebeden hervat heb, die ik al enige tijd tot God opgezonden heb, dat het Hem mocht behagen om mij een dochter van Abraham als vrouw te geven.' In alle ernst vervolgde hij: 'Het is mijn verlangen niet zelf te kiezen. God kent mijn omstandigheden. Hij weet dat ik verlang in en voor Hem alleen te trouwen. En net als hij Rebekka koos voor Isaak, geloof ik dat Hij op een dag een hulp voor mij zal kiezen, zodat we samen het grote werk dat mij is opgelegd, kunnen uitvoeren.'

Of hij nu preekte of over liefde sprak, de man was vol vuur. Josiah bewonderde dat in hem. Hij voelde hetzelfde. Terwijl Whitefield sprak gingen Josiahs gedachten naar Nabby. God zou voor hen een weg banen. Hij wist dat in zijn hart.

'U hebt een speciaal iemand, hè?' zei Whitefield grijnzend terwijl hij Josiah bestudeerde. 'Ik kan het zien aan uw gezicht.'

'Een hulp,' zei Josiah.

'Gaat u snel trouwen?'

Josiahs gezicht kleurde. 'Op Gods tijd,' reageerde hij.

Whitefield knikte begrijpend.

Nadat ze hun zaken afgewikkeld hadden, baden de twee mannen dat God de weg zou bereiden voor Whitefields aankomst in Havenhill.

Nadat Josiah zijn paard bestegen had, zei Whitefield: 'Ik heb vaak van de kansel gezegd dat de reden waarom gemeenten zo dood zijn is dat er dode mannen voor hen preken. Hoe kunnen dode mannen levende kinderen verwekken?' Hij zweeg. Toen voegde hij eraan toe: 'Maar sinds ik dominee Edwards en nu u ontmoet heb, heb ik de hoop dat God grote dingen in petto heeft voor de Amerikaanse koloniën, omdat de Amerikaanse kerken geleid worden door zulke vurige en godvrezende mannen.'

De terugreis van Northampton naar Havenhill verliep zonder incidenten. Nu hij door Gods genade volbracht had wat hij had willen doen – al had het aanzienlijk meer tijd gekost dan hij voorzien had – had Josiah een goed gevoel over de reis.

Toch, tegelijk was het pamflet over de slavenveiling nooit ver uit zijn gedachten. Er moest een verklaring zijn. Een soort fout. Een vergissing. Philip zou het wegverklaren. Hij zou misschien zelfs lachen omdat Josiah het zo zwaar opgenomen had.

Dat was tenminste wat Josiah zichzelf vertelde op weg van Northampton naar Havenhill. Maar Josiah kon zichzelf niet eens overtuigen. Hoeveel verklaringen hij ook bedacht, de knoop van zorg onder in zijn maag verdween niet.

Uiteindelijk bereikte hij Fiedler's Knob. Met een vermoeide kreun klom hij van zijn paard en ging op de rand van de steile afgrond staan die uitkeek over het stadje, net als hij zeven maanden eerder had gedaan.

Hij was nu een andere Josiah.

Hij wist beter wat hem te wachten stond.

In elk geval dacht hij dat hij dat wist. Aan de andere kant

dacht hij dat hij minder over het stadje wist dan toen hij vertrokken was. Maar hij was er wel zeker van dat God precies wist wat er in het stadje gebeurde. Niets was voor Hem verborgen. Hij kende de bedoelingen achter de opmerkingen. De onuitgesproken gedachten. De geheimen die zo diep van binnen verborgen zaten dat de mensen ze niet zouden toegeven, zelfs niet voor zichzelf.

God wist wat er in Havenhill aan de hand was. En wat dat ook was, de eerste stap om het in orde te brengen was dat de mensen in het stadje hun geestelijke huizen in orde moesten brengen. Als dat eenmaal gedaan was, konden alle andere zaken opgelost worden. Tot dat gedaan was, kon er niets opgelost worden.

Josiah viel neer op zijn knieën en bad voor het stadje.

'God, U hebt deze stad aan mijn handen toevertrouwd. Waarom kan ik niet zeggen. Want van alle mensen ben ik het minst in staat om de verandering te bewerken die onder deze mensen nodig is. Dus bid ik voor hen. God, zoals U gedaan hebt in Northampton en Hadley en Philadelphia en Boston, zend Uw Geest om deze stad op de knieën te brengen zodat ze hernieuwd weer opstaan, als gezegende en rechtvaardige heiligen van de Almachtige God. Zodat iedereen die de naam Havenhill hoort met een levende hoop gevuld wordt dat geen enkele zonde zo erg is dat die niet vergeven kan worden en dat niemand zo verloren is dat hij niet gered kan worden.'

Josiah stond op en zocht zijn weg langs de postweg Havenhill in. Met elke stap voelde het alsof hij ondergedompeld werd in een warm, misselijkmakend bad.

29

Het was laat in de middag. Josiah kwam niemand daadwerkelijk tegen toen hij de brink passeerde, al was hij het object van meerdere blikken die, als hij groetend zijn hand opstak, snel afgewend werden.

Hij vond een briefje toen hij zijn huis bereikte. Te oordelen naar de gekrulde hoeken en de verbleekte inkt had het al minstens een aantal dagen aan zijn deur gepind gezeten.

Kom <u>*ONMIDDELLIJK*</u>
na uw terugkomst bij mij.
Mevrouw Parkhurst

'Daar begint het al,' zei Josiah met een zucht.

Hij merkte nog een briefje op, opgevouwen en onder een overnaadse plank van de muur gestoken.

Wees sterk en moedig. Ik bid voor u.

Het handschrift was hetzelfde als eerder; en net als alle eerdere briefjes was ook dit niet ondertekend.

Josiahs schouders zakten. Hij was vermoeid en stoffig van de reis; zijn voeten en benen deden zeer; en hij had honger. Het laatste wat hij wilde was een misnoegde, voormalige domineesvrouw. Maar Eunice Parkhursts hoofdletters en dikke onderstreping overtroefden zijn ongemak.

Hij nam alleen de tijd om het paard te drenken en ging toen lopend op weg, dezelfde weg terug als hij net gekomen was. Terwijl hij liep, zette hij zich schrap om de emmer van gramschap te weerstaan die Eunice zeker over zijn hoofd zou uitgieten. De gedachte dat hij misschien ook Nabby zou zien en mogelijk een kans zou krijgen met haar te praten was het enige lichtpuntje in dit verder grimmige scenario.

Toen hij het trapje naar de voordeur van de Parkhursts opklom, besefte hij dat zijn schoenpunten modderig en zijn haar vettig waren. Normaal gesproken zou hij nooit een pastoraal bezoek afleggen in deze onverzorgde staat. Echter, dit keer hoopte hij dat het vuil van de reis voor hem zou pleiten, hij nam Eunice Parkhursts haast serieus. Hij klopte op de deur.

'Kijk jou nou!' riep Eunice vol afschuw. Ze bedekte haar mond en neus met een zakdoek. 'Je kon op z'n minst het fatsoen gehad hebben om jezelf te wassen voor je kwam! Nooit, NOOIT van z'n leven zou dominee Parkhurst zo bij een gemeentelid op bezoek zijn gegaan!'

'Mijn verontschuldigingen,' zei Josiah. 'Uw briefje... er was haast bij. Dik onderstreept.' Hij zocht in zijn zak naar het briefje.

Eunice wendde vol afschuw haar hoofd af. Ze was gekleed in een eenvoudige lichtblauwe katoenen jurk met een muts met loshangende stroken over haar haar, dat ze altijd opgestoken had. Zoals gebruikelijk was ze netjes en schoon. De kamer zag eruit zoals altijd. Opgeruimd en schoon. De meubels waren gestoft en schoon. De vloeren waren geschrobd en schoon.

Het enige vieze in de kamer was Josiah.

Eunice stopte haar zakdoek weg, trok een la open en pakte een waaier waar ze heftig mee tekeerging.

'Mijn verontschuldigingen,' zei Josiah. 'Ik zal terugkomen wanneer ik er beter uitzie.'

'Blijf waar je bent!' beval Eunice. 'Ik heb je iets te zeggen.'

Haar ogen waren hard als marmer en gezien de manier

waarop ze op hem toekwam, had ze meer dan één ding op haar hart.

'Wat dacht je wel niet, zomaar wegrijden zonder iemand iets te vertellen?' schreeuwde ze.

Hij deed zijn mond open om te protesteren, maar sloot hem weer. Philip wist waar hij heen gegaan was. Grace en Mercy wisten waar hij heen gegaan was. Met haar opmerking dat hij het niemand verteld had, bedoelde Eunice eigenlijk dat hij het *haar* niet verteld had.

'Je bent dominee! Mensen rekenen op je! Nog nooit van mijn leven heb ik gehoord van een dominee die zo zijn gemeente verwaarloost als jij! We zijn schapen zonder herder geweest. Wat voor gevoel denk je dat ons dat geeft?'

Josiah vond de Bijbelse vergelijking een goeie. Hij deed geen poging om te antwoorden. Hij kende Eunice goed genoeg om te weten dat ze als ze eenmaal goed op stoom gekomen was door niets te stoppen was. Ze moest het eruit gooien. Zelfs dan was er met haar nog niet te praten. Geen enkele verklaring kon haar tevreden stellen. Geen enkel feit kon haar overtuigen. Een verontschuldiging kon haar soms wat kalmeren, maar niet altijd.

Terwijl Eunice een gedetailleerde lijst begon af te werken van iedereen in het stadje die door zijn onverantwoordelijkheid onnodig geleden had zonder hun dominee aan hun zijde, liet Josiah een vinger in zijn zak glijden om aan het andere briefje te voelen, het opgevouwen briefje.

Wees sterk en moedig. Ik bid voor u.

De afleiding sterkte zijn geest.

Voor eventjes.

Maar toen werd de deur opengegooid.

'Daar ben je! Ik hoorde dat je weer terug was!' klonk een mannenstem.

194

De gestalte van Johnny Mott vulde de deuropening. Pas toen hij naar binnen stapte, ontdekte Josiah dat Abigail bij hem was.

'Waar ben je geweest?' riep Mott.

Het absurde van het tafereel trof Josiah. Toen hij in het stadje was, wilde iedereen dat hij zou vertrekken; toen hij weg was, klaagden ze allemaal dat hij er niet was.

'Wat sta je te grijnzen?' zei Mott. 'Lach je me uit?'

'Zeer zeker niet,' zei Josiah. Hij liet de grijns verdwijnen.

Eunice kneep haar ogen verder dicht. 'Ik ben nog niet met hem klaar, Johnny. Jij mag hem hebben als ik klaar ben.'

Josiah nam het risico naar Nabby te kijken. Ze stond met haar rug tegen de muur, haar handen voor zich gevouwen – in gebed? – om uit de vuurlinie te blijven. Ze zag er oogverblindend uit.

Ingetogen. Lief. Haar bleke huid glansde. Haar lippen waren zacht en gevoelig.

Plotseling werd hem het zicht benomen door de massieve borstkas van Johnny Mott. 'Hoe kom je erbij het gerucht te verspreiden dat ik George Mason heb laten doden omdat hij had ontdekt dat ik een dubbele boekhouding bijhield?'

'Wat?' vroeg Josiah.

'Ik ben nog niet met hem klaar!' hield Eunice vol en ze werkte zich met haar ellebogen tussen Josiah en Johnny in.

'Ik heb nooit iets van iemand gestolen en dat weet je!' schreeuwde Johnny terwijl hij over Eunice' hoofd heen een vette vinger naar hem priemde.

'Johnny, geloof me, ik heb nooit...' probeerde Josiah.

De deur sloeg opnieuw open.

Ouderling Dunmore stormde naar binnen, zijn gezicht zo paars als afgegoten bieten. 'Daar bent u!' schreeuwde hij tegen Josiah.

Deze drie woorden leken de aanvalskreet van het stadje.

'Waar was u afgelopen dinsdag?'

'Dinsdag? Ik was in...'

'Als de kerkenraad een vergadering bijeenroept om met de dominee te praten, is het gebruikelijk dat de dominee aanwezig is!'

'Je weet dat ik niets te maken had met de dood van George Mason!' schreeuwde Johnny Mott.

'Mevrouw Hibbard had een verschrikkelijke aanval van reumatiek, maar toen haar dochter een bericht stuurde naar haar dominee...' zei Eunice over Johnny's woorden heen.

'Goed, ik zal met de kerkenraad praten,' zei Josiah tegen ouderling Dunmore. 'Ik heb een evangelist uitgenodigd om...'

'Een evangelist?' schreeuwde Dunmore. 'We kunnen één dominee nog niet eens zijn werk laten doen! En u wilt dat we er nog een gaan betalen?'

Josiah was in de minderheid en werd overweldigd. Hij gaf zich over aan de slachtpartij. Na een tijdje werd Eunice moe en Abigail hielp haar naar boven. Ouderling Dunmore kondigde aan dat er een nieuwe vergadering van de kerkenraad gehouden zou worden en dat Josiah dit keer maar beter zo verstandig kon zijn om aanwezig te zijn. Toen vertrok de nog steeds geïrriteerde ouderling.

Johnny draaide zich om om ouderling Dunmore te volgen.

Josiah had zijn oude vriend vaker zo kwaad gezien. Johnny zag eruit alsof hij iemand wilde slaan en als hij niet wegliep, kon niemand zeggen hoe lang hij die aandrang nog kon bedwingen.

Josiah moest het risico nemen. Hij pakte Johnny bij de arm. 'Ik moet met jou en Philip praten,' zei hij zacht.

'Philip is in Boston.'

'Wanneer komt hij terug?'

Josiah kon zien dat Johnny moest vechten om zijn emoties in bedwang te houden, om te voorkomen dat hij zijn opgekropte agressie over Josiah zou uitstorten. Voor de tweede keer draaide Johnny zich om om te vertrekken. En voor de tweede keer hield Josiah hem tegen.

'Ik heb de pamfletten gezien,' zei Josiah.

'Waar heb je het over?'

'In Boston. Langs de rivier de Connecticut. De pamfletten die de slavenveiling aankondigen.'

Johnny's ogen schoten weg van die van Josiah. 'Ik weet niet waar je het over hebt.'

Johnny was een slechte leugenaar. Dat was hij altijd geweest.

'Is het waar?' vroeg Josiah.

Johnny Mott draaide zich weer om; dit keer was hij niet meer tegen te houden. Josiah keek zijn vriend na, die elk moment leek te kunnen exploderen. Halverwege de straat gebeurde het. Met een grom sloeg hij tegen een klein boompje. Er kraakte iets. Vogels vlogen alle kanten op. Even later verloor Josiah hem uit het oog.

Josiah stond alleen in de deuropening van het huis van de Parkhursts. Het was stil.

Hij sloot de deur en draaide zich om om naar huis te gaan.

Toen hij de hoek van het huis omliep, zag hij Abigail achter het huis. Ze voerde de kippen door zaad te strooien uit een kleine jutezak.

Josiah keek om zich heen. Er was niemand te zien. Eunice lag boven te rusten. Johnny was net vertrokken en zou waarschijnlijk niet snel terugkomen.

Hij kon het niet helpen dat hij zich afvroeg of Abigail hetzelfde gedacht had en juist dit moment uitgekozen had om de kippen te voeren omdat ze wist dat hij haar zou zien.

Dit was de eerste keer in lange tijd dat Josiah naar Nabby kon kijken zonder angst dat iemand het zou merken. Misschien was het daarom dat ze nog nooit zo mooi geleken had. Haar heupen waren nu breder dan toen ze op school zat, haar borst voller, wat haar een volwassen figuur gaf. Haar haar was opgestoken onder een muts, waardoor een satijnen, witte hals zichtbaar werd. Josiah had altijd gehouden van de ronding van haar hals.

Ze leek niet te weten dat hij er was. Of deed ze alleen maar zedig?

Josiah schoof met zijn voeten om zijn aanwezigheid aan te kondigen.

Ze schrok een beetje. Ze draaide haar hoofd in zijn richting. Hun ogen ontmoetten elkaar.

Zachte azuurblauwe bollen verslonden hem.

Ze keek weg. 'Je moet hier niet zijn.'

'Ik zag je daar staan en kon het niet helpen. Je weet dat ik mezelf nooit in de hand heb kunnen houden als het om jou ging.'

Haar wangen werden rood. 'Zeg toch niet zulke dingen!' beet ze. Ze leek nijdig.

Het maakte Josiah niet uit. Hij was het zat om te doen alsof. Om voorzichtig te zijn. Om te wachten.

Toch, ondanks zijn gevoelens, bedwong hij zijn ongeduld. Hij was bang dat ze als hij te ver ging zou vluchten als een bang vogeltje. En hij wist niet wanneer hij weer zo'n kans zou krijgen als nu.

Hij zocht naar een aanknopingspunt en vond het in zijn zak. Haar briefje. Hij haalde het tevoorschijn. 'Ik wil je hier voor bedanken.' Hij friemelde met het opgevouwen stukje papier.

'Wat is dat? Ik weet niet waar je het over hebt.'

Josiah glimlachte. Ze wilde anoniem blijven. Dat was logisch. Als ze niet toegaf dat zij de briefjes stuurde, zou ze niet het gevoel hebben dat ze iets achter Johnny's rug om deed.

'Ik begrijp het,' zei hij. 'Maar ze betekenen toch veel voor me.'

Hij verwachtte dat ze zou glimlachen en dat zou het dan zijn. Boodschap overgebracht en begrepen. Het zou hun geheim zijn.

In plaats daarvan liep ze naar hem en pakte het briefje uit zijn handen, vouwde het open en las het. 'Wie heeft je dat gestuurd?'

Nu speelde ze met hem, dacht hij.

Hij zou meespelen. 'Een vriendin,' legde hij met een glimlach uit.

'Weet je wie?'

Ze speelde niet! Ze meende het. Toch geloofde hij haar niet. Hij wilde haar niet geloven.

'Dit is toch jouw handschrift?' hield hij vol.

Ze schudde haar hoofd en gaf hem het briefje terug. 'Nee hoor.'

Nu ze elke betrokkenheid bij het briefje ontkende, voelde het plotseling vreemd in zijn hand.

'Zo te zien heeft dominee Rush een geheime aanbidster,' zei Abigail op een jongemeisjestoon.

'Heb jij echt niet...'

'Ik kan maar beter naar binnen gaan en kijken hoe het met moeder gaat.' Abigail begon naar het huis te lopen. Ze draaide zich abrupt om en liep een paar passen achteruit, net lang genoeg om eraan toe te voegen: 'Echt, Josiah, je hebt er slag van om het stadje tegen je in het harnas te jagen, hè?'

30

Had hij het al die tijd mis gehad?

Gezeten achter zijn schrijftafel naast het raam staarde Josiah naar het briefje in zijn hand.

Wees sterk en moedig. Ik bid voor u.

Hij dacht zeker te weten dat het Nabby's handschrift was. Maar als dat zo was, had ze niet zo'n verbaasd gezicht kunnen opzetten toen ze het briefje las. Dan zou ze ook niet hebben ontkend dat ze het geschreven had. Maar als Nabby niet degene was die de briefjes schreef, wie dan wel?

En wat was dat voor gerucht waar Johnny zo boos over was? Josiah had niemand verteld dat Johnny George Mason had laten doden. Wat voor reden kon hij hebben om zo'n gerucht de wereld in te helpen? En hoe kwam Johnny aan het idee dat hij erachter zat?

Jabez, George' broer, was een mogelijke kandidaat. Hij was boos genoeg geweest om te proberen Johnny te vermoorden. Maar een gerucht? Jabez was meer het soort van de bijl. En waarom zou hij proberen om de verdenking op Josiah te werpen?

Josiah kneep zijn ogen dicht. Hij had hoofdpijn.

En wat was de grief van ouderling Dunmore? Wat voor vergadering op dinsdag? Josiah wist niets van een vergadering op dinsdag. Hoe kon hij? Op dinsdag was hij onderweg van Northampton naar Havenhill geweest. Waarom zou iemand een vergadering bijeenroepen in de wetenschap dat hij de stad uit was? Het klopte niet.

En hoe zat het met Johnny's reactie toen het pamflet over de slavenveiling genoemd werd? Als Josiah Johnny goed doorzien had, wist zijn oude vriend van de veiling, maar was hij verbaasd dat Josiah ervan wist.

Zijn hoofd tolde toen hij zich herinnerde hoe hij in de gang van Eunice Parkhurst stond. Een tijdje had hij zich, terwijl al de beschuldigingen op hem afvlogen, gevoeld als het enige doelwit van een troep boogschutters. Hoe konden zo veel mensen zo boos op hem worden terwijl hij de stad uit was?

Eunice begreep hij. Hij had haar toorn voorzien. En, inderdaad, ze had hem niet teleurgesteld. En hij had nog niet het laatste van haar gehoord, daar was hij zeker van. Hij kon rekenen op een tweede ronde.

En dan was er dit briefje. Hij staarde er weer naar, alsof het als hij er maar lang genoeg naar staarde, zou vertellen wie de schrijfster was. Na een tijdje legde hij het neer op de tafel. Het was een raadsel dat moest wachten.

Hij sloeg zijn dagboek open en reikte naar een ganzenveer. Zijn hand zweefde boven de veer, maar toen trok hij hem terug. Zijn schrijven moest ook wachten. Zijn gedachten waren een warboel.

Andere dingen vroegen onmiddellijke aandacht.

Het eerste was iets te eten klaarmaken. Iets eenvoudigs dat niet veel tijd kostte. Eieren... of een speklap en wat aardappels.

Het tweede was zich wassen. Hij kon zichzelf bijna niet verdragen.

De volgende morgen zou hij beginnen met de voorbereidingen voor de komst van George Whitefield. Hij zou naar de zussen toegaan. Hij wilde Mercy laten weten dat er een evangelist naar het stadje kwam en haar vragen of ze van George Whitefield gehoord had.

Toen kwam hij bij de onderkant van het pamflet over de slavenveiling. Maar dat moest wachten tot Philip terug was uit Boston.

Josiah hoefde niet lang te wachten.

De volgende dag hoorde hij dat Philip terug was uit Boston. Josiah had de morgen besteed met de lijst mensen afwerken die volgens Eunice Parkhurst de diensten van een dominee nodig gehad hadden toen hij weg was. Voor het grootste deel waren hun noden ernstig overdreven. Een ouderling of goede vriend had er gemakkelijk in kunnen voorzien en in de meeste gevallen was dat ook gebeurd.

Zijn laatste bezoek duurde het langst. Mevrouw Hibbard. Toen hij bij haar kwam, begroette ze hem met te vertellen dat ze niet met hem zou praten. Toen ging ze verder met vertellen dat ze teleurgesteld in hem was omdat hij haar in de tijd van haar nood verlaten had en dat hij een slecht soort dominee was, al hoorde ze hem graag preken. Twee uur lang, zonder onderbreken, praatte ze hem de oren van het hoofd, steeds weer herhalend dat ze niet met hem zou praten.

Het was niet voor het begin van de middag dat Josiah een kans had om uit te rijden naar Philips huis.

Philip was er niet. Een bediende vertelde Josiah dat hij de hele dag bezig zou zijn. Josiah vroeg of Philip 's avonds thuis zou zijn. De bediende bevestigde noch ontkende het.

Wilde de bediende Philip beschermen? vroeg Josiah zich af.

Josiah liet het paard dat hij van Philip geleend had achter en liep terug naar het stadje.

Hij kwam bij het huis van de zussen, juist toen ze uit wilden gaan. Mercy glimlachte lief naar hem en vroeg naar zijn reis – of hij Hadley bereikt had. Grace glimlachte niet. Haar antwoorden waren kort.

Josiah had hen betrapt bij een liefdadigheidsmissie. Ze wilden soep en vers brood naar mevrouw Hibbard brengen, die zich de laatste tijd een beetje zwak voelde. Wilde Josiah met hen mee gaan?

Hij sloeg het af en wenste hun het beste.

Hij ging terug naar zijn huis en gebruikte de rest van de

middag om zijn preken voor zondag voor te bereiden. Hij schoot niet op. Hij vond het moeilijk om zijn gedachten bij de tekst te houden. Verscheidene keren betrapte hij zich erop dat hij leeg in de verte staarde en bezig was met wat hij tegen Philip zou zeggen als hij hem zag.

Die avond pakte Josiah het pamflet over de slavenveiling dat hij uit Boston had meegenomen. Vanuit de verte leek het huis met verdieping van Philip net een geestverschijning, badend in het zilveren licht van een volle maan. De ramen aan de voorkant waren donker. Echter, toen Josiah dichterbij kwam, kon hij licht in het huis zien, dat gloeide als de laatste resten van een vuur.

De bediende met het lange gezicht deed de deur voor hem open. Toen Josiah vroeg of hij Philip kon spreken, zei hij: 'Meester Clapp heeft visite en kan niet gestoord worden.'

'Dit duurt maar een minuutje.'

Het lange gezicht werd nog langer toen de bediende zich voorover boog, alsof hij tot een kind sprak. 'Ik ben er zeker van dat als u morgenochtend terugkomt, de meester u dan kan spreken.'

Philips gelach kwam van achter uit het huis.

'Als u mij wilt aandienen,' zei Josiah in een poging geduldig te blijven, 'ben ik er zeker van dat je meester mij nu wil spreken.'

'Het spijt me, meneer.' Lang Gezicht begon de deur te sluiten.

'Best.' Josiah hield het pamflet in de ene hand en duwde de bediende opzij met de andere. Hij liep het huis in. 'Ik dien mezelf wel aan.'

Lang Gezicht deed een poging om Josiah bij de arm te grijpen, maar Josiah schudde hem af. Terwijl hij met grote passen naar het licht beende, hoorde Josiah meer stemmen en vrouwelijk gelach.

Voor Lang Gezicht hem kon inhalen, slaagde Josiah erin de kamer in te komen. Zijn impulsiviteit bracht hem in de helder verlichte eetkamer, een spelonkachtige kamer versierd met tapijten, sierlijsten en een kristallen kroonluchter.

Op zijn abrupte binnenkomst staarden de vier mensen aan de eettafel hem aan en vielen stil.

Josiah wenste meteen dat hij naar Lang Gezicht geluisterd had.

'Wel!' Philip rees op uit zijn stoel. 'Een onverwachte binnenkomst, maar niet onwelkom. Kom binnen, Josiah. Ik weet zeker dat je iedereen kent.'

Inderdaad. Veel te goed.

Om de tafel zat een partijtje van vier. Abigail Parkhurst, Johnny Mott, Philip en...

'Je herinnert je Anne, toch?' zei Philip met een ongedwongen glimlach.

Een elegante figuur legde haar servet neer en stond op. Gekleed in rode zijde was Anne Myles betoverender dan Josiah zich herinnerde. Ze bewoog zich koninklijk en stak haar hand naar Josiah uit. 'Je ziet er goed uit,' zei ze met schitterende ogen.

Josiah nam het aanbod van haar slanke vingers aan. Hij had zich nooit zo slecht gekleed en ongecultiveerd gevoeld als nu hij deze vrouw begroette. Hij ontmoette haar blik en ving slechts een glimp op van de vreemde, jongensgekke Anne uit hun schooltijd.

Hij hield het pamflet over de slavenveiling achter zijn rug.

'Wel!' riep Philip uit. 'Kijk ons nu! We zijn er allemaal. Eindelijk herenigd!'

Het was een goede poging om een vervelende situatie door te komen. Het werkte niet. Iedereen glimlachte, maar achter die glimlachen wenste iedereen – inclusief Josiah zelf – dat hij niet in de kamer was.

Johnny Mott staarde naar de dode fazant op zijn bord.

Abigail deed grote moeite om overal heen te kijken, behalve naar Josiah. Anne glimlachte toegeeflijk.

Philip sprak de bediende met het lange gezicht aan die aan de rand van de kamer stond en naar een manier zocht om Josiah uit het water te vissen zonder naar hem toe te moeten waden.

'Foster, breng nog een bord en bestek voor dominee Rush,' zei Philip. 'Hij eet met ons mee.'

'Nee... nee, eh, dat is niet nodig. Ik kan niet blijven.'

Als er ooit iemand de waarheid sprak, dan was dat nu. Het zou Josiahs dood worden als hij moest blijven en toekijken hoe Johnny en Abigail zich als een paar gedroegen – een van de twee paren in de kamer – met Josiah in de rol van buitenstaander. Hij week terug naar de deur.

'Weet je zeker dat je niet blijft?' vroeg Anne. 'Het is echt geen probleem.'

Ze leek oprecht genoeg. Maar Josiah kon niet zeggen of ze het meende of dat ze gewoon beleefd was.

'Dat is heel aardig,' zei hij. Toch bleef hij zich achteruit bewegen. 'Maar ik kwam gewoon even langs. Ik wist niet...' Hij maakte een hulpeloos gebaar naar de eettafel. 'Mijn zaak kan wachten.'

Anne stond op en liep naar hem toe. Ze stak zijn arm door de zijne en bracht hem tot stilstand. Had ze echt niet in de gaten dat hij hier dood zou gaan?

Ze boog vertrouwelijk haar hoofd naar hem toe en sprak zacht, al wist Josiah dat de anderen haar toch konden horen. 'Als het je schikt, willen Philip en ik graag met je praten over onze trouwdienst. We zoeken een datum in april.'

'Zeker. Ik zal graag met jullie praten... wanneer dan ook... laat me het maar weten. Ik ben meestal vrij. Behalve op zondagmorgen natuurlijk. Op zondagmorgen heb ik het meestal druk.' Het was een slechte poging tot humor. Josiah wist dat hij maar wat ratelde, maar hij kon het niet helpen. Hij staarde naar haar arm alsof het een slang was die zich om zijn arm gekronkeld had.

'Mijn oom Percival is van plan over te varen voor de bruiloft,' zei ze blij.

'Dat is mooi!' reageerde Josiah, iets te gretig.

'Hij is mijn voogd.'

'Ik kijk ernaar uit hem te ontmoeten.'

Philip liep naar voren en maakte Anne van Josiah los. Zodra hij vrij was, hervatte hij zijn aftocht.

Philip zei tegen hem: 'Je realiseert je misschien niet wat een eer het is dat haar oom erbij zal zijn. Hij is lid van het Lagerhuis.'

'O ja?' zei Josiah. 'Ja, dat is een eer! Een lid van het Lagerhuis. Hier in Havenhill! Dat gebeurt niet elke dag, hè?'

Hij was nog maar één stap verwijderd van de deur. Nog één stap en hij kon verdwijnen en proberen te vergeten dat deze avond ooit gebeurd was.

Anne wendde zich weer tot Philip. 'Heeft Havenhill ooit een lid van het Lagerhuis op bezoek gehad?'

Philip dacht even na. 'Nee, ik geloof dat Lord Bellamont de eerste zal zijn.'

Josiah bleef stokstijf staan. 'Je oom is Lord Bellamont?'

Anne glimlachte lief. 'Ja! Heb je van hem gehoord?'

31

'Gisteravond was een beetje vervelend, hè?' zei Philip. 'Foster probeerde je te waarschuwen. We zouden je uitgenodigd hebben – Anne wilde dat – maar ik heb het haar uit het hoofd gepraat. Ik heb haar gezegd dat je je waarschijnlijk niet op je gemak zou voelen als enige eenling in het gezelschap. Maar ja, er is niets gebeurd. We hebben het allemaal overleefd. Anne zag er schitterend uit, vond je niet? Dat was de eerste keer dat je haar zag sinds ze uit Engeland teruggekeerd is, toch?'

Josiahs gezicht gloeide bij de herinnering. Hij zou wel meer dan een dag nodig hebben om te herstellen van de verlegenheid van de vorige dag. 'Anne heeft zich echt ontwikkeld tot een dame,' gaf hij toe.

Philip grinnikte. 'Ja, inderdaad, hè? Nou, wat was het waarom je als een soort middeleeuwse kruisvaarder mijn huis binnen kwam stormen? Toch niet meer van die geestelijke epidemie-onzin, hè?'

Ze stonden tegenover elkaar in Philips zitkamer. Josiah had Philip gestoord toen hij zich aan het scheren was, al was het al bijna middag. Hij was de kamer binnengekomen terwijl hij zijn gezicht afveegde. Stukjes zeep die hij gemist had, zaten nog op zijn gezicht.

Josiah kon niet langer wachten met het bepraten van de zaak waar het om ging. Hij gooide het pamflet over de slavenveiling op een klein, glad tafeltje dat tussen twee stoelen stond.

Gezien de geschrokken blik op Philips gezicht was het duidelijk dat hij het pamflet niet hoefde te lezen om te weten wat het was.

'Zeg me dat dit een drukfout is,' eiste Josiah.

'Je bent in Boston geweest?'

'Ja. Maar ik hoor dat ze overal in Connecticut Valley verspreid zijn.'

'Wat deed je in Boston? Je zei dat je naar Northampton ging.'

'Ik ben ook naar Northampton gegaan. Toen naar Philadelphia en...'

'Philadelphia?' riep Philip. 'Geen wonder dat je zo lang weg was! Je realiseert je zeker niet dat ik een storm heb moeten bedwingen over jouw afwezigheid. De helft van de mensen riep om je aftreden. De andere helft dacht dat je ervandoor was en dat we je nooit meer terug zouden zien.'

'Ik heb je toch verteld wat ik ging doen?'

'Je hebt me verteld dat je naar Northampton ging om de een of andere dominee hiernaartoe te slepen. Je hebt niets gezegd over Philadelphia en Boston en wie weet waar nog meer. Nou, heb je hem gekregen? Die dominee uit Northampton. Komt hij?'

'Nee, zijn gezondheid is niet best en...'

'Al die tijd en je komt met lege handen terug? Wat gaan we de kerkenraad vertellen? Sommigen van hen roepen om je hoofd.'

'Dominee George Whitefield heeft erin toegestemd te komen en te preken.'

'Whitefield. Een andere dominee?'

'Om hem ben ik naar Philadelphia gegaan. Edwards beval hem aan.'

'En Boston?'

Schaapachtig zei Josiah: 'Ik kon in Philadelphia niet met hem in contact komen. Daarom ben ik naar Boston gegaan.'

''t Is te hopen dat hij goed is, meer zeg ik er niet van. Sterker nog, 't is te hopen dat hij beter is dan goed, gezien de tijd die het je gekost heeft hem op te sporen.'

'Wat ons terugbrengt op het pamflet,' zei Josiah. 'Het is waar, hè?'

Voor de eerste keer keek Philip echt naar het pamflet. Hij

plofte in een stoel ernaast en bette zijn gezicht met de handdoek. 'Ik weet niet waarom ze hem al zo vroeg opgehangen hebben. De veiling is niet voor de lente.'

Josiah liet zich in een stoel zakken. 'Dus het is waar.'

Het duurde even voor Philip antwoordde. Toen hij het deed, zei hij alleen maar: 'Een concessie.'

'Aan Lord Bellamont.'

Philip staarde Josiah aan. 'Ja. Het is een eenmalige veiling. Bellamont is een rijke Engelse koopman een dienst schuldig, die weer een dienst schuldig is aan... wel, het zit ingewikkeld in elkaar. Maar Bellamont heeft een plek nodig om de vracht te lossen.'

'Vracht. Je hebt het over levende wezens.'

'Noem ze zoals je wilt. Slavernij is legale handel – en heel lucratief in de zuidelijke koloniën.'

'Philip! Hoor je wat je zegt? Wil je van Havenhill echt een slavenhaven maken?'

'Ik zei je, het is iets eenmaligs!' riep Philip. Hij leunde voorover met zijn onderarmen op zijn benen. 'Dit zijn machtige mannen, waar we mee te maken hebben, Josiah! We bewijzen hen een dienst. Dan zijn ze ons iets schuldig. Als de tijd komt, zullen we hun om een dienst vragen. Dit kan iets groots worden voor Havenhill!'

Philip meende het zo serieus, dat Josiah zich afvroeg wat er nog meer achter de afspraak zat waar Philip niets over zei.

'Pas op voor de riviergoden,' mompelde Josiah. Hij herinnerde zich de waarschuwing van Jonathan Edwards.

'Wat was dat? Ik verstond niet wat je zei.'

'Is Anne onderdeel van de afspraak? Je levert Havenhill uit in ruil voor een vrouw?'

Philips gezicht maakte duidelijk dat Josiah te ver gegaan was. Er was een masker van pure haat overheen gegleden.

'Het spijt me,' zei Josiah snel. 'Dat was laag. Dat had ik niet moeten zeggen.'

Philip stond op. Een deel van de haat verdween, maar niet alles. 'Wat ben je van plan te doen?'

Josiah pakte het pamflet op en stond ook op. 'De mensen in het stadje zullen erachter komen. Het verbaast me dat ze het nog niet weten.'

'Sommigen weten het.'

Josiah liep naar de deur.

'Ga hierover niet met me in gevecht, Josiah. Dat verlies je.'

Als Josiah Philip deze woorden niet had horen uitspreken, zou hij nooit gedacht hebben dat ze uit de mond van zijn vriend gekomen waren. De stem was hard. Koud. Dodelijk.

Josiahs antwoord was om hem zijn rug toe te keren.

'Wacht!' riep Philip uit. Dat klonk weer als Philip. Hij haalde Josiah in. 'Je bent me een dienst schuldig. Denk eraan, ik heb het mogelijk gemaakt dat je weer thuis kon komen. En hoe vaak ben ik niet voor je tussenbeide gekomen bij de kerkenraad en de kerkleden? Je rijdt weg en komt wekenlang niet terug en we horen niets van je.'

Josiah draaide zich om om zijn vriend aan te kijken. 'Wil je dat ik aftreed?'

'Nee! Daar gaat het juist om. Ik wil dat we samenwerken! Daarom ben ik naar Boston gegaan om je te halen. Wie kunnen deze stad beter leiden dan wij? Ik in financiële zaken en jij in geestelijke zaken.'

'Die twee behoren tot verschillende werelden en hebben verschillende waarden. Kunnen ze ooit samengaan?'

'Zeker kunnen ze dat! Kerkleden moeten toch in deze wereld leven? Luister, ik heb een voorstel. Een afspraak. Luister gewoon even. Wil je in elk geval even luisteren?'

Josiah had er weinig zin in om over een afspraak te horen als het iets te maken had met Lord Bellamont. Hij dacht nog steeds dat Philip niet helemaal eerlijk tegen hem was over Bellamonts plannen.

Philip vatte Josiahs aarzeling op als een bereidheid om te

luisteren en ging direct verder met de afspraak. 'Goed. Je staat op het moment niet echt in de gunst van de kerk. Sommigen zijn woedend over je afwezigheid. Een paar van de ouderlingen – de meerderheid als ik mijn ouderlingen ken en ik denk dat ik dat doe – zijn bereid om je aftreden te vragen.'

De worm in Josiahs maag kronkelde en stuurde een golf misselijkheid naar zijn hoofd, als om te bevestigen wat Philip net gezegd had. 'Ga verder.'

'Ik kan hen tot bedaren brengen. Hun vertellen dat je voordat je ervandoor gegaan bent, bij mij bent geweest en het me verteld hebt.'

'Ik ben bij je geweest om het je te vertellen!'

'Precies! Maar kijk eens naar de houding op dit moment van de kerk: hoe groot denk je dat de kans is dat ze die dominee die op bezoek komt zullen verwelkomen? Het zou me niets verbazen als ze eisen dat je die uitnodiging gewoon intrekt.'

Dat was ondenkbaar. Na alles wat Josiah doorstaan had om Whitefield naar Havenhill te laten komen, kon hij er niet aan denken dat hij de evangelist zou moeten laten weten dat hij de uitnodiging moest intrekken.

Philip kon dat laten gebeuren. Eén woord van hem en Whitefield zou nooit in Havenhill preken. Philip zei wel dat hij ervoor kon zorgen dat het wel gebeurde, maar de andere kant van die medaille was dat hij het net zo gemakkelijk kon voorkomen.

De consequenties zouden gruwelijk zijn. Sinds zijn terugkomst was Josiah er meer dan ooit van overtuigd dat de mensen in het stadje in de dodelijke greep van zielsziekte waren. Hij kon het zien in hun houding, hun praten, hun daden. Meer dan ooit hadden ze opwekking nodig. Ze hadden nodig wat George Whitefield kon geven.

'En in ruil daarvoor,' zei Josiah, 'wil je dat ik de verkoop van slaven in Havenhill aanprijs.'

'Nee,' reageerde Philip.

'Nee?'

'Ik ken je veel te goed, Josiah. Als je erin toe zou stemmen de slavenveiling aan te prijzen, zou ik je niet geloven. Je zou nooit in staat zijn op die manier je geweten geweld aan te doen.'

'Wat wil je dan?'

'Dat je zwijgt.'

Josiah zei niets.

'Ik vraag je niet dat je de veiling aanprijst,' legde Philip uit. 'Ik vraag alleen maar dat je je er niet in het openbaar tegen uitspreekt. Laat het aan mij over om de stad ervan te overtuigen dat dit in hun belang is. Dat kan ik overtuigend doen, want ik geloof dat het in het belang van de stad is.'

Josiah bekeek zijn opties: de afspraak weigeren betekende dat Whitefield niet zou komen. Er zou geen opwekking komen, de mensen zouden blijven lijden onder de gevolgen van zielsziekte en naar alle waarschijnlijkheid zou Josiah gedwongen worden zijn ambt op te geven en mogelijk de stad te verlaten.

Alles wat Philip wilde was dat Josiah zich niet zou uitspreken tegen de slavenveiling.

'Afgesproken,' zei Josiah ten slotte.

32

Mijn redenering is...

Neergebogen over zijn dagboek, krabbelde Josiah verwoed zijn gedachten neer. Hij was bang dat als hij ze niet snel genoeg zou neerpennen, hij plotseling zou merken dat hij irrationeel gehandeld had en zojuist een pact met de duivel had gesloten.

Instemmen met Philips afspraak garandeert dat George Whitefield zal preken in Havenhill. Dat is de sleutel tot de overwinning. Als we maar half de resultaten halen waar ik in Boston en Philadelphia getuige van geweest ben, zal deze stad ondersteboven gekeerd worden.

Het was dom van Philip om zo'n afspraak voor te stellen. Hij onderschat de kracht van de Heilige Geest om verandering te bewerken in de geesten van de mensen. Hij is geen getuige geweest van de dingen waar ik getuige van geweest ben in Northampton en Philadelphia en Boston. Hij heeft het rapport over de opwekking in Jonathan Edwards Getrouw verslag niet gelezen. Hij houdt geen rekening met de vloeibaarheid van de opwekking... de manier waarop het zich verspreidt van stad tot stad.

Ik ben ervan overtuigd dat als Gods genezende Geest eenmaal onder ons losgelaten is, mijn stem niet nodig is tegen de slavenveiling. De mensen zullen zelf opstaan en er met één stem tegen in het geweer komen. Want een opgewekte stad zal zulk kwaad nooit toestaan in hun midden.

Ik hoef het niet te stoppen. De stad zal het doen.

Twee dagen later hield Philip zijn deel van de afspraak. Op een ingelaste vergadering van de kerkenraad kwam hij voor Josiah op en speelde de rol van pastoraal advocaat perfect.

De vergadering begon ermee dat de ouderlingen over elkaar heen vielen in hun ijver stem te geven aan de menigte klachten die kerkleden hadden over Josiahs optreden als predikant van de kerk. De klachten kwamen uit verschillende delen van de kerk, maar het was duidelijk dat ze uiteindelijk uit dezelfde bron kwamen.

Eunice Parkhurst.

Als vrouw was ze niet in staat hem met officieel gezag aan te spreken. Dus dirigeerde ze de ouderlingen zodat die het deden. Elke ouderling sprak met de vastberadenheid van een kruisvaarder die stem gaf aan de vertrapten en hulpelozen.

De vergadering begon met een troep mannen die vurig eiste dat er recht gedaan werd. Elke spreker liet zich drijven op de emoties van de vorige spreker tot er een geladen sfeer in de kamer hing. Josiah begon te denken dat deze vergadering alleen kon aflopen met het vloeien van bloed. En hij wist wie er voor het bloed moest zorgen.

Philip zat in de hoek, zijn benen over elkaar, en luisterde stoïcijns terwijl de ene na de andere aanklager rood in het gezicht werd en boos een wijsvinger naar Josiah priemde. Philip zei niets om hen tegen te spreken. Hij knikte bij elke spreker.

Eindelijk, toen de ouderlingen zichzelf begonnen te herhalen, stond Philip op en met een enkele opmerking, stak hij hun eerste bewijsstuk tegen Josiah lek. 'Dominee Rush heeft zijn reis ondernomen met mijn kennis en volledige toestemming. Hij is naar Northampton gegaan met de uitdrukkelijke bedoeling om een noodzakelijke opwekking in onze kerk te brengen.'

Door te zeggen dat hij ook de verantwoordelijkheid droeg voor de reis, liet Philip de ouderlingen weten dat als ze Josiah wilden aanpakken, ze hem ook moesten aanpakken.

'Verder was de lengte van de reis – hoewel het een tijdelijke moeite voor sommigen hier in Havenhill is gebleken – een onvoorziene noodzakelijkheid en ik ben er zeker van dat u, als u hoort waarom de reis zo veel tijd gekost heeft, met me eens bent dat de voordelen zullen opwegen tegen enig ongemak op dit moment. Sterker nog, ik ben er ook zeker van dat u het met me eens zult zijn dat de verlenging van de reis een bewijs is van de vastberadenheid van dominee Rush om letterlijk een extra mijl te gaan terwille van onze stad.'

Josiah keek toe met een mengeling van verbijstering en verbazing.

Eerst verbijstering. Waarom had Philip de ouderlingen niet eerder verteld dat hij toestemming had gegeven voor de reis? Heel wat woede had voorkomen kunnen worden als hij dat gedaan had.

Echter, toen Josiah merkte dat de ouderlingen zich tot zijn verbazing direct schikten naar Philips woorden, was die vraag snel vergeten. Josiah had precies hetzelfde kunnen zeggen en ze zouden niet naar hem geluisterd hebben! Sterker nog, hij was er zeker van dat niets van wat hij gezegd zou hebben hen tot rust gebracht zou hebben. Maar met een paar woorden liet Philip hen de strop inruilen voor een eremedaille.

'Het resultaat is, en we zijn trots dat te kunnen meedelen,' ging Philip verder, 'dat we er dankzij de ijver van onze predikant in geslaagd zijn een uitnodiging te laten uitgaan naar een van de grootste predikers van onze tijd – dominee George Whitefield.'

Een paar van de ouderlingen lieten hun mond openvallen. Ze hadden van Whitefield gehoord en van de menigten die naar hem kwamen luisteren en spoedig zaten ze opgewonden te praten over de enorme prestatie van hun predikant om zo'n gezochte prediker te strikken om naar hun kleine stad te komen.

Even later verlieten de ouderlingen de vergadering, verlangend om het nieuws te verspreiden.

Met het gevoel van een man die ontsnapt is aan de doodstraf liep ook Josiah naar de deur. Maar voor hij kon vertrekken nam Philip hem terzijde.

'Zie je wat er gebeuren kan als we samenwerken?'

De volgende zondag gonsde het in de kerk. Twee dingen zorgden voor beroering. Het was de eerste zondag sinds Anne Myles in Havenhill was teruggekeerd. Ze arriveerde koninklijk aan de arm van een glimlachende prins Philip van Clapp.

Het tweede gespreksonderwerp onder de kerkleden was het nieuws dat George Whitefield naar Havenhill kwam. Hun opwinding was besmettelijk.

Als voorbereiding voor de opwekkingsdiensten preekte Josiah uit Hosea: *Ontgint u nieuw land. Dan is het tijd om de* HERE *te vragen, totdat Hij komt en voor u gerechtigheid laat regenen.*

Josiah had verwacht dat dit de moeilijkste zondag zou zijn sinds hij de kerk diende, maar het bleek de beste dag van zijn korte ambtsdienst.

Iedereen was opgewonden. Velen dankten hem overvloedig omdat hij een extra mijl gegaan was om zo'n opmerkelijke man van God als George Whitefield te strikken. De woorden 'extra mijl' werden vaak herhaald. De ouderlingen hadden Philip blijkbaar letterlijk geciteerd in hun verslag.

Zelfs Eunice Parkhurst leek gelukkig met het nieuws. Al vertelde ze Josiah niet rechtstreeks dat ze blij was met de geplande opwekkingsdiensten, hij zag haar geanimeerd in gesprek met andere vrouwen en hoorde de naam van de evangelist vaak vallen.

Josiah vatte Eunice Parkhursts gebrek aan veroordeling op als een overwinning. Echter, ze luisterde nog steeds niet naar hem als hij preekte. Sinds zijn komst trok ze elke zondag blaadjes uit haar bijbel zodra de preek begon en las die. Ze zagen eruit als brieven. Als de preek klaar was, liet ze de blaadjes weer in haar bijbel glijden.

216

Behalve dat hij nieuwsgierig was wat ze las vroeg Josiah zich af of ze hetzelfde zou doen als Whitefield preekte. Op de preekstoel leidde haar lezen hem af. Josiah hoopte dat ze beleefder zou zijn voor hun gastpredikant. Voor hemzelf kon hij ergere dingen bedenken die ze kon doen om hem af te leiden, dus prijsde hij zich gelukkig dat ze niet meer deed dan lezen als hij preekte.

Na de dienst stond de gebruikelijke rij te wachten om met de dominee te praten. Ouderling Dunmore had een lange lijst van reparaties die, zo hield hij vol, voltooid moesten worden voor de opwekkingsdiensten. En verscheidene anderen hadden Josiah gedetailleerde dingen te vertellen die ze over de opwekking gehoord hadden, zowel goed als slecht, van familieleden in andere plaatsen.

Na een uur lang naar dominee Rush te hebben zitten luisteren, leken veel gemeenteleden nu dolgraag zelf te willen praten, terwijl hij gedwongen was om te luisteren. Ergens leek het alleen maar eerlijk en normaal gesproken vond Josiah het niet erg. Maar, op deze zondag was hij afgeleid.

Toen hij opkeek terwijl ouderling Dunmore gedetailleerd uitlegde waarom de treden voor de kerkdeur kraakten en wat daaraan gedaan moest worden, merkte Josiah Johnny Mott op die tegen een muur geleund naar hem stond te kijken. Johnny keek alleen maar. Hij ging niet in de rij staan; hij liep niet weg. Zijn aandacht was volledig op Josiah gevestigd.

Terwijl de één na de ander om de beurt met de dominee sprak, stond Johnny daar maar te kijken. Zijn kaak maalde heen en weer alsof er iets vastzat tussen zijn tanden.

Eindelijk, toen de rij weg was, koos Johnny voor de directe benadering. Hij ging naar Josiah toe. Hij zei niets. Hij liep gewoon naar hem toe.

'Kom even hier,' zei Johnny en trok hem opzij.

Toen ze buiten gehoorsafstand waren van verdwaalde kerk-gangers, rechtte Johnny zijn schouders en staarde op Josiah neer.

Het feit dat Josiah deze man gekend had sinds hun school-tijd deed niets af aan het effect dat zijn neerstaren op hem had. Er was geen andere manier om het te stellen – de man was intimiderend.

'Philip heeft me verteld over jullie afspraak,' zei Johnny.

En nu zendt hij me zijn sterke man om me eraan te herinneren? vroeg Josiah zich af. Of was Johnny hier om zich te verkneu-kelen?

De grote man greep Josiah met zijn grote klauw bij de arm en kneep. Zijn ogen boorden zich in Josiah. 'Mij houd je niet voor de gek. Ik weet wat je van plan bent.'

Josiah keek terug. Nu was het niet het ogenblik om te wan-kelen.

Toen gebeurde er iets heel vreemds.

Johnny Motts ogen werden glazig.

Tranen? Tranen in de ogen van Johnny Mott? Josiah dacht niet dat het mogelijk was.

'Wat er ook gebeurt,' fluisterde Johnny, 'wat er ook gezegd wordt, wat er ook gedaan wordt... wees sterk.'

Voor Josiah zich kon herstellen van de schok, liet Johnny Mott hem los en was hij weg.

33

Ter voorbereiding op de komende opwekkingsdiensten dacht Josiah dat het goed was om de plaats te heiligen. Om dat te doen liep hij elke dag zeven keer om het gebouw heen terwijl hij bad dat God het zou heiligen en het voor Zijn glorie zou gebruiken.

Nadat hij om de kerk heen gelopen was, ging Josiah dan naar binnen en knielde hij op de preekstoel en bad een uur lang dat God de preekstoel zou heiligen en het hart zou bereiden van de boodschapper die erop zou staan.

Zijn dagelijkse ritueel trok de aandacht van de stad. Het duurde niet lang of er stond publiek op de brink te wachten en toe te kijken hoe hij om de kerk heen liep. Toen het een paar dagen zo gegaan was, nodigde hij hen uit om met hem mee te lopen en te bidden.

Niemand nam zijn uitnodiging aan. Het was verbazend hoeveel verschillende verontschuldigingen ze wisten te verzinnen. Hun verontschuldigingen verhinderden hen echter niet om te blijven kijken.

Er niet door uit het veld geslagen ging Josiah met zijn dagelijkse praktijk door. Hij voerde het ritueel twee weken lang uit terwijl Whitefield preekte in Northampton en omliggende steden en dorpen. De verslagen van het enthousiasme waarmee hij ontvangen werd waren bemoedigend.

Mercy's nicht schreef dagelijks over de gebeurtenissen en Mercy kwam de brief dan aan Josiah voorlezen. Meestal deed ze dat alleen. Ze vertelde dan over Hadley en haar nicht, over de komende opwekkingsdiensten en over algemene dingen die het stadje betroffen.

Ze kwam op Josiah weer over als de oude Mercy. Blij. Aardig. Een goede gesprekspartner – zolang Josiah tenminste geen verboden wateren binnenvoer.

Mercy's opmerkingen werden kort en cryptisch telkens wanneer Josiah informeerde naar Grace. Blijkbaar keurde Grace Mercy's bezoeken af. Het was een punt van onenigheid tussen hen. En toen Josiah eens voorstelde dat de zussen hun woensdagavondbezoeken om te koken zouden hervatten, werd Mercy plotseling somber. Dat gesprek eindigde zo abrupt dat Josiah zichzelf plechtig beloofde die vergissing niet weer te begaan.

Maar hij miste hun woensdagavonden. Hij wilde zo graag dat vrouwen niet altijd per se romantische bedoelingen zouden zien waar ze niet waren. Het maakte gewone vriendschap altijd zo ingewikkeld. Hij voelde zich op zijn gemak bij Mercy. Hij mocht haar en genoot van hun gesprekken en van de tijd die ze samen doorbrachten. Hij bewonderde haar Bijbelkennis en de diepte van haar geloofsleven. Ze was de enige persoon in het stadje die hem op dat punt begreep. Waarom moest dat bedorven worden met romantiek? Dat begreep hij niet. Zowel Mercy als Grace wist wat hij voelde voor Abigail.

Met nog maar een uur bruikbaar zonlicht over, naderde Josiah de kerk. Normaal gesproken deed hij zijn heiligingsgebeden kort na het middaguur. Vandaag was hij om die tijd een angstige aanstaande vader aan het troosten geweest terwijl zijn vrouw een tweeling baarde.

Hij was kort na vijf uur 's morgens gewekt met het nieuws dat het zover was met Mary Pemberton. Hij had zich aangekleed en zich toen naar het huis van de Pembertons aan de rand van het stadje gehaast. Isaac, Mary's echtgenoot, was haast buiten zichzelf. Hij schreeuwde bij elke gil die er uit de slaapkamer kwam. Mary was de sterkste van de twee.

Tien uur lang ijsbeerde Josiah met Isaac mee. Hij bad met hem en troostte hem.

Verscheidene keren stortte Isaac in en huilde. 'Wat moet ik doen als ze doodgaat?' kreunde hij. 'Wat moet ik doen?'

Josiah verzekerde hem dat God over Mary waakte en ervoor zou zorgen dat ze de bevalling zou overleven.

'Maar wat moet ik doen als ze doodgaat?' schreeuwde Isaac. 'Wie zal er dan voor me zorgen? Ze kan me dit niet aandoen! Nee!'

Bij Isaac draaide alles om hemzelf. Josiah had gehoopt dat het vader worden een man van hem zou maken. Dat hij zou leren om voor Mary te zorgen, die nu van hem afhankelijk was, en voor de baby. Juist toen Josiah dacht dat hij wat vooruitgang boekte, vroeg Isaac kort voor het middaguur of Josiah dacht dat Mary even kon stoppen met baren, lang genoeg om eten voor hem klaar te maken.

Nu, terwijl hij over de brink liep waar lange schaduwen van de late middag overheen vielen, mompelde Josiah een gebed voor Mary. Met een tweeling en Isaac had ze nu drie baby's om voor te zorgen.

De laatste dagen als hij bij de kerk aankwam om te bidden, stond er publiek op hem te wachten. Nu hij niet op de gebruikelijke tijd was komen opdagen, moesten ze het zat geworden zijn en naar huis gegaan zijn.

Josiah wilde dat ook wel. Vermoeid van zijn pogingen om in één middag een jongen in een man te veranderen, keek hij uit naar een rustige avond thuis, om te eten, zijn benen uit te strekken en mogelijk nog wat te lezen voor hij naar bed ging.

Toen hij de kerk bereikt had, maakte hij uit het hoofd snel een berekening en besloot dat het waarschijnlijk donker zou zijn tegen de tijd dat hij zeven keer om het gebouw heen gelopen was.

Hij zou morgen veertien rondjes doen. Vandaag zou hij alleen het gebed op de preekstoel doen en dan naar huis gaan.

Hij klom het trapje op en deed de voordeur open. Die zat niet op slot. De kerkdeur niet op slot doen was een van de eerste dingen die hij geëist had toen hij hier dominee werd. Hij herinnerde zich de eerste keer dat hij geprobeerd had de kerk binnen te gaan en de deur gesloten had gevonden. Waarom zou iemand een kerkdeur op slot doen? Volgens hem was dat toegeven aan de mislukking – toegeven dat de zonde buiten sterker was dan de God binnen. En zolang hij dominee was zou de kerkdeur niet op slot gaan.

Hij trok de deur open.

'O!'

De geschrokken stem kwam vanuit de kerk.

Josiahs ogen hadden even nodig om te wennen. Eerst kon hij niet onderscheiden wie het was. Hij hoorde alleen maar het geruis van een rok.

Toen zag hij wie het was. 'Mercy!'

Ze was bijna bij de deur. Omdat hij nog steeds in de deuropening stond en haar de doorgang versperde, draaide ze zich om zich zijdelings langs hem heen te wurmen.

'Ik was gewoon aan het bidden,' verontschuldigde ze zich.

'Ik wil je niet storen,' zei Josiah.

'Nee, ik was... ik was al klaar met bidden.' Ze was nu in de deuropening.

'Ga alsjeblieft niet weg,' smeekte hij.

'Nee, echt, ik...'

'Alsjeblieft?'

Ze stond stil. Ze keek naar hem op, haar trekken verzacht in het avondlicht.

Na een dag lang met een zanikende onvolwassen man hunkerde Josiah naar een intelligent gesprek. Hij wist niet hoezeer hij ernaar hunkerde tot deze gelegenheid zich voordeed.

'Ik kom net van de Pembertons,' zei hij.

Mercy's ogen glinsterden bij het vooruitzicht van goed nieuws. 'Mary is bevallen?'

'Een tweeling.'

'God zij geprezen!' Haar hele gezicht straalde op een opmerkelijke manier van vreugde als een bevestiging van wat Josiah al eerder aan haar had opgemerkt: Mercy was een van die speciale mensen die zuivere vreugde beleefden aan de zegeningen van een ander.

'Jongens,' voegde Josiah eraan toe.

'Mary hoopte op een meisje.'

'Ja? Ze leek gelukkig met de jongens. Toen de schok dat ze twee baby's tegelijk gekregen had wat was weggeëbd.'

Mercy lachte. Een hemels geluid. Volmaakt voor deze ruimte.

'Nu heeft ze drie jongens om op te voeden,' schimpte Josiah.

Zodra hij het zei, had hij er spijt van. Het was een opmerking die voor een dominee niet gepast was.

Mercy keek hem afkeurend aan.

'Het spijt me,' zei Josiah. 'Dat had ik niet moeten zeggen.'

'Nee, inderdaad niet,' was Mercy het met hem eens. 'Het is waar, maar u had het niet moeten zeggen.'

Ze lachten allebei.

Toen het gelach over was, werden ze zich er bijzonder van bewust dat ze twee, misschien drie centimeter bij elkaar vandaan stonden. Mercy bloosde. Josiah deed een stap achteruit en hield de kerkdeur open.

'Ik wilde net gaan bidden,' legde hij uit. 'Ik kom hier elke dag om te bidden voor...'

'Dat weet ik. Zeven keer om het gebouw heen.'

Josiah grinnikte. 'Je hebt ervan gehoord.'

'O ja.'

'Weer een reden voor het stadje om te denken dat hun dominee gestoord is.'

'Ik vind het wijs,' zei Mercy.

De manier waarop ze het zei gaf Josiah een trots gevoel. Hij grijnsde verlegen.

'De muren van pijn en wantrouwen in dit stadje zijn minstens zo dik als de muren van Jericho,' voegde ze eraan toe. 'Er is veel gebed, veel moed en de hand van God voor nodig om ze neer te halen.'

Had ik er nog maar honderd zoals jij in de gemeente, dacht Josiah. Toen bedacht hij dat ze weer praatten, net als op woensdagavonden na het eten als Grace zat te breien en te doezelen in de hoek. Het herinnerde hem eraan hoezeer hij die momenten miste.

'Ik bid elke dag voor u,' zei Mercy zacht.

Het was geen grootspraak, waarmee sommige mensen indruk op hun dominee wilden maken. En het was geen opmerking die net zo min gemeend was als een 'gezondheid!' als er iemand nieste. Het was een simpele, onopgesmukte mededeling die zo gemeend was, dat Josiah zich haar gebeden onwaardig voelde.

Hij haalde verlegen zijn schouders op en liet zijn handen in zijn zakken glijden. Onder in zijn zak zat een opgevouwen stukje papier. Toen zijn vingers er tegenaan kwamen, keek hij in de ogen van de schrijfster. Hij was er nu zeker van. Hij wist niet hoe ze de briefjes had weten te bezorgen of wanneer, maar op het moment dat ze zei dat ze voor hem bad, vond hij het lachwekkend dat hij Mercy en de briefjes niet eerder met elkaar in verband gebracht had.

Bij die ontdekking werd de stilte tussen hen opnieuw ongemakkelijk.

'Ik... ik moet gaan,' zei Mercy.

'Blijf toch.' Hij dacht niet na bij dat verzoek. Het ontviel hem zo plotseling dat het Josiah evenzeer verbaasde als het Mercy deed.

'Ik weet zeker dat u het een en ander te doen hebt,' reageerde ze.

'Ik kwam de kerk binnen om te bidden. Blijf en bid met me mee.'

Mercy bloosde. Ze keek naar de grond en schuifelde met

haar voeten. 'Ik moet echt naar huis. Grace zal zich afvragen wat er met me gebeurd is.'

'Even maar. We hebben veel gepraat, maar we hebben nog niet echt samen gebeden. Het zou veel voor me betekenen als je zou blijven om met mij voor de opwekkingsdiensten te bidden.'

Langzaam sloeg Mercy haar ogen op tot ze elkaar aankeken.

Josiah staarde in de meest oprechte blauwe ogen die hij ooit gezien had. Wat was de zin die die Jezus voor Nathanaël gebruikt had? Als Hij Mercy ontmoet had, zou Hij het ook over haar gezegd hebben. 'Zie, een vrouw in wie geen bedrog is.'

'Misschien heel even dan,' stemde ze eindelijk toe.

Josiah hield de deur voor haar open en deed een stap achteruit zodat zij naar binnen kon gaan. Op dat moment keek hij op en ontmoette de blikken van mevrouw Hibbard en Eunice Parkhurst die arm in arm voor de kerk langs wandelden. Ze keken allebei even geschokt en even afkeurend.

Josiah knikte hen hartelijk toe en sloot de deur.

Mercy stond met de rug naar hen toe en had hen niet gezien. Daar was Josiah blij om. Hij overwoog het haar te vertellen, maar wat dan? Mercy zou zich schamen en direct willen vertrekken. Haar haastige vertrek zou lijken te bevestigen wat de twee vrouwen ongetwijfeld dachten.

Dus zei hij niets. Hij kon alleen maar hopen dat de vrouwen voor één keer in hun leven verstandig zouden zijn en hun mond dicht zouden houden.

Zich er niet van bewust dat er iets aan de hand was, was Mercy naar de kerkbank gelopen waarin zij en Grace elke zondag zaten. Ze deed haar jurk goed en zonk neer op haar knieën met haar gezicht naar de voorkant van de kerk gericht.

Josiah stapte ook de bank in en wilde zich naast haar op zijn knieën laten zakken.

'Wat doet u nu?' riep ze, geschokt omdat hij haar bank in gekomen was.

'Ik... ik wilde met je mee bidden.'

'Waar bidt u anders?' Ze klonk afwerend.

'Op de preekstoel. Anders kniel ik op de preekstoel en bid daar.'

'Dan stel ik voor dat u vandaag ook daar bidt.'

Maar het was meer dan een voorstel, realiseerde Josiah zich. 'Goed.' Hij stapte de bank uit. 'Ik bedoel er niets mee. Ik dacht gewoon...'

Mercy wachtte tot hij helemaal de bank uit was en boog toen haar hoofd en bad.

'Dan ga ik daar bidden.' Josiah gebaarde in de richting van de preekstoel.

Maar Mercy luisterde niet naar hem.

Hij liep stil naar voren en knielde op de preekstoel. Hij kon de bovenkant van Mercy's hoofd zacht op en neer zien gaan terwijl ze bad.

Hij moest zeker tien minuten naar haar gekeken hebben. Ze keek niet één keer op en dat was maar goed ook, want als ze dat wel had gedaan, zou hij haastig zijn hoofd hebben moeten buigen om te voorkomen dat ze hem betrapte terwijl hij naar haar keek.

Eindelijk vond Josiah de stemming om te kunnen bidden en boog hij zijn hoofd.

Na een paar minuten werd hij gestoord door een geruis. Hij keek op.

Mercy was opgestaan en wilde vertrekken. 'Het spijt me,' verontschuldigde ze zich. 'Ik wilde u niet storen, maar ik moet naar huis.'

Josiah stond op. 'Wacht – ik ga met je mee.'

'Dat is niet nodig.'

Maar hij was al bijna bij haar. 'Ik breng je thuis. Tenminste, als je dat niet erg vindt.'

Mercy lachte lief, maar op haar hoede. Ze wist blijkbaar dat ze niet te veel achter zijn aanbod moest zoeken. De uitdrukking in haar ogen was van iemand die uit ervaring geleerd had voorzichtig te zijn.

'Bedankt dat je met me gebeden hebt.' Josiah liet haar voorgaan naar de deur. 'En niet alleen nu. Ik wil je bedanken dat je elke dag voor me bidt.'

'Het is de verantwoordelijkheid van elk kerklid om voor de dominee te bidden,' legde Mercy uit.

'En je briefjes... ik wil je daar ook voor bedanken. Ze zijn een krachtbron voor me.'

Ze keek hem vorsend aan. 'Wat bedoelt u?'

Het was dezelfde gezichtsuitdrukking als van Abigail toen hij de briefjes genoemd had. En dezelfde gedachte viel Josiah in: waarom zou ze ontkennen dat ze de briefjes gestuurd had? Was er een reden voor anonimiteit die hij niet zag?

Josiah trok het briefje uit zijn zak.

Mercy keek ernaar zonder teken van herkenning. 'Mag ik?'

Hij gaf het haar.

Toen ze het opengevouwen en gelezen had, zei ze: 'Denkt u dat ik dit geschreven heb?'

'Niet dan?'

'Dat is mijn handschrift niet.'

Hij keek haar aan. Die oprechte blauwe ogen, waarin geen bedrog was, keken zonder te knipperen terug.

Een geluid in een andere ruimte stoorde hen. Een hard geluid. Als van splijtend hout.

Geschrokken slaakte Mercy een gil. Josiahs hoofd schoot in de richting van het geluid.

'Wat was dat?' vroeg ze.

Hij schudde zijn hoofd. Hij wist het niet. Op het moment was alles rustig. Starend in de richting van het geluid luisterden ze een tijdje. Nog steeds niets.

'Wacht buiten op me,' zei Josiah. 'Ik ga even kijken.'

Mercy stak instinctief haar hand uit en pakte zijn arm beet.

Josiah glimlachte geruststellend. 'Er is waarschijnlijk iets omgevallen. Wacht je op me? Alsjeblieft? Het wordt donker. Ik wil je thuisbrengen.'

Hij liet haar achter met haar hand op de deurklink. Hij liep de kerkruimte door, zijn aandacht gericht op wat er voorbij de achtermuur lag, en opende de deur die naar de achterkant van de kerk leidde.

Nieuwsgierigheid dreef hem. En hij zou niet verbaasd geweest zijn als hij alle zaaltjes achter in de kerk doorzocht had en niets gevonden had. Gebouwen kreunden en kraakten. Deuren klapperden. Dingen die weken en maanden in een hoek gestopt waren, begonnen plotseling en zonder oorzaak te glijden en vielen op de grond. Meestal gebeurden zulke dingen ongemerkt terwijl het gebouw gebruikt werd. Of ze gebeurden midden in de nacht als er niemand was om het te horen. Toevallig waren hij en Mercy dit keer in het gebouw. Andere keren als hij alleen in het gebouw was, had hij dingen horen vallen of kreunen. Maar omdat het geluid dat ze gehoord hadden harder was dan anders, ging hij nu op onderzoek uit. Maar waarschijnlijk was het niets.

Hij zocht zijn weg door de gang met een buitenmuur rechts van hem met een raam halverwege. Onder het lopen controleerde hij de balken boven zijn hoofd en de planken van de vloer en zag niets ongewoons. Toen hij het raam passeerde zag hij een hond buiten in het gras rollen.

Aan het einde van de gang was een buitendeur. Naar links was een andere gang die naar een aantal kleine zaaltjes leidde. De achterdeur stond op een kier. Josiah duwde hem open en keek naar buiten. Hij zag niemand. Hij sloot de deur en draaide zich weer om naar de kerk.

Vanuit zijn ooghoek zag hij iets bewegen. Toen werd alles zwart...

34

Josiah kwam bij doordat hij hoestte.

Hij had een zere keel, brandende longen en een zich samentrekkende maag. Josiah drukte zich op één arm op. Met zijn vrije hand voelde hij aan de pijnlijke plekken onder in zijn nek en in zijn rechterschouder. Daar was de klap aangekomen die hem op de vloer had doen belanden.

Toen hij bij zijn positieven kwam, realiseerde hij zich dat hij een grotere zorg had. De arm waarmee hij altijd de oven testte, voelde een bekende hitte. Alleen was het dit keer overal om hem heen.

Terwijl hij rook ophoestte, begonnen Josiahs ogen te tranen en hij ontdekte dat hij midden in een vuur zat. De muren, het plafond, de vloer – alles stond in brand.

Hij slaagde erin op zijn knieën te rollen. Hij zocht naar iets waar hij tegen aan kon leunen of duwen om overeind te komen, want zijn benen waren te wankel om zonder hulp op te kunnen staan.

De muren om hem heen rimpelden in de oranje vlammen. Hij schermde zijn gezicht af tegen de hitte.

Door zijn wanhopige hoesten sloegen zijn ogen dicht en klapte hij als een onbeweegbare zak voorover; zijn beperkte kracht lekte weg. De stuipen kwamen nog maar enkele seconden na elkaar. Als hij tussen de samentrekkingen door niet overeind kon komen en uit de nauwe muren van vuur kon ontsnappen, zou hij geroosterd worden.

Juist toen voelde hij iets koels achter in zijn hals. Hij voelde een briesje, zo koud, dat hij zou hebben gedacht dat het vochtig was.

Het kwam uit de deur, een paar meter bij hem vandaan, die

ongeveer vijftien centimeter open stond. De opening was bedekt met vlammen, maar daarachter was het groen en blauw.

Voor hij zich die kant op kon bewegen, klapte hij dubbel door een hoeststuip. Het voelde alsof hij binnenstebuiten gekeerd werd.

Hij vocht om zijn gedachten te concentreren op wat hij na het hoesten moest doen. Hij trok zijn voeten onder zich en hief zich op tot een hurkende houding. Rechterop zou hem niet lukken. Met zijn ogen vast op de deur gericht gaf Josiah zijn voeten het bevel hem daarnaartoe te brengen. Meer dan strompelen kon hij niet.

Het was genoeg.

Hij leunde voorover tot zijn voeten geen andere keus hadden dan te bewegen om te voorkomen dat hij met zijn neus op de krakende houten vloer viel.

Josiah sloeg tegen de deur en dook de buitenlucht in alsof het een beek was. Hij tuimelde het trapje af en het gras op.

Hij rolde zich op zijn zij en zoog de naar gras geurende lucht in, hoestte het weer op en zoog weer nieuwe lucht in. Zijn longen deden pijn, maar zijn armen en benen begonnen sterker te worden en zijn hoofd – dat dreunde van de pijn – werd weer helder.

Van de brink kwam alarmgeroep.

Een aantal minuten lag Josiah met zijn hoofd op het gras en kon hij weinig meer dan naar lucht happen en van opzij naar de vlammen kijken die meer en meer van de kerk aangrepen.

Mercy was in elk geval veilig. Hij herinnerde zich dat hij tegen haar gezegd had dat ze buiten op hem moest wachten.

Ze zou zich zorgen maken over hem. Die gedachte bezorgde hem blijdschap en pijn. Hij vond het een prettige gedachte dat ze over hem zich zorgen zou maken, maar hij vond het geen prettige gedachte dat hij er de oorzaak van was dat ze zich zorgen maakte.

Hoe langer hij daar lag, hoe meer en meer de gedachte dat Mercy zich zorgen maakte over zijn veiligheid ervoor zorgde dat hij zich ongemakkelijk voelde. Zozeer dat hij zich overeind worstelde en op weg ging naar de voorkant van de kerk.

Toen hij de hoek van het gebouw om kwam, arriveerden net de eerste inwoners van het stadje. Degenen die voorop liepen kwamen met lege handen. Ze waren gewoon op het vuur afgekomen. Maar kort achter hen kwamen mannen met emmers water.

Een paar mannen kwamen op hem af. 'Dominee! Bent u in orde?'

'Blus dat vuur, jongens!' wist Josiah te zeggen.

Er waren nu een dozijn mannen gearriveerd die de aanval op de vlammen openden. Josiah draaide zich om en bekeek het gebouw. De brand beperkte zich tot de achterkant van de kerk. Ze waren er snel genoeg bij. De zaaltjes achter in de kerk zouden opnieuw opgebouwd moeten worden, maar het zag ernaar uit dat het vuur de kerkzaal nog niet bereikt had.

Hij strompelde naar de voorkant. Van alle kanten kwamen mensen naar de kerk rennen. Sommige mannen stonden met open mond te kijken. Josiah stuurde hen naar de achterkant van het gebouw.

Eunice en Abigail haastten zich de brink over. Abigail liep naar hem toe, maar Eunice bleef staan, de handen in haar zij, en overzag het gebouw.

'Josiah! Ben je in orde?' riep Abigail.

Haar hand was op zijn rug. Ze boog zich naar hem toe om naar hem te kijken. Tot dan toe had Josiah zich niet gerealiseerd dat hij nog steeds niet rechtop liep.

Het voelen van Abigails hand op zijn rug gaf hem een heerlijk gevoel. Hij zou ervan genoten hebben als hij er niet van had moeten hoesten.

'Met mij is alles goed,' wist hij te zeggen. Hij keek haar in de ogen.

Haar gezicht was dicht bij het zijne. Dichterbij dan het geweest was sinds...

Mercy!

Josiah ging rechtop staan en keek om zich heen. 'Mercy,' zei hij hardop.

Abigail keek verward, alsof ze niet wist waar hij het over had.

Maar Eunice hoorde hem en kwam naar hem toe. 'Wanneer heb je haar voor het laatst gezien?'

'Binnen. Ik heb tegen haar gezegd dat ze hier buiten op me moest wachten.'

Eunice keek om zich heen en schudde haar hoofd.

Josiah keek ook rond. Geen Mercy. Hij ging terug naar de kerk.

'Josiah, waar ga je naartoe?' vroeg Abigail.

Er was geen tijd om antwoord te geven. Zijn benen vonden een reservekracht waarvan hij niet wist dat hij die had.

Hij sprong het trapje bij de voordeur op, zwaaide de deur open en vloog naar binnen. Er kringelde rook tussen de dakspanten als een leger van boze geesten. Hij dook neer.

'Mercy!'

Zijn schreeuw was meer gekras.

'Mercy!'

Hij keek onder het voorbijrennen in elke kerkbank, op zoek naar iets lichtgeels. Mercy had een lichtgele jurk aan gehad.

Josiah werkte de hele kerkzaal af, maar zag Mercy niet. Hij begon weer te hoesten met krachtige stuipen die zijn knieën deden knikken. Ten slotte bereikte hij de deur naar de gang.

Er kringelde rook onder de deur door. De donkere grauwe vingers grepen naar hem en drukten hem tegen de grond. Ze grepen zijn keel en sneden hem de adem af; ze probeerden hem te vergiftigen.

Hij gooide de deur open.

Als een boeman sprong de rook de gang uit en gooide hem

achteruit. Op de een of andere manier bleef hij overeind.

Toen, door de rook heen, zag hij op de houten vloer iets lichtgeels.

Mercy.

Helemaal aan de andere kant van de gang kon hij het geschreeuw horen van de mannen die het vuur bestreden, het gerinkel van emmers, het gesis van water dat in de vlammen geworpen werd. Witte rookwolken vertelden dat ze de strijd aan het winnen waren.

Josiah probeerde om hulp te roepen, maar door de ijzeren greep die de rook op zijn keel had kon niemand hem boven het geschreeuw van de mannen die vochten tegen het vuur uit horen.

Hij viel op zijn knieën en trok Mercy in een zittende positie.

Ze kreunde.

Hij zou nooit weten waar de kracht vandaan kwam, maar hij tilde haar op en droeg haar de hele kerkzaal door, de voordeur uit.

Op de bovenste trede wankelde Josiah. Vaag hoorde hij de stem van Eunice Parkhurst die iemand opdracht gaf hem te helpen.

Toen ze hem bereikten, moesten ze niet alleen Mercy het trapje afdragen, maar Josiah ook.

Philip Clapp kwam aangereden. De rook had hem erop gewezen dat er brand was en hij bestuurde zijn eigen koets. Johnny Mott arriveerde op hetzelfde moment te paard.

Johnny rende naar de achterkant van de kerk om het vuur te helpen bestrijden, maar de brand was nu onder controle. Philip rende naar Josiah en Mercy, die naast elkaar op de brink uitgestrekt lagen.

Josiah was weer zover bij zijn positieven gekomen dat hij

probeerde te gaan zitten. Abigail en Eunice waren met Mercy bezig, die hoestte.

Philip overzag de situatie en nam de leiding. Hij wees naar twee mannen die toevallig in de buurt waren. 'Haal dokter Wolcott. Laat hem naar het huis van de zussen komen.' Tegen een andere man zei hij: 'Help me om haar in de koets te tillen.'

'Nee,' eiste Josiah. 'Ik doe het.'

'Daar ben je niet toe in staat,' wierp Philip tegen. 'Dit is niet het moment om...'

Maar Josiah nam geen bevelen aan van Philip. Hij kwam overeind en stond klaar om Mercy de koets in te dragen. Samen droegen hij en Philip Mercy het open rijtuig in. Abigail klom bij haar achterin. Eunice begon aan de andere kant in te stappen.

Josiah ging voor haar staan. 'Ik ga met haar mee.'

Eunice staarde hem even aan, maar stapte terug.

Philip ronselde een man om het rijtuig te besturen. 'Ik kom zo,' zei hij tegen Josiah. 'Als ik zeker weet dat hier alles onder controle is.'

Josiah knikte.

Het was geen lange rit naar het huis van de zussen, maar het was wel een vreemde. Josiah had er niet bij nagedacht hoe vreemd het zou zijn tot ze onderweg waren en hij opkeek en Abigails blik ving.

Mercy leunde achterover, haar ogen gesloten. Haar hoeststuipen werden minder.

Nu het gevaar geweken was, werd Josiah zich er op een ongemakkelijke manier van bewust dat hij opgepropt zat in een koets met de vrouw die hij liefhad terwijl er een andere vrouw – die gevoelens voor hem had – tussen hen in lag.

Er werd geen woord gezegd. Op een gegeven moment deed Mercy haar ogen open en betrapte Josiah en Abigail terwijl ze naar elkaar zaten te staren. Toen sloeg ze dubbel met een nieuwe hoestaanval.

Grace stond buiten bij het huis met een mand met eieren aan haar arm toen ze het rijtuig zag komen. Er gleed een flits van angst over haar gezicht toen ze Mercy achter in de koets zag. Daarna was ze een en al zakelijkheid.

Grace Smythe was een van die vrouwen die, als de nood aan de man kwam, hun gevoelens konden negeren om te doen wat nodig was. Zodra de angst op haar gezicht te zien was, was het ook weer weg. Ze zette handig de mand met eieren neer zonder dat er ook maar één ei brak.

'De brand?' vroeg ze.

Blijkbaar had ze de rookzuil gezien die boven de brink oprees.

'Ze is niet verbrand,' legde Abigail uit. 'Ze heeft alleen veel rook binnengekregen.'

Grace knikte. 'Laten we haar naar binnen brengen.'

Josiah klom het rijtuig uit en maakte zich klaar om Mercy achter uit de koets te tillen.

Grace gleed tussen hem en de koets in en versperde hem de weg. Ze gaf de koetsier opdracht om Mercy's schouders te pakken.

Josiah stond hulpeloos aan de kant terwijl de koetsier en de twee vrouwen Mercy het huis binnendroegen. Hij volgde hen.

Maar zodra ze de drempel over waren, schopte Grace de deur dicht, zodat Josiah buitengesloten werd.

Twintig minuten later verscheen dokter Wolcott. Josiah gaf hem een kort verslag. Hij overwoog de dokter naar binnen te volgen en Grace uit te dagen hem eruit te schoppen, maar besloot dat toch niet te doen.

In plaats daarvan bleef hij buiten wachten en bidden.

Er ging een halfuur voorbij. Ondertussen kwam Grace naar buiten om naar de bron te gaan en een emmer water te halen.

Josiah deed een halfslachtige poging om aan te bieden het water voor haar te dragen. Grace deed alsof hij er niet was.

Eindelijk arriveerden Philip en Johnny. Philip had een paard van iemand geleend.

'Hoe is het met haar?' vroeg Philip terwijl hij afsteeg.

'Ik heb nog niets gehoord,' zei Josiah zielig.

Philip trok een wenkbrauw op. Toen klopte hij op de deur. Grace liet Philip en Johnny binnen.

Weer liep Josiah twintig minuten alleen buiten het huis te ijsberen.

De deur ging open. Philip, Johnny, Abigail, de vreemdeling die de koets bestuurd had en dokter Wolcott kwamen naar buiten.

Philip gaf de vreemdeling opdracht om Abigail naar huis te rijden. Ze schonk Josiah een zwakke glimlach en klom toen achter in het rijtuig.

'Bedankt, dokter,' zei Philip tegen Wolcott.

'Komt het weer goed met haar?' vroeg Josiah.

Wolcott antwoordde niet. Hij keek nors en liep Josiah voorbij.

Zo bleven Josiah, Johnny en Philip alleen over bij het huis van de zussen.

'Gaat iemand mij nog vertellen hoe het met Mercy gaat?' blafte Josiah. Zijn geduld was op. Hij was lang genoeg buitengesloten.

'Ze komt er weer bovenop,' zei Philip.

Goed nieuws dat werd gelogenstraft door de manier waarop Philip het zei. Hij deelde het nieuws mee op een ernstige toon. Josiah dacht zelfs een nerveuze trilling in Philips stem te horen.

'Haar stembanden zijn beschadigd,' voegde Philip eraantoe.

Josiah knikte. Aan zijn keel te voelen, zou hij niet verbaasd zijn als die van hem ook wat beschadigd geraakt waren.

Philip liep een eindje van het huis weg. Johnny volgde hem.

Hij vermeed het Josiah aan te kijken. Er was iets mis. Blijkbaar verzwegen ze iets voor hem.

'Vertel me wat er gebeurd is,' eiste Philip.

Zo duidelijk als hij kon beschreef Josiah wat er gebeurd was – dat hij en Mercy hadden gebeden, het geluid, dat hij tegen Mercy gezegd had dat ze buiten moest wachten, dat hij op onderzoek uitgegaan was, dat de lichten uitgegaan waren, hoe hij uit de brand ontsnapt was, hoe hij zich gerealiseerd had dat Mercy nog binnen was, hoe hij haar naar buiten gedragen had...

Tijdens het verhaal luisterde Philip. Johnny ook, maar hij had Josiah half zijn rug toegekeerd.

'Jullie doen alsof jullie me niet geloven,' zei Josiah.

'Je verhaal klopt niet met wat we gehoord hebben,' beweerde Philip.

'Klopt niet? Wat klopt er niet?'

Philip haalde diep adem. 'Ooggetuigen zagen rook en vlammen. Toen ze kwamen kijken wat er aan de hand was, zagen ze jou achter de kerk vandaan komen rennen.'

'Rennen! Eerder strompelen. Ik ben er op het nippertje levend uit gekomen!' riep Josiah uit.

'Ze hebben as van papier en tondel gevonden in de hoek van de zaal waar de brand begonnen is.'

Dus er was iemand anders in de kerk! Tot nog toe had Josiah daar niet zeker van kunnen zijn. Hij wist dat hij door iets achter in de nek geraakt was, maar tot dit moment had hij niet geweten of het expres was of dat er gewoon een balk op hem gevallen was.

'Philip, ik zeg je, ik heb die brand niet aangestoken. Waarom zou ik dat doen? Waarom zou ik de kerk in brand steken?'

'Mercy werd gewurgd,' zei Philip.

Josiah kon niet geloven wat hij hoorde. Hij keek wanhopig naar de twee mannen die hij langer dan wie ook gekend had. Geen van beiden keken ze hem aan.

'Heeft ze gezegd dat ik...'

'Ze heeft gezegd dat ze op jou wachtte, maar dat ze toen rook rook en op onderzoek uitging. Iemand greep haar van achteren en wurgde haar tot ze het bewustzijn verloor.'

'Heeft ze gezegd dat ik het was?' Josiah wist niet of hij het antwoord op die vraag wilde horen, maar hij moest het vragen.

'Ze heeft hem niet goed kunnen zien, maar hij had jouw lengte en postuur.'

Josiah begon op en neer te lopen. Hij voelde de gretige vingers van paniek naar hem grijpen en probeerde ze af te schudden, maar ze gaven niet op. Zijn ademhaling versnelde en hij begon te hoesten. De eerste hoest leidde weer tot stuipen en hij viel neer op zijn knieën.

Johnny haalde een kroes water voor hem uit de bron. Het koude vocht stak hem terwijl het naar beneden gleed.

Zittend op de grond staarde Josiah terneergeslagen naar Mercy's voordeur. Hij wilde zelf met haar praten. Om van haar te horen wat er gebeurd was. Om haar te troosten. Om zich te verontschuldigen, al wist hij niet waarvoor – misschien omdat hij haar overgehaald had om te blijven? Hij wilde haar hand vasthouden, haar in de ogen kijken en alle twijfels uit haar hoofd verjagen die ze had. Maar hij wist dat hij nooit voorbij Grace zou komen.

'Dus wat gebeurt er nu?' vroeg Josiah.

Philip staarde in de verte. 'Het leven gaat verder,' zei hij, niet erg overtuigend. 'We repareren de kerk en gaan verder.'

Vanaf de grond gluurde Josiah op naar zijn vriend.

'Heb je hulp nodig om thuis te komen?' vroeg Philip.

'Nee, ik red me wel.'

Op weg naar huis sneed Josiah een stuk af door het bos. Normaal gesproken was het gemakkelijker om de weg te nemen, de langere weg, omdat er geen echt pad door het bos was.

Maar om de een of andere reden besloot Josiah de kortste weg
te nemen. Misschien omdat hij bij elke stap tegen een boom
kon leunen.

Hij hoorde hun stemmen voor hij hen zag.

Philip en Johnny zaten beiden te paard en keken elkaar aan.
Josiah kon niet horen wat ze zeiden, maar uit de toon van hun
stemmen en hun gebaren was op te maken waren ze in een
heftig debat waren gewikkeld.

Josiah zigzagde tussen de bomen door om dichterbij te
komen, maar voor hij kon verstaan wat ze zeiden, reden de
twee mannen in tegengestelde richtingen weg.

35

Morgen houd ik mijn laatste preek voor de opwekkingsdiensten gaan beginnen. Gegeven de omstandigheden van de afgelopen week voorzie ik dat mijn boodschap op z'n best een lauwe ontvangst zal krijgen. De bemoedigende geest die onder de mensen aan het ontstaan was, is doeltreffend gedoofd, hoe ironisch, door de brand in de kerk en de aanval op Mercy. Ondanks mijn heftige protesten verdenkt een aantal van de inwoners mij van beide dingen.
Niettemin zal ik preken over 2 Kronieken 7:14:

> *... en mijn volk waarover mijn naam is uitgeroepen, verootmoedigt zich en zij bidden en zoeken mijn aangezicht en bekeren zich van hun boze wegen, dan zal Ik uit de hemel horen, en hun zonde vergeven en hun land herstellen.*

En ik zal erop vertrouwen dat God de boodschap zal zegenen, ondanks de boodschapper. Ik kan alleen maar bidden dat Gods Geest de brandende pijlen van het Kwaad zal doven en dat George Whitefield in staat zal zijn om te bereiken wat ik niet heb kunnen bereiken: dat deze zondige stad tot genezing gebracht wordt, zodat Hij hen mag helen en hun harten opwekken.
Echter, niet alles is donker. Mercy – gezegend zij ze – heeft me een lange brief geschreven, die met tegenzin bezorgd is door Grace, de knorrigste brievenbezorgster die ik ooit gezien heb. Mercy wilde duidelijk maken dat ze me er nooit van verdacht heeft dat ik haar aangevallen heb of de brand in de kerk heb aangestoken. Ze zal niet in staat zijn om de diensten van komende zondag bij te wonen, maar ze verwacht dat ze goed genoeg zal zijn om het preken van dominee Whitefield bij te wonen. Daarvoor dank ik God.
Een andere blijde noot is ouderling Dunmore. Hij is op de repara-

tie van de achterkant van de kerk aangevallen met het vuur van een zeloot. Hij heeft het op zich genomen om elk spoor van de brand uit te wissen voor de opwekkingsdiensten beginnen. Ik heb nooit een man gezien met zo veel overredingskracht en doelbewustheid.

En dan is daar die vreemde Johnny Mott. Hij heeft mij nu al een paar keer apart genomen om me in mijn arm te knijpen of mijn hand te schudden of me op mijn rug te kloppen. Hij doet dat zonder woorden, maar de boodschap is duidelijk: wees sterk. Moge God hem zegenen voor zijn bemoediging.

Toen we jonge mannen waren, was Johnny altijd meer bevriend met Philip. Het was alsof de band van onze vriendschap via Philip liep – dat als het niet om Philip was, Johnny en ik nooit vrienden geweest zouden zijn. Ik geloof dat dat aan het veranderen is. Zijn daden van de laatste tijd zijn het fundament waarop vriendschappen voor het leven gebouwd worden.

Philip aan de andere kant gaat verder op een gevaarlijke weg. Zoals verwacht sijpelt het nieuws over de slavenveiling de stad binnen. Het kan niet langer meer als een gerucht afgedaan worden. Hij heeft elke discussie opgeschort door verrassing te veinzen en de stad gerust te stellen door te zeggen dat hij een brief naar Lord Bellamont gestuurd heeft om opheldering te eisen. Met een reis van drie maanden heen en dan weer terug kan hij de zaak gemakkelijk uitstellen tot na de winter en tot het moment dat de veiling gehouden zal worden.

Wat mij betreft, ik houd me stil, zoals ik beloofd heb, zelfs al weet ik dat Philips tactiek een list is. Daarom worstel ik tot laat op de avond met mijn geweten. Ik had gehoopt dat de zaak niet openbaar zou worden tot na de opwekking, als de mening van de stad zo sterk tegen een slavenveiling zou zijn dat het roekeloos zou zijn om ermee door te gaan. Zo God het wil zal alles spoedig rechtgezet worden en zal de stad niet langer misleid worden door de goden van deze eeuw, of zoals Edwards ze genoemd heeft: 'de riviergoden'.

Tot dan ben ik een bezorgde moeder die voor haar zieke kind bidt tot de koorts wijkt en de gezondheid terugkeert.

Het ochtendgloren van de zondag was niet meer dan een belofte in de lucht. Er liep een zachtblauwe lijn langs de oostelijke horizon toen Josiah zijn jas aantrok en de voordeur uitstapte met zijn bijbel en de preek in de hand.

'Dominee!?'

De spreker leek niet te weten of hij vroeg of riep. Niettemin maakte zijn plotselinge verschijning Josiah aan het schrikken.

'Bent u de dominee?'

Josiah herkende de jongeman niet. Hij had een bos wilde, blonde krullen die eruitzag als een pruik die schots en scheef op zijn hoofd zat. Maar blijkbaar waren de krullen echt en zaten ze vast, want toen hij bewoog, vielen ze er niet af.

Nadat hij vernomen had dat Josiah inderdaad de dominee was, drong de jongeman aan: 'U kunt beter komen. De werf. Het is erg. Heel erg.'

Josiah herinnerde zich een vergelijkbaar incident waarbij hij naar de haven geroepen was. Het resultaat was een brand en een aanvaring met Johnny Mott in een van zijn pakhuizen geweest.

'Ik heb nu geen tijd om van het kastje naar de muur gestuurd te worden,' zei Josiah ferm.

'Nee, dit is iets ergs, iets heel ergs. U kunt beter komen.'

Er blonk angst in de ogen van de jongeman, maar die emotie kon ontstaan zijn doordat iemand hem gestuurd had met een bedreiging over wat er zou gebeuren als hij het bedoelde doelwit niet zou meebrengen.

'Voor wie werk je?' vroeg Josiah. 'Wie heeft je gestuurd?'

Een ongelofelijke angst verwrong het gezicht van de jongen. Zijn benen begaven het en hij viel voorover in het stof. 'O God, o God, o God,' kreunde hij.

Josiah liep naar hem toe, bezorgd, maar nog steeds op zijn hoede.

Het bleek dat dat niet nodig was. De jongeman was niet in staat iemand kwaad te doen. Zo te zien was hij ingestort onder het gewicht van zijn eigen verdriet.

Josiah kon niets meer uit hem krijgen. Noch kon hij de benen van de jongen zover krijgen dat ze hem weer konden dragen.

Josiah had geen andere keus dan naar de werf te gaan en zelf te zien wat een jongeman in zo'n toestand kon brengen.

Met zijn bijbel onder zijn arm ging Josiah half lopend, half rennend langs de eik van ouderling Cranch naar High Street. Bij elke stap werd het lichter, maar een donker voorgevoel omvatte zijn hart.

Er was kwaad hier. Josiah kon het voelen. Alsof iemand een enorme schroef omdraaide in zijn buik. De pijn bracht hem zo ver uit balans dat als hij iemand tegengekomen zou zijn, die gedacht zou hebben dat hij dronken was.

Hij kwam echter niemand tegen. De morgenlucht was stil en hij was alleen. Er tsjirpten geen vogels. Er ritselde niets in het stof. De wereld leek de adem in te houden, alsof de dag zelf bang was om adem te halen uit angst voor wat er verder zou gebeuren.

Josiah naderde het kruispunt van High Street en Summit Street. De rivier en de haven waren links van hem, op het moment afgeschermd door bomen en struiken.

Hij keek of hij rook zag.

De lucht was glashelder. Zo helder dat Josiah wist dat hij als hij Summit Street bereikte, zijn eerste duidelijke zicht op de werf en de haven zou krijgen. Misschien zou hij dan meer weten.

Hijgend rende Josiah door. Hij dacht eraan dat hij moest bidden. 'Here God, niets verrast U en er is niets wat U niet aankunt. Of dit nu een flauwe grap is of niet, geeft U ons allemaal genoeg kracht voor de komende dag.'

Wees sterk. Die twee woorden kwamen hem in gedachten toen hij het kruispunt van High Street en Summit Street bereikte en hij zich naar de werf keerde. Het was op datzelfde moment dat hij begreep dat het geen grap was. Het was een zwarte dag, ondanks het ochtendgloren dat de haven verlichtte.

Er ontsnapte Josiah een dierlijke gil.

Zijn bijbel stuiterde op de weg.

Hij zonk neer op zijn knieën.

En hij huilde om wat hij zag.

Daar, in de haven, bengelend aan de ra van een schip, hing het lichaam van Johnny Mott.

36

Vanwege zijn omvang en de breedte van zijn schouders was het altijd gemakkelijk geweest om Johnny Mott in een menigte of van een afstand te ontdekken. Dus toen Josiah het lichaam aan een stuk touw zag bengelen, was er geen enkele twijfel bij hem dat het Johnny was.

Een briefje dat in de zak van de dode man gestoken zat, bevestigde dat zijn dood zelfmoord was en het wees de persoon aan die verantwoordelijk was voor Johnny's fatale beslissing – zijn vriend, dominee Rush.

Het briefje was een jammerklacht van een dode man dat de vrouw met wie hij had willen trouwen voor altijd de liefde bezat van de dienaar van de kerk en dat zij altijd van hem zou houden. Er stond in dat hij het niet langer kon verdragen hoe zij elke zondag verlangende blikken uitwisselden.

Johnny Motts dood wierp een zwarte schaduw over het stadje.

Geschokt door de zelfmoord van zijn vriend en diens postume beschuldiging preekte Josiah die zondag zoals hij van plan geweest was, al kon hij zich er achteraf geen woord van herinneren. Wat hij zich herinnerde waren de gezichten van de gemeente die naar hem staarden uit de kerkbanken en hun gedempte en sombere stemmen voor en na de dienst.

De zelfmoord had hen verbijsterd. Net als bij hem, waren hun gedachten mistig. Maar ooit zou de mist optrekken en de meningen zouden zich uitkristalliseren en stem krijgen. En Josiah zou ter verantwoording geroepen worden voor de beschuldigingen die tegen hem uitgebracht waren.

Hoe kon hij het getuigenis weerleggen van een man die zijn woorden bezegeld had met zijn dood? Hoe kon hij de beschuldigingen weerleggen als hij zelf wist dat ze waar waren?

Niet het deel over het uitwisselen van verlangende blikken op de zondag. Dat was niet waar. Hij dacht tenminste van niet. Maar hoe kon hij daar zeker van zijn?

Voelde hij nog iets voor Abigail Parkhurst?

Hij wist dat dat zo was.

Had hij naar haar gestaard, soms zelfs vanaf de preekstoel?

Hij wist dat hij dat gedaan had.

Had hij zijn gevoelens zo slecht verhuld?

En hoe zat het met Abigail? Hoe zou zij op deze beschuldigingen reageren? Wat wilde Josiah graag met haar praten.

Abigail was die morgen niet bij de kerkdiensten aanwezig. Haar moeder was bij haar thuisgebleven. Na de dienst ging een half dozijn vrouwen op weg om haar bij te staan.

Van voor de kerk keek Josiah naar het huis van de Parkhursts.

'Dat is niet verstandig,' deelde Philip mee.

Josiah draaide zich om naar zijn vriend. Philip had een asgrauw en somber gezicht. Hij was helemaal zichzelf niet. Tijdens de preek had hij in de ouderlingenbank gezeten, zijn rug recht, zijn ogen strak voor zich uit gericht op niets. Soms leek hij niet eens adem te halen. Toen de preek klaar was, had hij dat niet opgemerkt en was opgesprongen toen een van de ouderlingen iets tegen hem zei.

Niet onverwacht was Philip te laat in de kerk gekomen. Hij had zich bewogen alsof hij onder water liep. Hij zou de verkeerde bank binnengestommeld zijn, als Anne hem niet geleid had voor ze naar haar eigen zitplaats gegaan was.

Nu, voor de kerk, leek hij een deel van zijn positieven teruggevonden te hebben.

'Gaat het goed met je?' vroeg Josiah.

Philip staarde naar hem alsof dat de domste vraag was die hij ooit gehoord had.

'Ik vraag het maar,' verontschuldigde Josiah zich.

'Ik zal de begrafenis regelen,' zei Philip vlak. Toen liep hij weg.

Johnny Mott werd twee dagen later begraven, de dag voor de opwekkingsdiensten zouden beginnen. De stoet naar het graf was de langste die ieder zich kon herinneren.

Alle winkels waren uitverkocht wat betreft begrafenisringen en handschoenen.

Josiah sprak een gebed uit bij het graf. Als dominee was dat zijn taak, al hadden enkele ouderlingen zich openlijk afgevraagd of dat wel gepast was, gezien de omstandigheden.

Philip had de zaak afgedaan toen hij zei: 'Het is zijn werk. Daar betalen we hem voor.'

Maar dat maakte geen eind aan de blikken en het gefluister om het graf en de kist.

Philip stond aan het hoofdeinde van het graf. Hij was degene die Johnny, die geen familie had, het naast gestaan had. Abigail Parkhurst, de verloofde van de dode man, stond naast Philip, met haar moeder naast haar.

Een lange rij – kerkleden, zakenlui, havenarbeiders, zeelui – liep langs de kist om de laatste eer te bewijzen. Al het werk op de werf was voor de begrafenis stilgelegd.

Toen Philip zich omdraaide om te gaan, wankelde hij en hij zou gevallen zijn, als Anne hem niet opgevangen had.

Josiah liep alleen naar huis. Een briefje in een nu bekend vrouwelijk handschrift hing op hem te wachten, zoals gebruikelijk tussen een spleet in de overnaadse planken gestoken. Het bevatte twee woorden, maar die twee woorden gooiden Josiah bijna omver.

Wees sterk.

Slechts enkele minuten later arriveerde George Whitefield.

Josiah was ervan overtuigd dat hij, als er op hetzelfde moment een engel van God was verschenen, het verschil niet had kunnen zien tussen de engel en de evangelist.

Nadat hij Whitefield geholpen had zijn schaarse bagage het huis in te dragen, voelde Josiah zich gedrongen hem te vertellen van de recente gebeurtenissen in het stadje. De evangelist moest weten hoe hoog de berg was waarvan hem gevraagd werd die te beklimmen.

Josiah zei het ronduit. 'Gezien wat er gebeurd is, zal niemand u er minder om achten wanneer u het beter zou vinden om de diensten af te gelasten.'

Gezeten aan Josiahs tafel, luisterde Whitefield geconcentreerd. Soms huiverde hij bij de gedetailleerde beschrijving van Josiah.

Terwijl Josiah sprak, werd hij soms bijna overweldigd door de emoties van de laatste zeven maanden en vooral van de laatste drie dagen. Twee keer kon bijna niet verder praten; hij moest even stoppen om zichzelf weer onder controle te krijgen.

Toen hij klaar was, viel Josiah stil. Hij had zijn zaak zo goed mogelijk uiteengezet, zelfs het bewijs dat tegen hem pleitte – het deel over zijn gevoelens voor Abigail – en nu wachtte hij op het vonnis.

In de stilte in de kamer kraakten en knisperden er een paar smeulende stukken hout in de haard.

Na een kwellend uitstel schraapte Whitefield zijn keel. 'Tijdens mijn reis hiernaartoe gingen mijn gedachten steeds terug naar uw dagboek, waarin u verslag doet van de geestelijke toestand van het stadje en concludeert dat ze lijden aan wat u noemt zielsziekte. Blijft u daarbij?'

Josiah zuchtte onder het gewicht van het antwoord. 'De geestelijke toestand hier is erger dan ik ooit gezien heb. En ik vrees dat de waardering voor hun predikant nu minder is dan ooit... minder zelfs dan toen de brand van zeven jaar geleden leidde tot mijn verbanning naar Boston.'

Whitefield knikte. 'Ziet u nog enige hoop voor uw ambtsbediening hier?'

De vraag bracht Josiah verder in zijn gedachtegang dan hij tot nog toe gegaan was. Had hij, na Johnny's dood en zelfmoordbriefje, nog toekomst hier?

'Omdat u medische terminologie gebruikt hebt,' zei Whitefield, 'zou u, in medische termen, zeggen dat uw werk hier kritiek is? Of mogelijk al verder dan kritiek? Zou u zeggen dat uw effectiviteit als predikant hier dood is?'

Josiah huiverde. Het was zijn idee om medische termen te gebruiken en het had een goed idee geleken toen hij de toestand van de stad onderzocht. Maar op hemzelf en zijn huidige situatie toegepast leek het wrang. Accuraat, maar wrang.

'Ziet u nog enige hoop?' drong Whitefield aan.

Josiah liet zijn hoof hangen. 'Nee, ik zie geen hoop meer.'

'Dus het is dood?'

Josiah slikte moeilijk. 'O ja. Ik zeg dat het dood is.'

Whitefield sloeg zo hard op de tafel dat Josiah opsprong. 'Mooi! Want het opwekken van doden is wat God het beste kan! Kom, we moeten bidden.'

Na twee uur op hun knieën stuurde Whitefield Josiah eropuit om de ouderlingen bij elkaar te halen.

'Knevel ze en sleep ze hierheen als het moet,' zei Whitefield. 'Elke zondag zitten ze in de ouderlingenbank en presenteren ze zich trots als dienaren van God. Vanavond gaan we hen daaraan houden. Zeg tegen hen dat hun God hen nodig heeft.'

Josiah moest bij een paar van hen bijna zijn toevlucht nemen tot knevelen om ze te laten komen, maar uiteindelijk kon hij hen allemaal bij elkaar te krijgen, op één na: Philip Clapp.

Philips bediende met het lange gezicht volgde de orders van zijn meester op en weigerde Josiah binnen te laten.

'Meester Clapp heeft zich voor vanavond teruggetrokken. Hij mag onder geen beding gestoord worden.'

Josiah kon niets zeggen om Lang Gezicht van zijn meesters wensen af te brengen. Hij had Josiah één keer eerder langs zich heen laten gaan en Josiah kon aan de ogen van de bediende zien dat hij dat niet nog een keer zou laten gebeuren.

Dus probeerde Josiah een andere benadering.

Hij ging voor Philips huis staan en schreeuwde naar hem. Hij vertelde hem van Whitefields verzoek aan de ouderlingen om samen met hem te bidden. Hij deed een beroep op zijn plichtsgevoel tegenover God en de kerk. Hij schreeuwde tot Lang Gezicht en twee nogal stevige mannetjesputters hem wegjoegen.

Toen Josiah thuiskwam, vond hij de ouderlingen op hun knieën terwijl de evangelist heen en weer liep, tussen hen door en om hen heen, dan weer biddend, dan weer hen aansporend om te bidden, ongeveer zoals een koetsier een stel paarden zou aansporen.

De ouderlingen ging om ongeveer twee uur 's nachts naar huis.

George Whitefield en Josiah Rush baden tot de zon opkwam.

37

Met een wazige blik door te weinig slaap zoog Josiah frisse lucht in om zijn hoofd helder te krijgen. Zijn longen protesteerden, want hij was nog niet helemaal hersteld van de ongezonde dosis rook die hij in de kerk had binnengekregen. Whitefield keek hem bezorgd aan.

Ze waren net van huis gegaan en waren bijna bij de boom van ouderling Cranch, waar de weg uitkwam op High Street. Josiah wuifde met zijn hand dat hem niets mankeerde, terwijl hij hoestte en zijn keel schraapte.

Terwijl ze langs High Street liepen kreeg Josiah steeds meer hoop bij het zien van de gestage stroom mensen. Hij keek naar de evangelist en vroeg zich af in hoeverre het hem raakte dat er zulke grote aantallen mensen toestroomden om hem te horen preken. Maakten de aantallen hem zenuwachtig? Moest hij trots onderdrukken elke keer als hij op weg was naar een preekstoel?

Josiah zag geen spoor daarvan op het gezicht van de evangelist. Hij leek kalm en stoïcijns. Afwezig. In gedachten verzonken. Losgemaakt van de verveling van deze wereld, alsof God hem opzij genomen had en hem in het oor fluisterde waarover hij moest preken.

Tegen de tijd dat ze Summit Street bereikten, werd de menigte trager en voller. Toen ze Church Street aan de brink bereikten, was de menigte zo dicht, dat Josiah en Whitefield zich een weg naar het kerkgebouw moesten banen door onafgebroken 'pardon' te roepen.

Josiah had nog nooit zoveel mensen in Havenhill gezien. De brink was helemaal gevuld en stroomde over in elke aangrenzende straat.

'Ik kan er alleen maar naar raden hoe veel mensen hier zijn,' zei Josiah tegen Whitefield.

De evangelist keek even snel om zich heen. 'Ongeveer twee-duizend.'

Josiah trok zijn schatting niet in twijfel. Whitefield had veel meer ervaring in die dingen. Bovendien werd het al snel duidelijk dat Josiah een veel ernstiger wiskundig probleem op te lossen had – nog eens twee personen de trap van een kerk op zien te krijgen waarvan elke vierkante centimeter al bezet was.

Het trapje aan de voorkant was zo volgepakt dat er geen ruimte meer was om te wiebelen, laat staan om volwassen mannen door te laten.

Ook Whitefield taxeerde de situatie. Hij hield zijn hoofd schuin en keek Josiah aan.

'Laten we het aan de achterkant proberen,' stelde Josiah voor.

Toen ze de hoek aan de achterkant van de kerk om kwamen, moest Josiah ouderling Dunmore nageven dat hij een wonder verricht had aan het gebouw. Elk spoor van de brand was inderdaad uitgewist. Maar het zag ernaar uit dat er een ander soort wonder nodig zou zijn om de evangelist de achterdeur door en de kerk in te krijgen. Het trapje aan de achterkant was even volgepakt als dat aan de voorkant en de mensen waaierden nog twintig, misschien dertig rijen diep uit voorbij de onderste trede.

Toen hij bij de rand van het geduw kwam, riep Josiah om aandacht.

Whitefield trok hem aan zijn mouw om hem tegen te houden.

Josiah dacht dat Whitefield gewoon beleefd wilde zijn en niet wilde dat de mensen voor hem uit elkaar zouden wijken om hem te laten passeren alsof hij een koning was. Josiah negeerde hem. Het was tijd dat hij als gastheer wat extra gezag aanwendde.

Hij kondigde zichzelf en de eregast aan en legde uit dat hij de spreker het gebouw in moest zien te krijgen.

Het resultaat bleek contraproductief voor het doel.

De twee mannen werden meteen overspoeld door een golf mensen die de evangelist van dichtbij wilden zien. Binnen een paar tellen waren Josiah en Whitefield net twee flessen op een oceaan die heen en weer geslingerd werden op de grillen van de golfslag.

De enige manier om te voorkomen dat hij van Whitefield gescheiden raakte, was dat ze hun armen aan elkaar haakten. Wanhopig nu boog Josiah zijn hoofd, plantte zijn voetpunten in de groene zoden en begon zich een weg naar voren te banen, terwijl hij de evangelist achter zich aan trok.

'Het raam!' schreeuwde Whitefield.

Josiah keek op. Het open raam leek op een draaikolk naast een rustig kabbelende rivier. Hij zwom ernaartoe.

Tegen de krachttermen, het gestomp en de boze blikken in van degenen die zich bij het raam verzameld hadden in de hoop de woorden van de evangelist op te kunnen vangen, schreeuwde Josiah dat hij de dominee van de kerk was en dat hij naar binnen moest. Sommigen stapten bereidwillig opzij. Anderen, die dachten dat hij een leugen vertelde om naar binnen te kunnen – alsof iemand zou liegen om naar een preek te kunnen luisteren – duwden hem terug. Onverschrokken drukte Josiah zich vooruit tot ze het raam bereikten.

'Houd vast,' zei Whitefield en gaf Josiah zijn bijbel. De evangelist zwaaide handig een been op de vensterbank, keek om naar Josiah en knipoogde. 'Niet mijn eerste keer,' zei hij gevat.

Voor Josiah het wist, stak de hand van de evangelist uit het raam om zijn bijbel terug te vragen. Josiah probeerde Whitefield te volgen. Handen trokken hem terug.

'Ik ben de dominee van de kerk,' protesteerde Josiah. 'Echt. Dit is mijn kerk.'

Er luisterde niemand naar hem.

Juist toen stak Whitefield zijn hoofd het raam uit. 'Beste

mensen, in de naam van de almachtige God, laat deze man binnen. Hij spreekt de waarheid. Hij is de dominee.'

De handen lieten hem los en Josiah klom door het raam, terwijl Whitefield hem naar binnen trok.

Nu was het zaak op het podium te komen. Overal waren mensen. In de banken. In twee en drie rijen langs de muren. Staand en zittend in de gangpaden.

Weer ging Josiah voorop. Hij stapte over mensen heen, soms greep hij armen en mouwen vast om in evenwicht te blijven en steeds weer verontschuldigde hij zich.

Ze waren nog niet ver gekomen, toen Josiah een hand voelde die aan zijn arm trok. Hij draaide zich om.

Whitefield leunde naar hem toe en fluisterde: 'Ik ruik duidelijk de geur van rook in deze kerkzaal. Dominee Rush, hebt u vuur en zwavel gepreekt?'

Het podium waarop de preekstoel stond, werd hun Beloofde Land. Josiah wist dat ze, als hij alleen maar de evangelist in het Beloofde Land kon krijgen, van de melk en honing van de opwekkingsprediking konden genieten.

Eindelijk, na wat jaren van dwalen en jammeren en tranen leken – Josiah vond het verschrikkelijk, maar het was per ongeluk dat hij op het handje van het kleine meisje stapte – staken ze de treden van de Jordaan over en beklommen het podium. Maar ook daar vonden ze hetzelfde probleem.

In hun verlangen om de grote evangelist te horen hadden de mensen geen plaats overgelaten waar hij kon staan. En zelfs als ze er op de een of andere manier in zouden slagen om Whitefield op de preekstoel te krijgen, was er niet genoeg ruimte voor hem om zijn armen op te steken.

Een andere plek zoeken was de enige oplossing. Whitefield stemde daarmee in.

Tot groot ongenoegen van hen die vroeg genoeg gekomen waren om in de banken te kunnen zitten, kondigde Josiah aan dat dominee Whitefield zou preken vanaf het trapje van de kerk. Hij verwees iedereen naar de brink.

Het kostte even tijd om de vloed in omgekeerde richting te laten stromen, maar uiteindelijk liep het interieur leeg op het grasveld en stond dominee Whitefield boven aan het trapje en kon hij aan zijn preek beginnen.

Geleund tegen een boom overzag Josiah de menigte. Er waren zo veel gezichten aanwezig die hij nooit gezien had. Hij zocht naar kerkleden; hij wilde hun reacties zien. Eindelijk zag hij Mercy en Grace die naast elkaar op het gras zaten.

Het was de eerste keer dat hij Mercy zag sinds de brand in de kerk. Ze zag er schitterend uit. Haar jurk golfde rond haar benen; haar kin was licht geheven en ze dronk elk woord van de evangelist in. Het was duidelijk dat Whitefields preek in haar een gretig, ontvankelijk oor vond.

Hij vond Philip en Anne ongeveer een derde van de weg daarachter. Anne luisterde. Philip leek afgeleid.

Josiah zag verscheidene van de ouderlingen, Judith Usher en haar zoon, Edward.

Judith had wat een kinderpop leek in de hand. Ze drukte hem stevig tegen haar borst en begroef zo nu en dan haar neus erin, alsof ze aan de haren ervan rook.

De twee mensen die hij niet kon vinden waren Abigail en Eunice. Hij hoopte dat hij hen gewoon over het hoofd zag.

Whitefield was zeer goed in vorm. Of leek dat alleen maar zo omdat Josiah nu zo veel dichter bij de predikant stond dan in Philadelphia en Boston?

Er was geen spoor van vermoeidheid in de evangelist nadat hij de hele nacht opgebleven was om te bidden. Hij gedroeg zich energiek. En natuurlijk was zijn stem even melodieus als een sonnet.

Als predikant kon Josiah Whitefields optreden waarderen. Elk gebaar, elke beweging had een bedoeling.

Hij had als zijn tekst het gedeelte uit Exodus gekozen over de brandende braamstruik waar God tot Mozes sprak vanuit een struik die in vlammen gehuld was, maar niet verteerde.

'Het is een bekend gezegde,' zei Whitefield, 'en bekende gezegdes berusten meestal op waarheid, dat het altijd het donkerst is voor de dag aanbreekt; en ik ben ervan overtuigd dat we, als we op onze eigen ervaring afgaan of Gods handelen met zijn volk in voorgaande eeuwen in overweging nemen, zullen ontdekken dat juist wanneer de mens geen hoop meer ziet, God laat zien hoe machtig Hij is. En ik geloof tegelijkertijd dat we, hoewel we mogen dromen van een voortdurende voorspoed in de kerk of de staat, zowel wat betreft onze lichamen en zielen als onze tijdelijke zaken, zullen ontdekken dat dit leven een aaneenschakeling is van voor- en tegenspoed, dat de wolken terugkeren na de regen en dat de grootste voorspoed vergezeld gaat van bewolkte dagen, zo erg dat zelfs het volk van God wel eens uitroept: "Alle mensen zijn leugenachtig en God is vergeten om genadig te zijn!"'

Josiah knikte goedkeurend. Whitefield had een geschikt onderwerp gekozen voor deze gelegenheid. Sterker nog, het was misschien wel wat te direct. Josiah vroeg zich af of er kerkleden zouden zijn die hem ervan zouden verdenken dat hij met de evangelist samenspande of die Whitefield zouden zien als een huurling.

'Ik geloof,' sprak Whitefield luid, 'dat we vaak ontdekt hebben dat we nooit minder alleen zijn dan wanneer we met God zijn. We willen vaak dit of dat gezelschap, maar gelukkig zijn zij die kunnen zeggen: "Vader, Uw gezelschap is genoeg."'

Josiah huiverde. Dat stak. Als Whitefield op de kerk richtte, had hij nu de predikant geraakt.

De evangelist weidde een tijdje uit over de gebeurtenis van de brandende braamstruik en onderzocht wat het betekende.

Hij concludeerde dat de brandende braamstruik stond voor de hete beproevingen en kwellingen van Christus' kerk in deze wereld, beproevingen die niet vermeden konden worden.

'Niet lang geleden hoorde ik iemand zeggen: "Ik heb geen vijanden." Bisschop Latimer kwam op een dag bij een huis en de man van dat huis zei hij zijn hele leven nog geen kruis was tegengekomen. "Breng mij mijn paard!" riep de goede bisschop. "Ik ben er zeker van dat God hier niet is als hier geen kruis is!"'

Gelach en geknik ging over de brink.

Toen, behendig, gebruikte Whitefield hun gelach tegen hen. 'O, zegt er iemand, ik heb de duivel nog nooit gevoeld! Ik ben er zeker van dat u hem nu kunt voelen, want u bent zijn geliefde kind! U spreekt de taal van de duivel en hij leert u om uw eigen Vader te verloochenen! Daarom, onbeschaamd kind van de duivel, u hebt nooit de vurige pijlen van de duivel gevoeld, omdat de duivel zeker is van u! Hij heeft u in een verdoemelijke slaap gebracht! Moge de God van liefde u wekken voor de echte verdoemenis komt!'

De luisteraars bewogen zich ongemakkelijk. Maar ze gingen niet weg. De evangelist had hen aan de haak en nu ging hij hen inhalen – Josiah ook.

'O arme, lieve ziel, u zult nooit zulke lieve woorden van God horen als wanneer u lijdt onder een hete beproeving; onze tijden van lijden zijn onze beste tijden.

Ik weet dat ik mij beter op mijn gemak voelde in Moorfields, op Kennington Common en vooral toen er rotte eieren en katten en honden naar mij gegooid werden en mijn gewaad zo vol zat met vieze kluiten dat ik me bijna niet kon bewegen. Ik voelde me beter op mijn gemak in deze brandende braamstruik dan toen ik het rustig had. Ik herinner me dat ik toen ik in Exeter preekte door een steen werd geraakt en mijn voorhoofd bloedde. Ik merkte dat op datzelfde moment het woord met dubbele kracht tot een arbeider kwam die naar mij keek en die op hetzelfde moment door een andere steen verwond werd. Ik vond het voor die jongen erger dan voor mijzelf. Ik ging naar een vriend en de jongen kwam bij mij. "Dominee," zegt hij, "ik ben door een man verwond, maar Jezus heeft me genezen. Mijn ketens zijn pas verbroken toen mijn hoofd barstte!"

Ik doe een beroep op u of u zich niet beter voelde toen het kouder was dan nu omdat uw zenuwen meer gewend waren. Nu hebt u een warme dag en nu bent u zwak en u bent gedwongen een waaier te gebruiken. Zo is het voorspoed die de ziel in slaap wiegt en ik vrees dat christenen erdoor bedorven zijn.'

Whitefield maakte degenen belachelijk die zouden zeggen dat ze zich niets konden voorstellen bij een struik die brandde maar niet verteerd werd. Hij zei dat de spotters op een dag omgeven zouden zijn door een hemelse macht van miljoenen en dat ze dan zouden weten wat eeuwig branden betekende.

'O, u maakt mij bang!' riep Whitefield. 'Denkt u dat het niet mijn bedoeling was om u bang te maken? Ik bid God dat ik u bang genoeg maak! Ik geloof dat het geen kwaad kan dat u het helsbenauwd krijgt, dat u uw onbekeerde staat ontvlucht. O, ga heen en vertel uw metgezellen dat deze dwaas gezegd heeft dat verdorven mensen zijn als vuurhaarden van de hel! Moge God u als takken uit dat vuur plukken!'

Whitefield huilde nu openlijk.

'Gezegend zij God, dat er een dag van genade is. O, dat dit de tijd des welbehagens mag blijken! O, engel van het eeuwig verbond, daal neer, gij gezegende trooster, heb medelijden, medelijden, medelijden met de onbekeerden, met onze onbekeerde vrienden, met het onbekeerde deel van deze luisteraars. Spreek en het zal geschieden. Beveel, o God, en het zal plaatsvinden! Verander de brandende braamstruiken van de duivel in brandende braamstruiken van de Zoon van God! Wie weet of God onze gebeden zal verhoren. Wie weet of God deze roep

258

zal horen: "Ik heb terdege gezien de ellende van mijn volk; het gejammer der Israëlieten is tot Mij doorgedrongen en Ik ben neergedaald om hen te redden!" God geve dat dit Zijn woord mag zijn tot u onder al uw moeiten. God geve dat Hij uw trooster mag zijn.

Moge God opwekken, u die dood bent in de zonde, en hoewel u aan de afgrond van de hel staat, moge God u ervoor bewaren dat u erin valt! En u die Gods brandende braamstruik bent, moge God u helpen dit wapenschild op te houden en te zeggen als u naar huis gaat: "Gezegend zij God! De braamstruik brandt, maar wordt niet verteerd!"

Amen! Ja, Here Jezus. Amen!'

38

Vijf dagen lang ging Josiah volledig op in blijde emoties, want alles waar hij op had gehoopt en om gebeden had, voltrok zich in een paar dagen.

De opwekking was naar Havenhill gekomen.

George Whitefield preekte acht keer – twee keer per dag op woensdag, donderdag, zaterdag en zondag. De omvang van de menigte groeide elke dag. Honderden mensen werden gered. Overal waar Josiah liep, zag hij groepjes mensen die lachten, liederen zongen of in een kring baden of de Bijbel bestudeerden.

Zijn eigen hart zong als hij wakker werd en verblijdde zich als hij naar bed ging. Hij zei tegen Whitefield: 'Ik ben zo vol van de Geest, dat ik 's avonds een afvallige moet worden om te kunnen slapen.'

En zijn buik, waar God een geestelijke barometer van gemaakt had, kwam tot rust, met alleen zo nu en dan een klein ongemak.

De uren die hij met George Whitefield doorbracht waren van onschatbare waarde. Hij luisterde met sympathie hoe de evangelist vertelde van de vele tranen die vergoten werden door de gelovigen in Engeland die hun stervende natie tot een opwekking probeerden te brengen; van de vooruitgang van het weeshuis in Georgia; van de ontelbare werken van God waar hij hier in de koloniën getuige van geweest was. De twee mannen haalden lachend en vol genegenheid herinneringen op aan de tijd die ze doorgebracht hadden met wederzijdse bekenden, Ben Franklin in Philadelphia en Jonathan en Sarah Edwards in Northampton.

Opnieuw vertelde Whitefield hoezeer hij onder de indruk

was van Sarah en hoe zijn ontmoeting met haar zijn verlangen naar een godvrezende vrouw hernieuwd had.

Josiah dacht aan Abigail en de wending in de omstandigheden die het nu mogelijk maakte dat ze zouden trouwen.

Hij verwierp de beschuldiging die ongenood in zijn gedachten kwam: dat hij indirect gebeden had om de dood van Johnny Mott en dat God zijn gebed om een vrouw verhoord had door zijn vriend te doden. Hij verwierp ook de knagende gedachte dat Johnny's zelfmoord voor hem een bron van vreugde zou worden.

Hij was onschuldig aan de gebeurtenissen die hen tot dit punt gebracht hadden. Maar hier waren ze dan en de weg was nu vrij voor hem om Abigail Parkhurst het hof te maken. Natuurlijk zou er eerst een periode van rouw zijn. Een jaar zou voldoen. Maar voor de eerste keer sinds zijn terugkeer voelde Josiah hoop als hij aan Abigail dacht.

En als het om de vooruitzichten van de liefde gaat, is er een wereld van verschil tussen een jaar en nooit.

Na de laatste dienst op zondag maakte Whitefield zich klaar om naar Virginia te vertrekken. Hij bedankte Josiah voor de collecte die gehouden was voor zijn weeshuis, een royaal bedrag.

'Ik moet u bedanken,' zei Josiah. 'Wat u meeneemt is maar geld. Wat u ons gegeven hebt is hoop en geestelijke heling, waarvoor we voor altijd bij u in het krijt staan.'

'De strijd is verre van over,' zei Whitefield tegen hem. 'Edwards heeft u gewaarschuwd dat u moet oppassen voor de riviergoden. Sla acht op dat advies. Verdorven mannen als Lord Bellamont, die Engeland geestelijk in het donker gezet hebben, willen hun verdorven schaduw over de oceaan naar de koloniën werpen. U moet hun kwaad weerstaan. Laat hen niet met de koloniën doen wat ze met Engeland gedaan hebben.'

Josiah knikte. 'Eens leefden we in het donker, maar u hebt ons in het licht gebracht. Als we in het licht leven, hoeven we niet bang te zijn voor het donker.'

Whitefield legde een hand op Josiahs hoofd en bad om Gods zegen voor hem. Toen reed de opwekkingsprediker samen met een paar achtergebleven bezoekers uit naburige plaatsen weg.

Josiah ging die avond naar bed, verlangend naar de komende dag. Als het in het stadje weer normaal werd, zou hij beter in staat zijn om het resultaat van de opwekkingsdiensten te beoordelen.

De realiteit sloeg op maandagmorgen snel en hard toe.

De opwekking was misschien naar Havenhill gekomen, maar was met de laatste gasten van het stadje ook weer vertrokken.

Nog voor het ochtendgloren stond ouderling Dunmore bij Josiah voor de deur met een lange lijst van schade die aan het kerkgebouw was toegebracht door de menigte mensen die er tijdens zijn opwekkingsdiensten doorheen getrokken was.

Minstens een half dozijn kerkleden hielden hem op straat staande om te klagen over hoe ze in hun eigen kerk van hun plaats verdreven waren en hoe veel overlast ze te verduren gekregen hadden door de mensenmassa's die het stadje overspoeld hadden.

'Ik ben drieënveertig jaar naar die kerk gegaan,' klaagde een man, 'en heb elke zondag in dezelfde bank gezeten. Weet u hoe vervelend het voor mij en mijn gasten was om vreemden in onze bank te zien zitten? En toen we hun vroegen om te vertrekken, weigerden ze! Ze waren daar nog eens erg onbeleefd in ook.'

Mevrouw Hibbard liet hem weten dat Eunice Parkhurst en Abigail geen van de diensten hadden bijgewoond omdat ze in de rouw waren en dat Josiah een totaal gemis aan christelijk meeleven met hun pijn had getoond door kerkdiensten te houden op de brink voor hun huis.

De gemeenteraad kondigde een vergadering aan om de schade te bepalen die aan de brink was toegebracht en om de rekening op te stellen voor het opruimen van het afval dat was achtergelaten door de honderden mensen die de brink tijdens hun verblijf in een goedkope herberg hadden veranderd. De rekening zou naar de kerk gestuurd worden.

Josiah werd via een koerier meegedeeld dat de kerkenraad een vergadering belegde om de beschuldiging te onderzoeken die Johnny Mott gedaan had in zijn zelfmoordbriefje, dat de dominee van de kerk herhaaldelijk ongewenste toenaderings- pogingen gedaan had tot een vrouw met wie de heer Mott ver- loofd was. Het briefje liet Josiah weten dat hij er bij zijn komst op voorbereid moest zijn dat hij zich tegen zware aantijgingen moest verdedigen. Zou zijn verdediging onbevredigend blijken, dan kon hij een voorstel tot ontslag tegemoet zien.

Josiah ontving bovendien een sommatie van Philip voor de volgende dag. Een van Philips jongere bedienden leverde een briefje af waarin stond dat hij met Josiah wilde praten over zijn invulling van hun overeenkomst.

Met andere woorden, Philip wilde er zeker van zijn dat Josiah zich aan zijn deel van de overeenkomst zou houden – dat hij zich stil zou houden terwijl de riviergoden hun greep verstevigden op de slagader van de koloniale handel.

Met het ene na het andere salvo dat op hem werd afge- vuurd, maakte zijn hoop op een veranderd, tot leven gewekt Havenhill sneller water dan zijn geloof kon hozen.

Zijn geest kon niet bevatten wat er gebeurde. Was hij de enige in het stadje geweest die door de opwekkingsdiensten gegrepen was? Hoe kon een hele stad getuige zijn van wat er in de afgelopen vijf dagen gebeurd was en er onveranderd uit- komen?

Wat was er verkeerd gegaan?

Whitefield was briljant geweest.

De Geest was rondgegaan.

Overal waren bewijzen van Zijn bezoek geweest.

De genezing was hier, daar was Josiah zeker van. Hoe was het dan mogelijk dat een hele stad er immuun voor was?

Bont en blauw, vermoeid, ontmoedigd en verslagen, sleepte Josiah zich die avond terug naar huis. Als hij ooit het briefje vol bemoediging dat tussen de overnaadse planken hing te wachten nodig had, dan was het vanavond.

Maar er was niets dan latten. Geen briefje.

Josiah at een drie dagen oud maïsbrood en een opgewarmde stoofpot en liet zich in zijn stoel ploffen met om zich heen de lege geluiden van een man die alleen woont. Hij was net ingedommeld en ontsnapt aan de vervelende jachthonden in zijn gedachten, toen een klop, klop, klop op de deur hem wekte.

Toen hij de deur opende, verscheen het dienstmeisje van Eunice Parkhurst. Ze overhandigde Josiah een briefje.

'Wie heeft er vanavond bezoek nodig?' vroeg Josiah aan het meisje.

Ze haalde haar schouders op en rende weg.

Hij nam het briefje mee naar de tafel en gooide het ongelezen tussen de broodkruimels. Hij had geen zin er vanavond nog uit te gaan en hij wilde niet worstelen met zijn pastoraal plichtsgevoel en het ervan overtuigen dat wie er ook bezoek nodig had kon wachten tot morgen.

Hij stelde het gevecht uit door koffie te zetten.

Pas toen het kopje half leeg was, stak hij zijn hand uit naar het briefje en vouwde het open.

We moeten praten.
Abigail

Josiah kon nauwelijks zijn emoties bedwingen. Drie woorden en alles was anders. Drie woorden. Ze hadden net zo goed een soort magische spreuk kunnen zijn. Eenmaal gelezen en paf! Alle negatieve emoties die hij door de dag heen verzameld had waren weg. Verdwenen. In plaats daarvan was er een zachte, warme opwinding gekomen bij het vooruitzicht dat hij Abigail zou zien. Een vrij-om-te-trouwen Abigail. Hij had die Abigail in zeven jaar niet gezien.

Even eerder had hij de vergetelheid van de slaap gezocht; nu was hij veel te opgewonden om te kunnen slapen.

Met een kaars en het briefje ging hij terug naar de achterkamer, naar zijn schrijftafel, om een antwoord op te stellen en te vragen waar en wanneer ze zouden praten.

Zijn hart sloeg over onder het lopen.

Pas toen hij de kaars op het bureau zette, zag hij dat er iets miste.

Zijn dagboek.

Hij bewaarde het altijd op dezelfde plek – de linker bovenhoek van het bureau, naast zijn boeken. Het paste daar precies. Uit de weg als hij het niet gebruikte, maar gemakkelijk te bereiken als hij er klaar voor was.

Maar het was er niet.

Die plek op het bureau viel op door zijn leegheid.

Hij zocht de vloer af.

Het was niet van de rand gevallen.

Hij zocht in de la, tussen de boeken, op zijn bed, onder zijn bed. Hij ging terug naar de voorkamer en zocht daar ook. Het dagboek was niet te vinden.

De enige andere persoon in het huis was George Whitefield geweest. De gedachte dat hij Josiahs dagboek zou hebben weggenomen was belachelijk. Zelfs als het een vergissing was. Hoe kon iemand per ongeluk over andermans bureau heen reiken, zijn dagboek oppakken en het niet weten?

Bovendien, Josiah herinnerde zich dat hij er gisteravond na

de zondagsdienst nog in geschreven had, kort nadat Whitefield vertrokken was.

Josiah staarde weer naar het bureau. Het dagboek was er niet. Met geen andere verklaring dan dat er iemand zijn huis binnengekomen was toen hij weg was, was de voor de hand liggende vraag: waarom zou iemand zijn dagboek meenemen?

Het kon niet voor veel verkocht worden. Wie zou het dagboek van een dominee willen kopen?

39

Het knisperen van blaadjes kondigde Abigails komst aan. Toen Josiah haar zag komen, ging zijn polsslag omhoog. Zou die nog steeds zo tekeergaan als ze tien jaar getrouwd waren? Waarom niet? Hij was op hol geslagen elke keer als hij haar in het oog kreeg sinds hun schooldagen.

De ochtendlucht was kil. Genoeg om je wangen te kleuren, maar niet genoeg om door je kleren heen te dringen.

Abigail bewoog zich met gratie door hetzelfde stuk bos waar Josiah doorheen gesneden was, de laatste keer dat hij Johnny Mott in leven had gezien, toen die met Philip aan het redetwisten was geweest. Hij had Abigail daar niets over verteld toen hij voorgesteld had dat ze elkaar hier zouden ontmoeten. Het stuk bos was gewoon een goede keus, niet te ver van de weg, maar ver genoeg om alleen te zijn.

Ze droeg een blauwe jurk afgezet met wit met een bijpassende jas en muts. Het was een van zijn favoriete jurken. Had ze dat op de een of andere manier aangevoeld en die gekozen met hem in haar gedachten?

Haar rok ruiste heen en weer terwijl ze tussen de bomen door naar hem toe zigzagde. Ze hield haar hoofd naar beneden om haar weg te zoeken door het struikgewas. Haar blik bleef neergeslagen toen ze hem bereikte.

'Moeder denkt dat ik bij Judith Usher thuis ben.' Ze keek zenuwachtig heen en weer. 'Ik heb niet tegen haar gelogen. Ik ga daar hiervandaan meteen heen.'

Een vleugje van haar parfum liet Josiahs hoofd duizelen. Er was iets aan een vrouwengeur in een bedompt bos dat de vrouwelijkheid ervan exponentieel vergrootte. Josiah vond het onweerstaanbaar.

'Ik wil dat je weet,' zei hij zacht, 'dat ik er tevreden mee ben om te wachten. Het zal niet gemakkelijk zijn. Elke vezel van mijn wezen gaat naar je uit. Maar voor jouw bestwil is het beter om te wachten. En ik wil dat je weet dat hoe lang je ook nodig hebt...'

Abigail klemde haar ogen dicht in een vergeefse poging om de tranen te stoppen. Ze trok een zakdoekje uit haar mouw en depte de kleine verraders.

'Nabby.' Josiah legde een hand op haar arm.

Ze trok zich terug.

'Het spijt me,' zei Josiah. 'Ik weet dat ik net tegen je gezegd heb dat ik zal wachten en dan doe ik zoiets. Het is gewoon moeilijk voor me. Het spijt me.'

Terwijl hij wachtte tot zij zich herpakte, streed hij tegen de ene na de andere aandrang om haar naar zich toe te trekken en haar hoofd tegen zijn borst te wiegen. Hij hunkerde ernaar om haar vast te houden tot ze stopte met trillen, tot ze wist dat ze nooit meer bang of alleen hoefde te zijn.

'Johnny Mott heeft zichzelf niet gedood,' zei Abigail.

De gedachtesprong was zo onverwacht dat het Josiah even kostte om mee te gaan.

Abigail hielp hem. 'Het was geen zelfmoord,' hield ze vol. 'Hij is vermoord.'

Josiah knipperde een paar keer met zijn ogen. Hij wist niet hoe hij moest antwoorden. Toen hij van huis gegaan was had hij zich in gedachten voorbereid op romantiek, niet op een moordzaak.

'Maar... het briefje,' zei hij eindelijk. 'Het briefje...'

'Daardoor weet ik dat Johnny zichzelf niet gedood heeft. Hij heeft dat briefje niet geschreven.'

'Maar hoe kun je dat zo zeker weten? Mij is verteld dat maar een paar mensen het briefje gezien hebben. Philip heeft verklaard dat het Johnny Motts handschrift was.'

Het noemen van Philips naam leek haar van streek te maken. 'Ik hoefde het handschrift niet te zien om te weten dat Johnny het niet geschreven heeft.'

'Hoe...'

Haar woorden kwamen moeilijk. 'In het briefje stond dat hij zichzelf gedood heeft omdat jij nog steeds van me hield.'

Johnny knikte. Philip had hem verteld dat Johnny dat vermoedde en daarom op zijn hoede was. Josiah was er zelf een paar keer getuige van geweest hoe ongemakkelijk Johnny zich gevoeld had als hij in de buurt was.

Abigail ging verder: 'Er stond ook in dat hij wist dat ik nog steeds van jou hield. En dat hij zich daarom gedood heeft.' Ze beet zich op haar onderlip. 'Alleen...' Ze wachtte even. 'Alleen, ik houd niet van jou. En Johnny wist dat.'

De dubbele klap raakte Josiah hard in zijn borst. Hij wist niet welke hij het eerst moest opvangen.

'Jij... houdt niet...' Hij kon de zin niet afmaken. Dat hoefde ook niet.

Abigail schudde haar hoofd.

Het was een van die momenten waarop de werkelijkheid een droom om zeep helpt. Deze droom had een lang en gezond leven geleid en wilde dat niet zomaar opgeven. Maar het koele in Abigails blik, de beslistheid in haar stem was zelfs voor een gezonde droom te veel. En hoewel hij het niet wilde toegeven, wist hij in zijn hart dat wat ze zei waar was.

'Je houdt niet van mij,' zei Josiah. 'Hoe...' Hij haalde diep adem. 'Hoe lang weet je dat al?'

'Herinner je je het moment dat je naar Boston vertrok? We stonden op het trapje voor ons huis.'

Josiah huiverde. 'Weet je het al zo lang?'

'Ik herinner me dat ik me schuldig voelde omdat ik blij was dat je wegging en dat ik het je niet hoefde te vertellen.'

Er kwam een leeg gevoel over Josiah. Dat was niet verbazend, gezien het feit dat Abigail zojuist een belangrijk deel van zijn leven weggesneden had.

'Het spijt me, Josiah,' zei Abigail. 'Ik wil je geen pijn doen, maar ik kon geen andere manier bedenken.'

Josiahs ego kwam aanzetten met een aantal weerwoorden, geen van alle vleiend en geen van alle waar. Hij klemde zijn kaken op elkaar en slikte ze in.

'En onder deze omstandigheden, nu Johnny dood is...'

Johnny had geweten dat Abigail niet van hem hield. Waarom was Johnny dan altijd op zijn hoede geweest als Josiah in de buurt was?

'Hij mocht je graag. Dat weet je toch? Hij bewonderde je.'

'Hebben we het over Johnny Mott?'

'Hij heeft me een keer verteld dat hij nooit een man gekend had die zo sterk was als jij... van binnen, bedoelde hij. Hij zei dat geen enkele andere man ooit teruggekomen zou zijn na wat er gebeurd was. Ik herinner me dat hij zei dat jij beter verdiende. Hij praatte nooit over die nacht. De nacht van de brand. Hij had er nachtmerries over, vooral nadat jij teruggekomen was.' Er kwamen tranen in haar ogen. 'Ik denk dat hij alles voor je had willen doen. Hij zou zelfs niet met me getrouwd zijn als jij hem dat gevraagd had.'

'Hij hield van jou?'

De tranen stroomden toen ze knikte. 'Heel veel.'

'En jij hield van hem.'

Hij kon het nu zien. Zijn eigen liefde had hem blind gemaakt voor de mogelijkheid dat Abigail van Johnny Mott zou kunnen houden. Nu leek het overduidelijk.

'Maar als hij geen zelfmoord gepleegd heeft...' Josiah kon zich er niet toe brengen de zin af te maken. Nog niet, want het betekende dat als iemand Johnny Mott gedood had, Philip Clapp er op de een of andere manier bij betrokken was.

Abigail rilde, maar niet van de oktoberwind. Het was duidelijk dat ze doodsbang was.

'Heb je hierover met je moeder gesproken?'

Abigail knikte. Ze vocht tegen een nieuwe tranenvloed.

'Ze gaat toch niet iets roekeloos doen?'

Abigail lachte. 'Ze is ook bang. Vooral voor mij.'

'Vertel dit aan niemand anders. Begrepen?'

'Ja,' zei ze met een zekere opluchting. Ze had het probleem overgegeven aan hem en leek er tevreden mee het van nu af aan hem over te laten. 'Wat ga je doen?'

Josiah ademde diep in. 'Veel bidden,' zei hij vlot.

Dat maakte haar aan het lachen. 'O! Dat vergat ik bijna.' Ze maakte haar tasje open en haalde er een stapeltje papier uit. Vergeeld. Versleten. Aan beide zijden handbeschreven.

Josiah onderzocht ze. Hij herkende het handschrift, al had hij het in jaren niet gezien.

'Vaders laatste preek,' zei Abigail. 'Hij heeft hem nooit gehouden.'

Josiah wist waarom dominee Parkhurst hem nooit gehouden had, want hij was gestorven voor hij de kans gehad had, in de brand die Josiah gesticht had.

'Je mag hem lenen. Maar ik moet hem voor vanavond terug hebben. Moeder bewaart hem achter in haar bijbel.'

En leest hem vaak, te zien aan hoe versleten de bladzijden zijn, zei Josiah tegen zichzelf.

'Ik zal Sissy sturen om hem op te halen.'

Josiah was gefascineerd door wat hij las. Dominee Parkhursts laatste preek was een waarschuwing voor het oprukkende kwaad uit Engeland en een gebed dat God het met Zijn Geest zou afwenden in een grote geestelijke opwekkingsbeweging.

'Hij hield van je,' zei Abigail. 'Hij was zo trots op jou.'

Het licht brak door. 'Daarom heb je het nooit uitgemaakt met mij.'

Abigail haalde haar schouders op. 'Hij was zo gelukkig dat je zijn schoonzoon werd. Moeder ook.'

Josiah keek op. Abigail lachte lief en vloog in zijn armen, maar er was niets romantisch in dat gebaar. Het was een omhelzing tussen vrienden. Tegelijk was het een afscheid.

40

Om afgewezen te worden door de vrouw over wie je gedroomd hebt en die je hebt liefgehad, bijna tien jaar lang, was
niet de beste manier om de dag te beginnen. Als er iemand
echter een gewond hart kon troosten en de dingen in perspectief kon plaatsen, dan was dat dominee Parkhurst, zelfs als zijn
troost over het graf heen kwam.

Terug aan zijn bureau vergat Josiah tijdelijk zijn pijn. Hij las
de preek van dominee Parkhurst. Toen las hij hem voor de
tweede keer. Hoewel Josiah de man bijna acht jaar lang niet
meer gesproken had, kon hij Parkhursts stem en intonatie
horen in elk woord.

De derde keer schreef Josiah de preek over. Onder normale
omstandigheden zou hij de preek overgeschreven hebben in
zijn dagboek. Maar omdat hij niet wist waar het dagboek was,
moest hij het doen met losse blaadjes.

Het overschrijven van Parkhursts woorden leek Josiah met
zijn mentor te verbinden op een manier die hem rillingen
bezorgde, alsof Parkhurst zijn hand leidde, zijn aandacht op
sleutelpassages vestigde of soms zijn hand terugtrok en hem de
opdracht gaf even te mediteren over wat hij net geschreven
had voor hij verder ging.

Toen hij klaar was, was het halverwege de morgen. De waarheid van de boodschap weerklonk in zijn hart. Hij wist nu hoe
de oude profeet zich voelde toen hij het woord van God hoorde: *Schrijf het gezicht op en zet het duidelijk op tafelen, opdat men
het in het voorbijlopen zal kunnen lezen.*

Josiah stond op van zijn stoel en begon aan een stevige wandeling.

Solvitur ambulando.

En toen hij terugkwam, wist hij wat hij moest doen. De preek van dominee Parkhurst had hem een duidelijk inzicht gegeven dat hij nog niet eerder gehad had. Hij wist wat hij moest doen. En hij wist dat alleen hij het doen kon. Dat het God was, niet Philip Clapp, die hem teruggebracht had naar Havenhill. En dat hij teruggebracht was met een bedoeling. Dat alles wat er tot nog toe gebeurd was – de dood van dominee Parkhurst, Josiahs ballingschap, zelfs Abigails afwijzing van-morgen – nodig geweest was om hem te brengen op dit punt in de tijd.

Het belangrijkste was: hij wist waarom hij uitgekozen was. Het was omdat hij niets te verliezen had. En een man die niets te verliezen heeft is een gevaarlijke tegenstander.

Josiah klopte op de deur.

Terwijl hij wachtte tot die openging, zei hij tegen zichzelf dat hij hoe dan ook dit huis binnen zou komen en zeggen wat hij te zeggen had. Niets en niemand zou hem tegen kunnen houden.

De deur ging open.

Grace Smythe fronste toen ze zag dat hij het was. 'Ga weg.'

'Ik wil Mercy spreken.'

'Ze ontvangt op het moment geen bezoek.'

'Laat haar alsjeblieft weten dat ik gekomen ben om haar te bezoeken.'

Grace keek hem geërgerd aan. 'Heeft uw moeder u op uw hoofd laten vallen toen u een baby was?'

Mercy's stem kwam van binnen uit het huis. 'Grace? Wie is daar?'

'Zo te horen is ze best in staat om bezoek te ontvangen,' zei Josiah.

'Ze is niet aangekleed.'

Josiah deed een stap naar voren.

Grace versperde hem de weg door haar arm stevig tegen de deurpost te zetten.

Josiah mopperde: 'Ga je tegen Mercy zeggen dat ik er ben of moet ik...'

Grace kneep haar ogen tot spleetjes. 'Wat doen? Me slaan? Me overweldigen en u een weg naar binnen vechten?'

Ze leek klaar voor de uitdaging.

Josiah riep langs haar heen: 'Mercy, hier is...' Hij aarzelde, want hij wist niet wat hij moest zeggen. Was hij Josiah of dominee Rush?

Grace leek zijn aarzeling vermakelijk te vinden. 'U weet niet eens wie u bent! U bent verward. U stookt alleen maar onrust. U bent niet goed genoeg voor Mercy.'

'Dan zijn we het daar tenminste over eens,' stelde Josiah. 'Ik ben niet goed genoeg voor haar.' Toen, weer schreeuwend: 'Mercy, ik ben het.'

Grace richtte een oor naar binnen. Toen er geen onmiddellijk antwoord kwam, zei ze: 'Ziet u wel? Ze wil niet met u praten.'

'Mercy,' riep Josiah weer, 'ik zal je maar een paar minuten lastigvallen.'

'Luister, dominee...' begon Grace.

Mercy stapte tevoorschijn uit het donker van het huis. Ze droeg haar hoed en was bezig handschoenen aan te trekken. 'Laten we een eindje gaan wandelen.'

De arm van Grace bleef waar hij was. 'Ben je niet goed wijs?'

Mercy ging op haar tenen staan, gaf Grace een tikje op haar wang en dook toen onder haar arm door. 'Ik blijf niet lang weg.'

Josiah en Mercy slenterden over straat met een aanzienlijke afstand tussen hen.

'Ze probeert me alleen maar te beschermen,' zei Mercy.

'Je lijkt me niet echt een vrouw die bescherming nodig heeft,' reageerde Josiah. 'Zeker niet tegen mij. En ik kan er naast zitten, maar volgens mij red je je ook wel als het op vechten aankomt.'

'Is dat een compliment?' vroeg Mercy. 'Het lijkt een compliment, maar op de een of andere manier is het niet echt iets wat een heer tegen een dame zegt, hè?'

'Het spijt me. Ik dacht dat we vrienden waren. Het was dus een compliment. Ik bedoel, het was bedoeld als een compliment. Tenminste, ik denk dat er een compliment in zat. Begraven, misschien. Diep. Maar absoluut een compliment.'

Mercy glimlachte. 'Dan, mijnheer, zal ik het zo opvatten. Maar ik geloof dat u de bedoelingen van Grace verkeerd voorstelt.'

'Integendeel, ik denk dat haar bedoelingen helder zijn. Ze wil mij zo ver mogelijk bij je vandaan houden.'

'Ze wil me beschermen,' beweerde Mercy. 'Ze wil me beschermen tegen mijzelf.'

Josiah wist niet goed hoe hij die laatste opmerking moest interpreteren. Hij keek naar haar voor een verduidelijking. Mercy gaf die niet. Ze keek strak voor zich uit.

Het bleef een poosje stil.

'Vanmorgen heeft Abigail me verteld dat ze niet van me houdt,' deelde Josiah mee.

Mercy bleef abrupt staan. Ze hield haar hoofd schuin. Dit keer bestudeerde zij hem. Toen zei ze, alsof het vanzelf sprak: 'Dat weet ik.'

'Dat weet je? Hoe kun je dat weten? Ze heeft het me net verteld.'

Mercy liep weer door.

Josiah zuchtte. 'Natuurlijk. Hoe lang weet je het al?'

'Sinds onze schooltijd,' zei Mercy simpel. Toen draaide ze zich snel naar hem om en wond zich op. 'Is dit alles waar dit gesprek over gaat, dominee Rush? Een vrouw wijst u af, dus rent u naar mij toe? En wat verwacht u eigenlijk van mij, dominee Rush? Dat ik in zwijm val en u mijn oneindige liefde verklaar? Dat ik mij in uw armen werp en u vertel dat ik u waanzinnig bewonder? Dat ik al iets voor u gevoeld heb sinds we kinderen waren? Dat ik geloof dat God mij voor u geschapen heeft? Of misschien dat we samen een goede pasteivulling kunnen maken? Is dat wat u wilt horen, dominee Rush?' Haar gezicht was rood van woede.

'Eigenlijk vertel ik het je omdat in het zelfmoordbriefje van Johnny Mott stond dat ze van me hield terwijl hij wist dat dat niet zo was.'

Mercy staarde hem aan. Haar gezicht werd nu bloedrood om een andere reden. 'O.' Ze draaide zich weer om en begon weer te lopen, veel sneller nu.

Josiah moest zich haasten om haar bij te houden. 'We moeten praten.'

'Nee.'

'Mercy.' Hij raakte haar arm aan om haar af te remmen.

Ze schudde hem af.

'Mercy, alsjeblieft...' Dit keer pakte hij haar arm voorzichtig vast.

Ze bleef staan, maar weigerde hem aan te kijken. 'Ziet u wel?' mompelde ze. 'Grace heeft gelijk. Ik heb inderdaad iemand nodig om me tegen mezelf te beschermen.'

'Je voelt iets voor me sinds onze schooltijd?' vroeg Josiah.

Mercy vocht tegen haar tranen en zei: 'Daar wil ik nu niet over praten.'

'Je hebt gelijk. En het spijt me dat ik je de indruk gegeven heb dat ik alleen maar naar je toe gekomen ben omdat Abigail me aan de kant gezet heeft.'

Hij had blijkbaar het goede gezegd, want ze keek op. 'Waarom bent u dan naar me toe gekomen?'

'Omdat jij de enige in de stad bent die me blijkbaar niet de grond in wil boren. En jij bent de enige naar wier gebeden ik smacht. Ik ken niemand die zo godvrezend is als jij, Mercy Litchfield. En nu, nu het gaat zoals het gaat, heb ik iemand nodig die voor me bidt. Iemand die gehoor vindt bij God.'

'Ik bid voortdurend voor u,' zei ze zacht.

'Dank je.'

Ze stonden een tijdje zwijgend tegenover elkaar.

'En straks als dit allemaal voorbij is,' stelde hij voor, 'moeten we misschien maar eens over ons praten.'

'Eén ding tegelijk, dominee Rush.' Ze herstelde zich. 'U zei dat Johnny wist dat Abigail niet van u hield, maar dat hij dat wel in zijn zelfmoordbriefje geschreven heeft. Dus als hij dat wist, waarom... o! O! Hij heeft zichzelf niet gedood! Wat betekent...'

Josiah knikte.

Ze liepen door en hij vertelde haar wat hij van plan was.

41

Weer op bekend terrein – opnieuw voor een deur – hief Josiah een vuist op. De deur ging open voor hij hem raakte.

Een geschrokken Anne Myles week achteruit. 'Josiah! Je maakt me aan het schrikken!'

Ze zag er schitterend uit, zoals altijd, en op een vrouwelijke manier fragiel. Haar lavendelblauwe jurk paste uitstekend bij haar bleke huid. Haar hoed was afgezet met kant. Ze trok reishandschoenen aan. Josiah vroeg zich af hoe veel Anne wist van Philips transacties met haar oom, Lord Bellamont. En bovendien ook hoe veel ze wist van Lord Bellamont zelf.

'Ik neem aan dat je voor Philip komt,' zei ze. Zonder op antwoord te wachten, riep ze een onzichtbare bediende om dominee Josiah Rush aan te dienen.

Josiah dacht dat ze Lang Gezicht riep, maar juist op dat moment reed die een koets voor.

'Een vrouw moet zorgen voor haar boodschappen,' verkondigde Anne vrolijk. Ze liep voor Josiah langs en stapte in de koets. 'We moeten je snel eens te eten hebben, Josiah.' Er vloog een hand naar haar mond. 'Excuseert u mij, dominee Rush. Ik vergat het. Dat komt omdat we samen opgegroeid zijn.'

Toen, door haar eigen woorden herinnerd aan de geestelijke aard van zijn ambt, voor het geval hij haar aanwezigheid hier verkeerd zou interpreteren, voegde ze toe: 'Die domme Philip was vergeten om me gisteren mijn geld voor de boodschappen te geven, zodat ik zo vroeg in de morgen al helemaal hierheen moest rijden om het halen!'

Josiah knikte en glimlachte.

Met een tikje van de teugels reed de koets weg. Anne fladderde met haar vingers naar Josiah.

Ze was nog steeds de zorgeloze, zelfingenomen Anne Myles die hij zich herinnerde uit hun schooltijd. Josiah vond het moeilijk te geloven dat ze wist waar het geld voor haar boodschappenuitjes vandaan kwam.

Philips montere stem kwam vanbinnen. 'Josiah! Wat brengt jou op deze stralende morgen deze kant uit?'

Josiah had het tot nog toe nog niet opgemerkt, maar voor Philip was hij altijd Josiah. Alleen in de kerk gebruikte Philip zijn titel en maar zo nu en dan als ze alleen waren, op een spottende manier.

'Ik weet het van Johnny,' zei Josiah.

De twee vrienden gingen de confrontatie aan in Philips studeerkamer, die net zo groot was als Josiahs huis. De deur was gesloten, maar ze praatten met zo veel stemverheffing, dat iedereen die zich op minder dan drie kamers afstand bevond hen kon horen.

'Hoe kan ik jouw belachelijke aantijging serieus nemen als je weigert me te vertellen waarop je je aantijgingen baseert?' schreeuwde Philip.

Josiah was nog niet bereid zijn voordeel op te geven. Philip had zich snel hersteld van zijn openingssalvo over Johnny. Maar het feit dat hij zich had moeten herstellen was verontrustend.

'Heb je het zelfmoordbriefje zelf gezien?' drong Josiah aan.

'Ja.'

'En je bent er zeker van dat Johnny het geschreven heeft?'

Het was duidelijk dat Philip er niet van hield om ondervraagd te worden. Hij gaf Josiah zijn zin of uit vriendschap of omdat hij te weten moest komen wat Josiah wist. In beide gevallen werkte het in Josiahs voordeel.

'Je hebt bijna tien jaar met hem samengewerkt,' drong Josiah aan. 'Je kent zijn handschrift. Vond je het zelfmoordbriefje niet op de een op andere manier vreemd? Alsof het geschreven zou kunnen zijn door iemand anders dan Johnny?'

'Besef je wel wat je daarmee suggereert?'

Josiah antwoordde niet. Philip had zijn vraag nog niet beantwoord.

Philip liet het voordeel aan Josiah. Voorlopig. 'Ik ben er zo zeker van als iemand onder deze omstandigheden redelijkerwijs kan zijn,' hield Philip vol. 'Maar bedenk wel, je moet rekening houden met de omstandigheden. Een man die een zelfmoordbriefje schrijft is zichzelf niet. Het is niet onredelijk om aan te nemen dat de angst voor wat hij overweegt te doen zijn handschrift kan veranderen.'

Hij zweeg om Josiahs reactie te peilen.

'Is dat waar het om gaat?' vroeg Philip. 'Wil je het briefje zelf vergelijken met Johnny's handschrift? Dat kan ik regelen. Maar je zult tot dezelfde conclusie komen als ik. De overeenkomsten zijn zo groot dat men in redelijkheid moet concluderen dat het door Johnny Mott geschreven is.'

'Dat is niet nodig.'

'Wat wil je dan?' daagde Philip hem uit. 'Waar gaat dit om?'

Josiah liep een minuut heen en weer. Philips aanbod om hem het briefje te laten vergelijken met een andere tekst van Johnny's hand was of ongelotelijk arrogante bluf of een bewijs dat hij niet bij Johnny's moord betrokken was. Hij hoopte dat het laatste waar was, maar hij moest het zeker weten.

Josiah zette de volgende stap. 'Het is de inhoud van het briefje die bewijst dat het vals is.'

Philip bestudeerde de vloer, alsof hij zich de bewoordingen van het briefje te binnen probeerde te roepen.

Josiah gebruikte de tijd om zijn oude vriend te bestuderen. Ondanks de weelderigheid van de kamer – gepolijste, donkere houten boekenkasten, een bibliotheek die kon wedijveren met elke bibliotheek in Boston of Philadelphia, sierlijk Frans meubilair... Ondanks de verfijndheid van Philips kleren, die uit de beste winkels in Engeland en Frankrijk kwamen, niet de inferieure koloniale kwaliteit... En ondanks dat Philip zijn droom over het winnen van het hart en de hand van de rijke en mooie Anne Myles waargemaakt had... Philip Clapp was veranderd. Hij leek oud. Verwilderd. Sinds een paar maanden was hij gespannen. Hij schrok op bij elk plotseling geluid. Zijn woede laaide op om de kleinste dingen. Dat waren geen eigenschappen die je associeerde met Philip.

'Als ik het me goed herinner,' zei Philip, 'gaf het briefje twee redenen waarom Johnny tot wanhoop gedreven was. Jouw liefde voor Abigail en haar liefde voor jou.'

'Precies,' antwoordde Josiah.

Philip fronste. Hij probeerde de fout te vinden, maar kon het niet. Blijkbaar had Johnny in hartszaken zijn zakenpartner niet in vertrouwen genomen.

'Je zult je wel herinneren,' ging Philip verder, 'dat ik je ervoor gewaarschuwd heb dat hij jou als een bedreiging zag. Hoe had het anders kunnen zijn? Iedereen weet wat jij voor Abigail voelt.'

'Alsjeblieft, Philip. Zeg verder niets meer.'

Philip zag Josiahs opmerking blijkbaar voor zwakheid aan. Met een grijns liep hij op Josiah toe. 'Zeg me niet dat je hier gekomen bent om te proberen me ervan te overtuigen dat je niets voor Abigail Parkhurst voelt.' Hij lachte honend. 'Josiah, ik ben het tegen wie je het hebt. En als dit de verdediging is die je gekozen hebt om iedereen ervan te overtuigen dat jij geen schuld hebt – al was het maar indirect – aan Johnny Motts dood, nou, dan raad ik je aan om een andere tactiek te kiezen. Want deze vlieger gaat niet op.'

Josiah sloeg zijn blik neer. 'Ik heb vanmorgen met Abigail gesproken.'

Philip stak zijn handen op. 'Wat een uilskuiken ben je! Heeft iemand je gezien? Weet Eunice het? Wat een stomme actie, Josiah! Je zou toch denken dat jij in elk geval je passie langer zou kunnen onderdrukken dan... wat? Hoe lang is het? Een week?

Is Johnny al een hele week begraven?'

Josiah liet Philip denken dat hij naar Abigail gegaan was. Hij had er lang over nagedacht hoe hij zou onthullen wat hij wist. Het was belangrijk dat hij het zo deed dat Philip Abigail er niet van verdacht dat ze wist van Johnny's moord. Philip had vrouwen altijd graag dom gezien. Josiah rekende erop dat Philip zo over alle vrouwen dacht. Door Philip te laten denken dat Josiah naar haar toegegaan was, was het denkbaar dat ze een stukje van de puzzel bijgedragen had zonder het zelf te weten.

'Abigail heeft me verteld dat ze niet van me houdt,' zei Josiah zacht. Het deed nog steeds pijn om het te zeggen.

Philip staarde Josiah aan. Het was duidelijk dat hij niet wist wat hij moest zeggen, noch geloofde dat het waar was. 'Dat verzin je maar. Natuurlijk houdt ze van jou. Ze heeft altijd van je gehouden. Als ze gezegd heeft dat ze niet van je houdt, moet ze daar een reden voor hebben. Misschien omdat...' Hij vloekte. 'Ik weet het niet! Misschien... ja, misschien wil ze je op een afstand houden. Om zichzelf te beschermen. Sterker nog, het zou me niets verbazen als Eunice haar ertoe aangezet heeft. Om te voorkomen dat Abigail de familie in verlegenheid brengt tijdens de rouwtijd. Dat is het waarschijnlijk als je erover nadenkt. De schijn ophouden... en na de gepaste tijd, dan kun je achter haar aangaan. Haar het hof maken. Je weet wel... het hele gebruikelijke gedoe. Vrouwen leven daarvoor. En, natuurlijk, ze wil niet dat je denkt dat ze vanzelfsprekend van jou is. Geen enkele vrouw wil zomaar aan een andere man gegeven worden, alsof ze een deel van Johnny's nalatenschap is. Dat is toch logisch? Bij vrouwen draait alles om manipulatie. Ik zeg je, er is een reden waarom ze wil dat jij denkt dat ze niet van je houdt.'

'Abigail houdt al sinds voor de brand niet meer van mij,' verklaarde Josiah. 'Ze kon zichzelf er toen niet toe brengen het me te vertellen omdat haar ouders me zo graag mochten.'

Philip wilde iets gaan zeggen, maar hield zich in. Toen vroeg hij: 'Heeft ze je dat verteld? Met die woorden? Heeft ze jou dat echt verteld?'

'Ze zei dat ze diep van binnen blij was dat ik naar Boston vertrok. Ze had nooit gedacht dat ik terug zou komen.'

De waarheid begon door te dringen. Josiah kon het zien op Philips gezicht. Hij liep driftig heen en weer.

Op dat moment legde Josiah het laatste stukje in de puzzel. 'Johnny wist het.'

Philip bleef stokstijf staan.

'Hij wist dat Abigail niet van me hield.'

Philip begon zijn hoofd te schudden. 'Nee, dat is onmogelijk. Hij wist het niet...'

'Hij wist het wel. Johnny wist dat Abigail niet van me hield. Daarom weet ik dat hij dat briefje nooit kan hebben geschreven. En als hij het niet geschreven heeft, moet iemand het bij hem gestoken hebben. Waarschijnlijk dezelfde die hem gedood heeft.'

Philips borst ging zwaar op en neer, alsof hij net een heel eind gerend had.

Josiah dichtte de afstand tussen hen tot ze tegenover elkaar stonden. 'Ga je me nu de waarheid vertellen?'

Philip haalde berustend zijn schouders op en gebaarde Josiah naar een paar bij elkaar passende stoelen die zo stonden dat er gemakkelijk een gesprek in te voeren was.

Het kostte Philip een aantal minuten voor hij tot rust gekomen was. Toen hij kon praten, vroeg hij: 'Wat ben je van plan?'

'Eerste stap: met jou praten.'

'Ze zijn meedogenloos,' wierp Philip tegen. 'Laat het rusten. Tegen hen wil je het niet opnemen.'

Josiah hief zijn kin. 'Lord Bellamont.'

Bij het horen van die naam werden Philips ogen hard. 'Wat weet je over hem? Anders dan wat je van mij hebt?'

'Hij is een gewetenloze, machtige Engelse koopman die een slavenhaven in New England wil vestigen, een die het kan opnemen tegen elke haven in het zuiden.'

Philip knikte. 'Ik zie dat jouw korte trektocht voor een opwekkingsprediker heel wat teweeggebracht heeft. Ik wist wel
dat het een vergissing was om je te laten gaan.'

Josiah leunde naar voren. 'Philip, zeg alsjeblieft dat je niets te
maken hebt met Johnny's...'

'Natuurlijk heb ik dat niet!' schreeuwde Philip. Hij sprong
overeind. 'Hoe kun je dat zeggen? Johnny was mijn vriend!'
Philip trilde. Met nauwelijks hoorbare stem zei hij: 'Johnny's
dood was een waarschuwing. Voor mij.'

Josiah sloot zijn ogen.

'Het zelfmoordbriefje was bedoeld om hun sporen te verhullen,' voegde Philip eraan toe.

'Dus Johnny is vermoord.' Josiah wist het al, maar door het
hardop te zeggen werd het een erkend feit.

Philip knikte.

'Zeg het,' eiste Josiah.

'Wat?'

'Johnny Mott is vermoord.'

'Ik zie niet waar dat goed voor...'

'Zeg het!'

'Josiah...'

'Zeg het!'

'Goed! Johnny Mott is vermoord! Ik heb het gezegd!' Philip
liet zijn hoofd in zijn handen vallen. Hij wreef over zijn ogen.
'Denk je dat ik hem niet elke nacht aan dat stuk touw zie hangen als ik mijn ogen sluit?'

Josiah stond op. Hij liep de kamer rond. Hij voelde aan de
zijden stof op de stoelen, de gladde afwerking van het hout.
'Hoeveel ben je Bellamont schuldig?'

Philip liet zijn hoofd hangen. 'Het is erger dan dat.'

Josiah kromp ineen toen de waarheid tot hem doordrong. 'Je
hebt zeven jaar geleden de stad herbouwd met het geld van
Lord Bellamont.'

'In die tijd was het zijn plan om een scheepvaartcentrum te vestigen voor farmaceutische producten, om geneesmiddelen en kruiden en exotische planten te importeren uit het Caribisch gebied.'

Josiah knikte. 'De pakhuizen van Peter Hutton. Die door de brand verwoest waren. Hutton Apotheken.'

'Eigenlijk is het allemaal jouw schuld,' zei Philip. 'Jij hebt Lord Bellamont de gelegenheid gegeven die hij nodig had om voet aan de grond te krijgen in de koloniën. Het was Bellamonts plan om de tegenslag van Hutton in zijn voordeel te gebruiken. Het plan was om hier snel binnen te komen en Hutton uit te dagen op de markt van New England.'

'Wat is er gebeurd?'

Philip zuchtte. 'Een paar dingen. Economische tegenslag. Schepen die zonken. Hutton herstelde zich sneller dan voorzien. Maar toch had het moeten werken.'

'Bellamont liet zijn oog op een meer winstgevende handel vallen.'

'Als het er op aankomt geld te verdienen, ziet die man alles. Hij zag dat een paar van zijn makkers dikke winsten maakten in de slavenhandel. Hij zag New England als een nog grotendeels onaangeboorde markt. Hij is ervan overtuigd dat hij het aantal slaven in de koloniën van New England kan verdubbelen, mogelijk zelfs verdrievoudigen.'

'Tenzij iemand hem tegenhoudt.'

'Praat niet zo'n onzin.'

'Philip, het kopen en verkopen van mensen is immoreel. We kunnen hem Havenhill niet laten gebruiken als een handelspost voor het venten van mensenvlees!'

'En hoe stel je voor dat we hem tegenhouden?' schreeuwde Philip. 'Hij heeft deze stad in bezit! Hij heeft de macht en de rijkdom om te doen wat hij maar wil, inclusief het beïnvloeden van de wetgeving in het parlement zoals het hem uitkomt! Hij heeft vrienden in de rechtbank, adviseurs van de koning!

Hoe gaan we iemand tegenhouden die zo machtig is? Elke poging zou...'

'Zelfmoord zijn?' schreeuwde Josiah terug. 'Wil je echt dat woord gebruiken, Philip?'

'Ik waarschuw je, Josiah. Bemoei je niet met dingen die je niet kunt veranderen.'

'En ik waarschuw jou: je zult moeten kiezen aan wiens kant je echt staat.'

'Goed, donquichot. Maar let op mijn woorden: als je Engelse windmolens op hol brengt, zul je dit stadje waarschijnlijk meer kwaad doen dan je zeven jaar geleden gedaan hebt door het bijna te verwoesten!'

Josiah liep naar de deur.

Philip greep hem bij zijn arm. 'Het gaat om mij, hè? Je bent jaloers op me. Dat ben je altijd geweest. Toen je deze stad bijna afgebrand had, ben je als een hond met je staart tussen de benen weggevlucht naar Boston. Ik moest maar zien of ik een manier vond om alles weer op te bouwen. Maar dat is me gelukt!'

'Door de stad bij het vleesgeworden kwaad in de schuld te brengen.'

'Bellamont is een zakenman! Ik ben een zakenman. Ik heb een zakelijke beslissing genomen! En nog altijd kun jij niet leven met het feit dat ik hier favoriet ben. Dus nu denk je dat je hier zomaar binnen kunt vallen, naar de overwinning kunt strompelen en weg kunt rijden met Dulcinea. Nou, laat ik je dan vertellen, dat als je hier in Havenhill de rol van de miserabele ridder gaat spelen, dat dat dan de dood van ons allemaal wordt!'

'Je denkt dat dit om jou en mij gaat?' vroeg Josiah uitdagend. 'Het gaat om goed en kwaad. Het gaat om wat moreel en immoreel is.'

'Engeland en mannen als Lord Bellamont bezitten de rijkdom, Josiah. Zij maken de regels. Ze bepalen wat goed en kwaad is. Wij kunnen het ons niet veroorloven om er een stapel antieke opvattingen uit het jaar nul op na te houden.'

'Je bent bang voor Lord Bellamont,' beschuldigde Josiah hem.

'Natuurlijk ben ik bang,' riep Philip uit. 'Kijk wat ze met Johnny gedaan hebben!'

Josiah keek zijn vriend in de ogen. 'Er zijn ergere dingen om bang voor te zijn dan Lord Bellamont. "Weest niet bevreesd voor hen die wél het lichaam doden, maar de ziel niet kunnen doden; weest veeleer bevreesd voor Hem, die beide, ziel en lichaam, kan verderven in de hel."'

Philip zwaaide vol afschuw met zijn handen. 'Geweldig! Een Bijbelcitaat. Daar hebben we nu erg veel aan, hè? Laten we maar eens zien hoe effectief jouw Bijbelcitaten zijn als Lord Bellamont zijn bloedhonden op je afstuurt.'

Josiah keek zijn vriend verdrietig aan. 'Dus we staan hierbij tegenover elkaar in de strijd?'

'Ga hierover niet met me in gevecht, Josiah. Dat verlies je. En ik ben niet verantwoordelijk voor wat er gebeurt als je ervoor kiest je tegenover mij op te stellen,' waarschuwde Philip.

Met een bezwaard gemoed keerde Josiah Philip Clapp de rug toe.

Het was een zware morgen geweest. Hij had de liefde van zijn leven verloren en van zijn beste vriend een vijand gemaakt.

En het was nog niet eens middag.

42

Op dinsdag nadat hij en Philip elkaar in de haren waren gevlogen, voelde Josiah zich als een soldaat die aan de rand van een
groot slagveld klaarstond voor zijn eerste gevecht en die
wachtte tot de trompet de aanval zou blazen. Toen het vrijdag
was, stond hij daar nog. Hij wachtte nog steeds. De trompet liet
zich niet horen. Alles was rustig. Het soort rust dat je spieren
zenuwachtig deed trekken van verwachting.

Het was avond. Bij een open bijbel zat Josiah over de preek
voor zondag gebogen. Uit het boek Jozua:

> *Welnu, vreest dan de Here en dient Hem oprecht en getrouw; doet*
> *weg de goden die uw vaderen gediend hebben aan de overzijde der*
> *Rivier en in Egypte, en dient de Here. Maar indien het kwaad is*
> *in uw ogen, de Here te dienen, kiest dan heden, wie gij dienen*
> *zult: óf de goden die uw vaderen aan de overzijde der Rivier*
> *gediend hebben, óf de goden der Amorieten, in wier land gij woont.*
> *Maar ik en mijn huis, wij zullen de Here dienen!*

Een oproep om de wapens op te nemen. Zover was het gekomen. Het was tijd om de zaak duidelijk te stellen. Bellamont
was rijk. Philip had een positie en gezag. Maar Josiah was niet
ongewapend. Hij had het zwaard van God.

Josiah staarde naar het antwoord van de Israëlieten op de
uitdaging van hun leider:

> *Toen antwoordde het volk en zeide: Het zij verre van ons, de Here*
> *te verlaten en andere goden te dienen.*

Hij bad dat de inwoners van Havenhill genoeg godsvrucht

over hadden om op eenzelfde manier te antwoorden. Maar hij wist dat de riviergoden in groot aanzien stonden. Hij had het koninkrijk van de riviergoden zien groeien in Boston en Philadelphia en erover gelezen in de zuidelijke koloniën. Voor mensen die genoeg hadden van de strijd om het bestaan in een woest land, was het moeilijk om weg te lopen voor de schitteringen van de riviergoden. Maar achter het aanzien van goud zaten de Lord Bellamonts van Engeland die, zonder schuldgevoel, zowel Afrikanen als Amerikanen tot slaven zouden maken als zij daar beter van werden.

Josiah schreef dat neer in zijn aantekeningen. *Er is meer dan één manier om iemand tot slaaf te maken,* dacht hij.

Eén enkele kaars verlichtte zijn bureau. Het licht omvatte de bijbel, de preek en Josiah in een aangename lichtbel.

Boven op het bureau lag zijn kopie van de preek van dominee Parkhurst. Josiah pakte hem op en herlas gedeelten ervan. Abigail had, zoals beloofd, het kleine dienstmeisje gestuurd om het origineel op te halen.

Josiah kon het niet helpen dat hij zich afvroeg of de dingen anders geweest zouden zijn als dominee Parkhurst nog predikant van de kerk geweest was. De mensen hadden van hem gehouden. Ze hadden naar hem geluisterd. Als Parkhurst nog leefde zouden de inwoners van Havenhill nooit verstrikt geraakt zijn in de netten van mensen als Lord Bellamont.

Josiah liet zich achterover in zijn stoel vallen en snoof verachtelijk. Wat zat hij te denken? Natuurlijk zouden ze dat dan niet. Als dominee Parkhurst nog zou leven, hadden ze het geld van Lord Bellamont niet nodig gehad omdat hun stad nog overeind had gestaan.

Philip had gelijk. Het was allemaal Josiahs schuld.

Eén nacht van onoplettendheid – en zie wat het hun gekost had. Hun allemaal.

Josiah had genoeg van het vechten en legde zijn aantekeningen voor de preek in de bijbel en sloeg hem dicht. Hij had in elk geval een kans om de dingen goed te maken. God had hem naar Havenhill teruggebracht met een reden. En als God zijn getuige was, zou Josiah vechten om de stad te redden – zelfs van henzelf als het moest – tot hij er bij neerviel.

De strijd kon elk moment beginnen. Dit was niet het moment voor schuchterheid. Zondag zou hij een lijn trekken. Er waren twee kanten. En het was tijd dat de inwoners van Havenhill voor eens en voor altijd zouden beslissen aan welke kant ze stonden.

Josiah was er klaar voor – meer dan klaar. Hij was gretig. In die zin was de passiviteit van de afgelopen week gekmakend geweest.

Eerst had Philips tactiek Josiah verward. Nu dacht hij dat hij het begreep.

Onverwacht waren twee geplande schermutselingen voor de afgelopen week uitgesteld. De vergadering van de gemeenteraad over het repareren van de schade die door de bezoekers van de opwekking was aangericht, was voor onbepaalde tijd afgelast. De kerkenraadsvergadering over Johnny's beschuldigingen tegen Josiah was een week uitgesteld. Philip zat achter beide besluiten.

Openbare vergaderingen waren riskant. En Josiah concludeerde dat Philip geen onderzoek naar het zelfmoordbriefje kon riskeren. Niet na hun gesprek in de bibliotheek.

En Philip kon wel geen erediensten uitstellen, maar die waren ook veiliger. Hij kon erop gokken dat Josiah genoeg respect had voor de heiligheid van de sabbat om niet iets stoms te doen. En de preek zou Philip een kans geven om Josiahs bedoelingen in te schatten.

Het was een slimme zet.

Wat betekende dat Josiah het beste moest maken van de enige kans die hij nog over had. De preek van zondag zou misschien wel de belangrijkste preek van zijn leven zijn.

Hondsmoe doofde Josiah de kaarsvlam. De lichtbel stortte in. Het donker bedekte hem.

De snuit van de draak brak door de wateroppervlakte. Groene schubben gleden moeiteloos naar boven toen het beest zich tot een reusachtige hoogte boven de stad oprichtte. Zijn gebrul deed de aarde schudden, wat tot ver in de omtrek van de stad te horen was. Op de kades, op de straten, in de herbergen, in de winkels deden de inwoners hun dagelijkse dingen, onwetend van de bedreiging die het beest vormde. Josiah kon niets doen om hun het gevaar te doen zien.

Hij greep hen bij de arm en schudde hen door elkaar.

Hij schreeuwde en wees.

De inwoners negeerden hem.

Toen trok een ver gerinkel zijn aandacht. Het gebrul van het beest overstemde het bijna. Hij hoorde ook geschreeuw in de verte. Hij draaide zich om. Daar werden slaven geveild. Geketend stonden ze in de rij. Maar het waren geen slaven. Eunice Parkhurst. Johnny Mott. Abigail. Mercy en Grace. De jonge Edward Usher, wiens zussen waren omgekomen in de brand. Hun gejammer werd door het beest overstemd. En toen ze liepen, rinkelden de kettingen op het ritme van hun voetstappen.

Het beest had zich nu in zijn volle lengte opgericht en liet honderden armen met klauwen zien waarmee hij naar het stadje greep. Hij trok daken van gebouwen af, graaide mensen van de straat. En toch werd er geen alarm geslagen, behalve dan door de mensen die riepen omdat ze geketend waren en op het punt stonden geveild te worden. De inwoners deden hun dagelijkse dingen.

Er vormde zich een draaikolk rond het beest dat schuim en vuur spuwde. Het beest hief met een afgrijselijke gil zijn kop op. Rode ogen flitsten. Zijn klauwen reten het stadje uiteen, verscheurden het alsof het van papier gemaakt was.

Toen, met een brul van schrik, verbaasd dat de maalstroom zoveel grip op hem had, begon het beest weg te zinken in de draaikolk. Het kon niets doen om het te stoppen, al probeerde het verwoed naar de straten en de kades te klauwen. Het slaagde er alleen maar in om het hele stadje met zich mee de maalstroom in te sleuren.

Josiah moest hulpeloos toekijken hoe de winkels en de straten, de veiling met slaven, de kades, de kerk, de brink – alles – met het beest de wervelende leegte in getrokken werd. Josiah moest zelf zijn armen uitstrekken en bomen en gebouwen vastgrijpen om niet mee naar beneden getrokken te worden.

Het hele toneel begon uit vorm gerekt te worden. Josiah voelde zichzelf langer worden toen hij de stam van ouderling Chranch' oude eik vastgreep.

Josiah schrok wakker.

Terwijl zijn borst op en neer ging en met een masker van zweet op zijn gezicht knipperde hij zijn ogen wakker. Hij zocht naar een herkenbare vorm en zag alleen het donker van een maalstroom. Hij dacht dat hij wist waar hij was, maar hij kon nog steeds het gerinkel van de slavenkettingen en hun geroep in de verte horen.

Na een paar keer diep ademhalen en nog meer geknipper, zag hij flauwe vormen. Hij was in zijn eigen kamer. In zijn bed. Het gerinkel en geroep hield aan.

Josiah gooide de dekens van zich af, zijn voeten raakten de vloer. De koude planken brachten hem ineens volledig bij zijn positieven. Hij greep zijn jas en schoenen, rende naar de deur en joeg de nachtlucht in.

Brede stralen oranje verlichtten de oostelijke hemel achter de bomen. Was het avond geweest en in het westen, dan zou Josiah vol verwondering geweest zijn over zo'n mooie zonsondergang. Maar het was nacht. En in het oosten. Slechts één ding kon zo'n schouwspel creëren. Brand!

Minuten later was Josiah volledig aangekleed en brandden zijn longen omdat hij zo snel zijn benen hem konden dragen naar de vuurzee rende.

43

Toen hij Summit Street bereikte, kreeg Josiah voor het eerst goed zicht op de brand. Wat hij zag bracht hem bijna op de knieën. Hij strompelde naar een boom om steun te zoeken. De hele werf stond in vuur en vlam. Elk pakhuis. Elke pier. En op de een of andere manier was het vuur zelfs over het water heen gesprongen en had het een schip in lichterlaaie gezet. De achtersteven was omgeven met oranje vlammen en meer vlammen beklommen de mast.

'O God... O God... O God...'

De woorden braken uit Josiahs hart. Een jammerklacht van twee woorden. Maar Josiah had nooit oprechter gebeden.

Zijn ogen werden gehypnotiseerd door de omvang van de brand. Josiah dwong zichzelf om de boom los te laten en liet zich door zijn gewicht meevoeren de heuvel af over Summit Street. Na zes stappen begon hij te rennen.

Hij naderde drie mannen die over de weg naar boven kwamen. Twee van hen flankeerden een derde die moeite had met lopen. Ze waren bedekt met roet, dat hun trekken verhulde. Toen Josiah dichterbij kwam, zag hij dat de kleren van de man in het midden aan één kant van zijn lichaam weggebrand waren.

Toen Josiah hen passeerde, keek de man het dichtst bij hem op. Hun ogen hielden elkaar een ogenblik gevangen. Toen wendde Josiah zijn blik af.

De man draaide zich om en volgde Josiah. 'Hé!' riep hij.

Josiah keek over zijn schouder. Toen hij merkte dat de man het tegen hem had, bleef hij staan.

'Wat denk je dat je aan het doen bent?' schreeuwde de man.

Josiah staarde de man aan. Hij probeerde achter het roet de

kijken op zoek naar een herkenbare gelaatstrek. Hij vond er geen.

De man gaf het volle gewicht van de gewonde man over aan zijn vriend.

'Kan ik u helpen?' vroeg Josiah.

De man liep naar hem toe. Zijn ogen vernauwden zich op een dreigende manier. Zijn kin leidde de aanval. 'Waar denk je dat je heen gaat?'

'Ken ik u?'

De man bleef dichterbij komen, maar Josiah herkende hem nog steeds niet. Zag de man hem voor iemand anders aan?

'Heb je nog niet genoeg gedaan?'

Josiah kreeg een brok in de keel. 'Ik weet niet wat u...'

De rest van Josiahs zin werd met een vuist teruggeschoven in zijn gezicht. Met de klap kwam een witte flits, toen pijn. Josiahs armen zwaaiden in het rond terwijl hij achteruit waggelde en in balans probeerde te blijven.

Zijn staartbotje raakte met een bons de grond. Op hetzelfde moment sloeg zijn hoofd tegen de grond. Toen hij zijn ogen opendeed, zag hij de sterren.

Dat duurde maar even.

Voor Josiah het wist, werd het licht verduisterd door het lichaam van zijn aanvaller. De man landde hard op Josiahs maag en duwde met zo veel druk de lucht uit hem weg, dat Josiahs ogen uitpuilden.

Knokkels hamerden op één kant van Josiahs gezicht, toen op de andere kant. Zijn rechterribben vingen een klap op, toen zijn linkerribben.

Van ergens achter de klappen hoorde Josiah:

'M'n maat is door jou zo erg verbrand!'

Het nieuws werd met nog een paar klappen afgeleverd.

Josiah draaide zijn hoofd af en hief zijn armen op in een vergeefse poging de klappen af te weren.

'Mickey! Mickey! Ga van hem af!'

De regen van harde vuisten hield genadig op. Toen werd het zware gewicht van zijn borst getild.

Josiah waagde het zijn ogen te openen. Zijn aanvaller werd van hem afgetrokken. Maar de man ging niet vrijwillig en Josiah bad dat zijn vriend sterk genoeg was om hem te houden.

'Hij is het niet waard, Mickey! Hij is het niet waard!'

Mickey leek echter niet overtuigd.

'Je blijft weg van de haven, begrepen? Als ik of mijn maten je ooit weer in de buurt van de haven betrappen, ben je nog niet jarig. Heb je dat?'

Toen Mickey hem losliet, duwde Josiah zich op een arm omhoog. Zijn aanvaller keek naar hem en maakte een beweging die hem deed terugdeinzen. Toen draaide Mickey hem nadrukkelijk de rug toe. De twee mannen pakten hun gewonde vriend op en vervolgden hun weg.

Josiah bewoog zich niet tot ze weg waren.

Hij proefde bloed. Zijn hoofd bonsde. Hij kon niet diep ademhalen. Er zaten een paar tanden los. En zijn wangen brandden.

Hij trok zijn knieën naar zijn borst en steunde met een hand op de grond. Zo lukte het Josiah om te gaan staan. Hij moest het in etappes doen. Eén knie. Dan de tweede knie. Een voet. Duwend met zijn hand en been lukte het hem om zijn andere voet onder zich te krijgen en overeind te komen.

Hij begreep niet helemaal wat de reden voor de aanval was, maar zelfs met zijn pas door elkaar geschudde hersens was hij in staat genoeg puzzelstukjes bij elkaar te leggen om te begrijpen dat de snel-met-zijn-vuisten Mickey een reden moest hebben om Josiah ervan te verdenken dat hij iets te maken had met de brand die nog net zo sterk, zo niet sterker, woedde dan toen hij aangevallen werd.

Nadat hij een paar stappen geprobeerd had, concludeerde Josiah dat hij nog steeds kon lopen. Hij vervolgde zijn weg de helling af naar de brand.

Wat eens een rij pakhuizen geweest was, was nu een muur van vlammen. De hitte en het licht waren zo intens dat het onmogelijk was om er een tijdje direct naar te kijken. Er kon niets gedaan worden om de gebouwen te redden.

Ook de kades waren verloren. Het schip in de haven maakte slagzij naar de stuurboordkant. De bemanning verdrong zich om van boord te komen.

Het ging er nu om de stad te redden. Rijen mannen met emmers strekten zich uit van de rivier naar de huizen die het dichtst bij de brand stonden. In één rij zag Josiah een vrouw en een klein meisje. Het meisje wankelde en die onderbreking in de rij vertraagde de levering van water bij een huis waar juist de vonken op het dak sloegen.

Josiah liep ernaar toe. Het kleine meisje zakte neer op haar voeten, haar armen zo slap als van een lappenpop.

Al gauw brandden zijn eigen armen van de inspanning. Elke emmer was zwaarder dan de vorige en ze bleven komen. Hij haalde zwoegend adem. En zijn hoofd voelde aan alsof het zou barsten.

Hij vroeg zich af hoe de anderen het volhielden. Ze waren hier langer dan hij. Maar op de een of andere manier vonden ze genoeg kracht om vol te houden en dat moest hij ook.

Hij probeerde er niet over na te denken.

Als ze stopten, kon de hele stad verwoest worden. Zo simpel was het. Ze moesten emmers blijven doorgeven, dus deden ze dat.

Hondsmoe overzag Josiah in het morgenlicht de schade. Verkoolde pijlers en balken staken naar de hemel. Het zag eruit alsof de duivel zelf zich een weg uit de hel had proberen te klauwen.

Een bijtende lucht, zo sterk dat hij het kon proeven, vermengde zich met de vochtige lucht die van de rivier kwam. Er stegen rookkringels op uit de ruïnes, alsof het stadje de geest gegeven had. In de haven stak de boeg van het schip op uit het water, weigerend om zich over te geven aan de ondiepe wateren.

Voor Josiah leek het of de ergste dag van zijn leven was opgestaan uit het graf om hem te achtervolgen.

Aan rand van het puin, de enige plaatsen die koel genoeg waren om aan te raken, waren een paar aaseters aan het pikken. Nu de stad niet langer in gevaar was, waren de meeste mensen naar huis gegaan en op hun bedden neergevallen. Dat was precies wat Josiah ook wilde gaan doen.

Toen hij Summit Street naderde en wenste dat er een manier was om zonder te hoeven lopen de berg op te gaan, herkende hij een koets die aan de kant van de weg tot stilstand gekomen was. De deur was open. Een eindje ervandaan stonden vier mannen te praten en naar de ruïnes te wijzen.

Een van de mannen was Philip Clapp.

Toen Josiah naderde, vielen ze stil.

Met een snel woord scheidde Philip zich van de anderen af en onderschepte Josiah. 'Het is erger dan zeven jaar geleden, denk je niet?' Toen, terwijl Philip dichter op hem toe kwam, riep hij uit: 'Wat zie je er verschrikkelijk uit! Wat is er met je gebeurd?'

Josiah raakte zijn wang aan en huiverde. Die was opgezwollen. 'Zo te zien is het voor ons allebei een slechte nacht geweest.'

Philip keek naar de drie mannen die samenschoolden en fluisterend praatten. 'De taxateurs vertellen me dat alles verloren is.'

Maar Philip leek door dat nieuws niet erg van streek te zijn, dacht Josiah. Sterker nog, Philip leek gerustgesteld.

'Het spijt me van je verlies, Philip.'

'Natuurlijk maken de taxateurs hun definitieve verslag pas op na het onderzoek,' voegde Philip eraan toe.

Josiah keek verlangend naar de koets. Hij vroeg zich af of Philip die met de koetsier lang genoeg kon missen om hem naar huis te laten brengen, of in elk geval de heuvel op.

'Ze zijn al begonnen,' zei Philip. 'Rapporten verzamelen, getuigen horen.'

Iets in Philips ogen deed Josiah de rillingen over zijn rug lopen, wat pijnlijk is voor een vermoeide man die bont en blauw geslagen is.

'Het lijkt erop dat jouw naam naar boven gekomen is,' merkte Philip nonchalant op.

'Ik lag in bed!' beet Josiah.

Philip glimlachte.

'Dat meen je niet,' zei Josiah. Hij probeerde zichzelf te overtuigen. 'Ik kan niet geloven dat je zoiets zou doen. Daarvoor zijn we te lang vrienden geweest.'

'Ga naar huis en slaap wat, oude vriend,' reageerde Philip. Hij draaide zich om om te vertrekken.

'Philip! Doe dit niet!'

Philip bleef staan. Hij draaide zich om, liep naar Josiah toe, leunde naar hem toe en fluisterde: 'Ik heb je gewaarschuwd het niet tegen mij op te nemen.'

De klim tegen Summit Street op was bijna te veel voor Josiah. Toen hij zijn huis bereikte, kon hij nauwelijks nog een voet voor de andere zetten.

Er hing een opgevouwen wit stukje papier op hem te wachten.

Met handen die zo moe waren dat ze trilden, opende hij het briefje.

Wees sterk. Alstublieft, wees sterk!

'Wie ben je?' riep Josiah.

44

Zaterdag was een dag vol blikken: sommige tersluiks, andere direct en vol haat. Josiah had een paar uren onrustig geslapen en was toen teruggekeerd naar de haven om te helpen op wat voor manier dan ook. Hij bleef minder dan een uur, want hij leidde meer af dan dat hij kon helpen.

Het zaad dat Philip gestrooid had, had al wortel geschoten. Iedereen verdacht Josiah ervan dat hij de brand gesticht had.

Toch leidde zijn inspanning tot iets goeds. Josiah kwam te weten dat er niemand in de brand was omgekomen. Sommigen die tegen de brand gevochten hadden, hadden brandwonden opgelopen – een pijnlijk stuk kennis dat Josiah had opgedaan tijdens een persoonlijke ontmoeting met de vuist van een vriend van een van de slachtoffers – maar geen van de brandwonden was levensbedreigend en daar was hij dankbaar voor.

Terwijl hij zich Summit Street opsleepte, besloot hij de morgen door te brengen met bidden in de kerk en de middag met het afmaken van zijn preek voor morgen. Het was waarschijnlijk de laatste preek die hij in Havenhill zou houden en mogelijk misschien wel zijn laatste preek ooit. Want welke andere kerk zou hem nog beroepen wanneer ze contact hadden opgenomen over zijn ambtsbediening in Havenhill?

Op de hoek van High Street en Church Street hoorde hij zijn naam. Hij draaide zich om en zag Mercy die zich naar hem toe haastte met Grace een paar stappen achter haar. Grace leek geen haast te hebben bij hem te komen.

Mercy's gezicht drukte een sympathieke pijn uit. Ze rekte zich uit en voelde aan zijn wang.

'Au!'

'Hebt u dat in de brand gekregen?' vroeg ze.

'Het heeft er mee te maken.'

'Arme ziel. Het is verschrikkelijk, hè? De hele werf. Wat moeten we doen?

'We? Blijkbaar heb je het nog niet gehoord.'

'We hebben het gehoord,' zei Grace die bij hen kwam.

'Hatelijke geruchten – dat is alles wat we gehoord hebben, Grace. Het is heel anders dan de vorige brand.'

In zijn afwerende en vermoeide stemming voelde Josiah een onbedoelde steek in Mercy's protest. Wat hij hoorde was dat Josiah met deze brand niets te maken had, anders dan bij de vorige die bijna de stad vernietigd had en die kwetsbaar had gemaakt voor een gewetenloze aasgier, die ze tot schuldslaven had gemaakt en hen allen naar de ondergang sleepte.

'Josiah, gaat het wel goed met je?' vroeg Mercy. 'Je ziet er moe uit. Gewond.'

Een lief gezicht met een melkwitte huid en onschuldig blauwe ogen die bezorgd naar hem opkeken. Ze had gelijk. Hij was moe, wat waarschijnlijk verklaarde waarom de onschuld en het geloof die voor hem stonden emoties beroerden die dreigden over te stromen.

Ook andere emoties roerden zich in hem. Hun kracht verbaasde hem. Nooit had Mercy er aantrekkelijker en bekoorlijker uitgezien dan op dit moment. Hij wilde...

Een andere vrouwenstem onderbrak hem.

Abigail stak met snelle passen de brink over naar hen toe. Achter haar, doelbewust naar de kerk schrijdend, kwam haar moeder, Eunice.

Abigail stapte tussen Josiah en Mercy in en greep Josiahs arm.

'Au!' riep hij uit.

Geschrokken liet ze los. 'Ben je gewond?'

Mercy deed een stap achteruit. 'We moeten gaan.'

Grace zei niets. Haar gezichtsuitdrukking – haar ogen vernauwd tot spleetjes, haar mond een dunne, misprijzende lijn – sprak voor zichzelf.

Josiah hief een hand op om iets te zeggen. Mercy zag het niet. Haar ogen waren neergeslagen. Zonder nog een woord te zeggen liepen zij en Grace verder naar de kerk. Josiah keek haar verlangend na.

'Je gezicht!' riep Abigail. 'Heb je gevochten?'

'Wat is er aan de hand in de kerk?' vroeg Josiah.

'O, dat. De vrouwen regelen eten en verbandrollen voor de slachtoffers en de helpers,' legde Abigail uit.

Mercy verdween in de kerk.

Josiah wendde zich tot Abigail, die erg dicht bij hem was. Zijn polsslag werd hoger. Hij keek weg. Ze had nog steeds macht over hem. De passie die hij tien jaar lang vertroeteld had, was niet in een paar dagen dood.

'Josiah?'

'Er is niets aan de hand,' verzekerde hij haar.

'Waarom kijk je me niet aan?'

Ze klonk bezeerd. Josiahs hart haperde. Begreep ze niet hoe moeilijk het voor hem was?

Hij haalde diep adem zonder dat hij het liet merken. Josiah ontmoette Abigails blik met zo veel kalmte als hij kon aanwenden.

'Wat ik je laatst verteld heb...' zei Abigail, 'dat verandert toch niets tussen ons? We kunnen nog steeds vrienden zijn. Goede vrienden. Alsjeblieft?'

Haar hand was weer op zijn arm. Ze bedoelde het als een teder gebaar. Blijkbaar was ze zijn verwonding vergeten.

'Ik kan me niet voorstellen dat ik zowel Johnny als jou zou verliezen.' Haar stem trilde.

'Daarin hebben we misschien niet veel te kiezen,' zei Josiah.

'Hoezo? Wat bedoel je?'

'De brand. Of heb je niet gehoord dat...'

Ze verwierp het idee met een luchtige zwaai van haar hand.

'We weten allebei dat jij niets te maken hebt met die brand.'

'Deelt je moeder die mening?'

Abigail fronste geërgerd. 'Nee. Ze is ervan overtuigd dat jij de brand aangestoken hebt, net zoals zeven... nee, is het al acht jaar geleden?'

'Bijna acht.'

'Nou, ze zegt dat deze stad krijgt wat die verdient omdat ze jou terug hebben laten komen in Havenhill. Maar dat is moeder maar.'

Nee, het was niet moeder maar. Abigail was misschien in staat de opmerkingen van haar moeder af te doen als onzinnig geklets, maar Josiah kon dat niet. Eunice Parkhurst was nog altijd een macht in Havenhill. Of ze een barometer van de publieke mening was of die ook vormde, daar was hij niet zeker van. Maakte het uit? Eunice Parkhurst was Havenhill. Zoveel was zeker. En Abigails verslag van waar haar moeder stond, bevestigde wat Josiah vermoedde.

Hij was veroordeeld.

'Ik kan maar beter gaan,' zei Abigail. 'Als ik nog veel langer hier buiten blijf, beginnen de dames te roddelen.'

Beginnen? Wanneer zijn ze dan gestopt? vroeg Josiah zich af. Hij glimlachte zwak.

'Vrienden?' vroeg Abigail.

Josiah knikte.

Abigail ging op haar tenen staan en kuste hem op de wang. Het deed zeer.

45

De nacht voor zijn laatste preek sliep Josiah niet. Hij probeerde het niet. Er zou nog genoeg tijd zijn om te slapen in de
dagen die voor hem lagen. Hij had dan misschien geen dak
meer boven zijn hoofd of een kussen, maar hij zou alle tijd van
de wereld hebben. De rest van zijn leven. Waar, dat wist hij
niet. Wat hij ging doen, dat wist hij niet.

Hij had overwogen om naar Boston terug te gaan. Daar
kende hij mensen. Mensen uit zijn tijd aan Harvard. Dokter
McCullough. Hij kon een paar van de mensen opzoeken met
wie hij op weg uit Philadelphia samen gereisd had. Er zou toch
zeker wel iemand zijn die meelijden had met een afgezette
dominee die de reputatie had steden tot de grond toe af te
branden?

Northampton kwam hem in gedachten. Misschien ging hij
daar heen. Er ging een vredigheid van uit die aantrekkelijk was
voor een man die op het punt stond voor de leeuwen gegooid
te worden.

Josiah trok zijn dikke jas aan. Een vroege novemberwind had
de hele nacht gehuild en de temperatuur was dramatisch
gedaald.

Hij ging naar zijn schrijftafel. Naast elkaar lagen twee preken. Een daarvan was niet van hem.

Normaal hield hij twee preken op de zondag. Een sterke
intuïtie waarschuwde hem dat hij er vandaag maar één zou
houden, als hij er al één zou houden. Hij had er twee geschreven en een derde gekregen en daarom had hij de hele nacht
geworsteld met de beslissing welke preek hij moest houden.
Hij had de keus tot twee beperkt.

Hij keek neer op de preken.

Rechts lag zijn preek waarin hij Jozua's uitdaging liet weerklinken: 'Kiest dan heden wie gij dienen zult.'

Links lag de preek van dominee Parkhurst, waarvoor hij niet lang genoeg geleefd had om hem te kunnen houden. Het idee om de laatste preek van zijn mentor te houden leek een stoutmoedige geniale inval. Het zou erop neerkomen dat Parkhurst tot zijn gemeente zou preken over het graf heen.

Nu, in het licht van de morgen, leek het eerder roekeloos dan stoutmoedig. Er kleefden risico's aan. Na zijn dood was Parkhurst in de ogen van de mensen heilig verklaard. En het was niet verstandig om in de fontein van een stadsheilige te gaan rondspartelen. En dan waren er nog Eunice en Abigail om wie hij moest denken.

Josiah staarde naar de twee preken, nog net zo besluiteloos als acht uur eerder.

De enige beslissing die Josiah 's nachts genomen had, was dat hij zijn besluit zou nemen voor hij van huis ging. Hij zou maar één preek meenemen. Als hij ze allebei mee zou nemen, zou hij nog steeds op twee gedachten hinken als hij de preekstoel beklom.

Zeker deze morgen moest hij doelbewust en vastbesloten zijn. Nu was het tijd om duidelijk te zijn.

Er lagen twee preken voor hem.

Als een oudtestamentische priester met de Urim en de Tummim kon hij er maar één pakken.

'God... leid mijn hand,' bad hij.

Josiah pakte één stapeltje preekaantekeningen op, stopte ze in zijn bijbel en liep de deur uit.

Er is een moment net voor elke eredienst dat een dienaar van het Woord er klaar voor is om zijn rol van middelaar tussen God en mensen te vervullen. Als hij oprijst van zijn knieën en erin geslaagd is om alle gedachten opzij te zetten die hem zouden kunnen afleiden van het leiden van zijn gemeente naar de troon van God in een heilige eredienst.

Het is juist op dat moment dat er iemand komt om een klacht in te dienen.

Vandaag was het ouderling Dunmore die hem de deur versperde.

Het was niet de eerste keer dat ouderling Dunmore dit moment gebruikte voor een persoonlijke ontmoeting met de dominee. Het was niet ongewoon voor de ouderling om net buiten de deur die naar de kerkzaal leidde te staan wachten. Ergens was dat ook logisch. Dunmore wist dat hij elke zondag de dominee daar op die tijd kon vinden.

Te oordelen naar de stand van zijn kaak en de blik in zijn ogen, was Dunmore in alle staten. Toen hij sprak, leken zijn vergeelde tanden op de bek van een hond die gromde. Zijn adem rook naar uien. 'U bent de laagste vorm van leven op Gods groene aarde,' stelde Dunmore.

'Ouderling Dunmore, dit is niet het moment...'

'Dat u dit de man aandoet die voor u in de bres is gesprongen!'

Vijf tellen. Waarschijnlijk een record. In vijf tellen was het Dunmore gelukt om elke eerbiedige gedachte uit Josiahs hoofd en hart te verdrijven.

'Hoe kunt u... hij is uw vriend! Weet u wel waarom de vergadering van de gemeenteraad afgelast is? Philip Clapp persoonlijk verzekerde de gemeenteraad dat hij erop zou toezien dat de stad niet de last zou hoeven te dragen van de schade die is aangericht als gevolg van die opwekking van u, zelfs al zou hij het uit zijn eigen zak moeten betalen!'

'Ouderling Dunmore...' probeerde Josiah er tussen te komen.

'En hij heeft persoonlijk op alle ouderlingen van deze kerk een beroep gedaan en hen ervan overtuigd dat ze geen vergadering moest bijeenroepen om de beschuldigingen van ontrouw tegen u te onderzoeken!'

'Er waren geen beschuldigingen, alleen specu...'

'Wat is dit voor... is dit de manier waarop u uw vrienden behandelt? Op hun vrouwen jagen en hun pakhuizen afbranden?'

Dunmore dreigde zijn zelfbeheersing te verliezen. Zijn handen waren tot vuisten gebald. Josiah wist niet wat voor onzichtbare teugels hem nog in bedwang hielden; hij bad alleen maar dat ze het zouden houden. Het laatste wat hij vanmorgen kon gebruiken was een aframmeling door een ouderling vlak voor de dienst.

Het maakte hem ook kwaad dat Dunmore juist dit moment gekozen had voor een confrontatie. Er kwamen Josiah honderd weerwoorden in gedachten – de meeste ongepast voor een ambtsdrager.

In plaats daarvan zei hij: 'In de naam van God, gaat u opzij, meneer. Ik moet een eredienst leiden.'

Dunmore gromde. 'Na vandaag zult u zich niet langer kunnen verschuilen achter God. En dan zult u krijgen wat u verdient.'

Hij schoof Josiah tegen de muur en liep langs hem heen.

Josiah greep de armleuningen beet van de stevige houten stoel – die waar dominee Parkhurst elke zondag altijd in gezeten had – en duwde zichzelf omhoog om de preek te houden.

De dienst was tot zover maar wat voortgesukkeld. Het zingen was geforceerd en ongeïnspireerd. De gebeden waren monotone monologen. De Schriftlezing was langdradig. En de pijn in Josiahs buik, de hartslag van het kwaad, bonsde gestaag.

Op normale zondagen was het de eerste taak van een dominee om de aandacht van de gemeente te trekken, die tegen dit moment in allerlei richtingen was afgedwaald, als even zovele schapen. Vandaag was dat niet nodig. De gemeente was vol aandacht en Josiah was het aandachtspunt.

Boze blikken tartten hem om te preken.

Josiah haalde de preekaantekeningen uit zijn bijbel. Hij had wel een beslissing genomen over welke preek hij zou houden, maar hij voelde zich ongemakkelijk over de beslissing die hij genomen had. In een moment van paniek overwoog hij om de andere preek uit het hoofd te reconstrueren.

Nee. Dit was geen tijd voor paniek. Hij had God gevraagd zijn hand te leiden en nu moest hij erop vertrouwen dat God dat gebed verhoord had. Hij zou preken van de aantekeningen die voor hem lagen.

Hij schraapte zijn keel. 'De titel van de preek van vandaag is: Als het vuur neerdaalt.'

Er ging een geroezemoes door de kerk. Verscheidene monden vielen open bij de brutaliteit van zo'n titel, na wat er de afgelopen week gebeurd was. Eunice Parkhurst ging geschrokken rechtop zitten.

'Onze tekst komt uit Gods Woord zoals wij dat lezen in 1 Koningen, hoofdstuk 18.'

Josiah haalde adem. De teerling was geworpen. Er was nu geen weg meer terug. Mocht God hem helpen.

'Een persoonlijke opmerking voor ik begin,' zei hij. 'Omdat dit vast en zeker mijn laatste preek is van deze preekstoel...'

Hij keek neer op de rij strenge gezichten in de ouderlingenbank, waaronder dat van Philip. Er was niemand die het niet met hem eens was. Noch was er een hoorbaar protest uit de gemeente.

'... heb ik er na veel gebed voor gekozen geen preek te houden. Althans, niet een die ik zelf geschreven heb. In plaats daarvan heb ik ervoor gekozen om aan u de laatste preek van dominee Nathaniel Parkhurst door te geven. De preek die hij gehouden zou hebben, ware het niet dat hij zo plotseling van ons werd weggenomen.'

Er was in de bijenkorf geroerd en hard ook. De gemeente zoemde luid. Josiah hoorde gedeelten van zinnen, waaronder de woorden 'slechte smaak' en 'beledigend' en 'wat een durf'.

Eunice Parkhurst frommelde met de bladzijden van haar bijbel. Ze vond waar ze naar zocht – het origineel van de preek van haar man. Echter, het kostte haar maar een ogenblik om te begrijpen wat er gebeurd was. Met een bloedrode kleur viel ze uit tegen Abigail die naast haar zat. Abigail stak verdedigend haar handen op. Eunice luisterde niet. Ze stormde de bank uit. Abigail stond hulpeloos op. Ze wierp Josiah een blik toe alsof ze zich verraden voelde en rende toen haar moeder achterna.

Even wist Josiah niet of hij de kans zou krijgen om verder te gaan. In de eerste plaats vanwege het rumoer, maar ook omdat Eunice nog maar net de deur uit was, of de gevangenbewaarder en zijn assistent kwamen binnen. Geen van beiden waren ze kerkgangers. En gezien de manier waarop de gevangenbewaarder zich tegen de achtermuur positioneerde, met de armen over elkaar geslagen en zijn blik strak op hem gericht, wist Josiah dat zijn plannen voor na de dienst al voor hem gemaakt waren.

Hij wist niet wat hen ervan weerhield om hem nu direct mee te nemen of wat de gemeente in hun banken hield. Misschien was het de traditie. Ze waren nog nooit de kerk uitgegaan zonder eerst naar de preek te luisteren. Of misschien had hij hun interesse gewekt en wilden ze de niet gehouden preek van een dode man horen. Of misschien had de Heilige Geest Zijn hand op hun schouders en wilde Hij hen niet laten gaan tot Josiah zijn zegje gedaan had. Wat de reden ook was, het gemompel verstomde zover dat Josiah kon spreken.

'In de woorden van dominee Parkhurst,' verkondigde hij, 'en ik citeer: "Voor enige tijd nu heeft een verontrustende geest mijn ziel in bezit genomen. Eerst dacht ik dat het spijsverteringsproblemen waren door het koken van Eunice. U weet allemaal hoe goed ze kan koken en hoe ik de neiging heb meer te eten dan goed voor me is."'

Josiah keek op. De gemeente was stil geworden. Ze herkenden de stem van hun vroegere dominee en ze luisterden gretig naar wat hij tot hen te zeggen had.

'"Echter, omdat mijn ongemak zich over een periode van maanden uitstrekte, begreep ik uiteindelijk dat de pijn veel dieper zat dan mijn maag. Beste vrienden, ik heb pijn in mijn ziel. En ik ben erg bezorgd. Ik ben bezorgd dat ik als uw dominee geen effect meer op u heb."'

'Nee!' schreeuwde er iemand uit de bank 'Dat is niet waar!'

Josiah ging verder. '"Want ik heb vol verdriet gezien dat u bent afgedwaald van uw eerste liefde en al heb ik u herhaaldelijk van deze kansel opgeroepen terug te keren, u slaat niet langer acht op de stem van uw herder."'

'Luister niet naar hem!' schreeuwde ouderling Dunmore. Hij was opgestaan en wees met een beschuldigende vinger naar Josiah. 'Zijn jullie het vergeten? Deze man heeft dominee Parkhurst gedood!'

Josiah dacht dat de preek op datzelfde moment afgelopen was. Tot zijn verbazing maande de gemeente Dunmore tot stilte en zeiden ze tegen hem dat hij moest gaan zitten.

De afgezant van dominee Parkhurst ging verder.

'"Onze harten zijn koud geworden voor het evangelie. Dat wat ons eerst aanzette tot actie prikkelt nu alleen nog onze verbeelding. We hebben het gemakkelijk gekregen in Sion. Ik zeg u onder tranen dat het hier zo koud is als de dood. We hebben vuur nodig van God en we hebben het nu nodig!"'

Bij het noemen van vuur barstte de gemeente uit in geschreeuw en gejammer bij de herinnering dat hun geliefde predikant was omgekomen in de vlammen.

Josiah schreeuwde boven hen uit.

Hij greep de preekaantekeningen en hief ze op boven zijn hoofd. 'Luister hiernaar! Luister! Parkhursts grootste angst was dat u niet meer naar hem luisterde! Luister nu naar hem!'

Dunmore stond weer op uit zijn stoel en riep: 'Leugens!

Leugens! Niets dan misleiding en leugens!'

Josiah schreeuwde terug: 'Hoe lang was dominee Parkhurst de predikant van deze kerk? Dertig jaar?'

'Tweeëndertig,' zei iemand.

'Tweeëndertig jaar,' herhaalde Josiah. 'Dan herkent u toch zeker zijn stem wel! Toen ik de preek voor het eerst las, hoorde ik mijn dominee net zo duidelijk voor me preken als toen hij hier op de preekstoel stond. Dit zijn zijn woorden! Dat weet u!'

De bezwaren stierven weg. De mensen gingen weer zitten.

Josiah riskeerde een blik op Philip. Hij leek het vermakelijk te vinden wat er gebeurde.

Met niets meer te verliezen, zette Josiah door.

Op dit punt in de preek ging Parkhurst naar de tekst. Hij beschreef hoe de Israëlieten zich van God hadden afgewend en zichzelf hadden toegestaan verleid te worden door de wegen van de verdorven koning Achab en zijn koningin, Izebel, en hoe Izebel de profeten van God gedood had en hoe Elia dat vergold door de hemelen te sluiten zodat het niet meer regende.

Hij beschreef de gebeurtenis waarin Elia zichzelf aan Achab presenteerde en hoe de koning de profeet begroette door te zeggen: *Zijt gij daar, gij, die Israël in het ongeluk stort?*

Toen beschreef Parkhurst hoe Elia opriep tot een openlijke confrontatie waarin hij tegenover de 450 profeten van de heidense god Baäl zou staan in een wedstrijd tussen goden op de berg Karmel. De regels van de uitdaging werden afgekondigd. Er zouden twee altaren gebouwd worden – een voor Baäl en een voor God. Er zou geen vuur gebruikt worden om de offers aan te steken. Om de beurt zouden de profeten tot hun goden bidden en de god die vuur zou geven voor het offer zou voor eens en voor altijd bewijzen dat hij Israëls God was.

De dag van de wedstrijd brak aan. En van de morgen tot de avond dansten en riepen de 450 profeten van Baäl. Ze sneden zichzelf en riepen tot hun god. Maar niemand antwoordde. Niemand luisterde.

Toen maakte Elia een altaar klaar voor God. Hij legde het offer erop en gaf bevel om er een greppel omheen te graven. Hij beval dat er vier grote kruiken water over het offer uitgegoten moesten worden en eiste toen dat het nog een tweede keer gebeurde... en een derde keer, zodat het altaar drijfnat was.

Elia bad en het vuur daalde neer. Het offer werd verteerd en het water in de greppel werd opgelikt. Alle mensen wierpen zich ter aarde en riepen: *De HERE, die is God! De HERE, die is God!*

Josiah las Parkhursts conclusies. '"Uit dit dramatische verslag zijn me een aantal dingen duidelijk geworden. In de eerste plaats dat wij net als het volk Israël andere goden nagelopen zijn en een vreemde koning en zijn welvaartsprofeten toegestaan hebben ons te verleiden, weg van de dingen van God. In de tweede plaats heb ik opgemerkt dat wij, als we tot God roepen, meer op de profeten van Baäl lijken dan op de profeet van God. We werpen stof op met onze activiteiten en we feliciteren ons met het schouwspel. Maar waar is het vuur? Waar is het vuur?

Wat is er voor nodig om het vuur te laten neerdalen? We hebben iemand nodig die ons in het ongeluk stort. Iemand die ons van ons gemak berooft. Iemand die zal spotten met onze pretenties als we beweren Gods volk te zijn maar er niet naar leven. We hebben een Johannes de Doper nodig. Iemand die niet bang is om naar onze zelfvoldane gerechtigheid te kijken en te zeggen: 'Adderengebroed!' We hebben een profeet nodig met de Geest van Jezus. Iemand die niet bang is om ons te vergelijken met gewitte graven, van buiten aardig om naar te kijken maar van binnen rottend en stinkend! We hebben iemand nodig die ons in het ongeluk stort. We hebben een Elia nodig. Iemand die bereid is tot ons te roepen en ons in ons gezicht uit te dagen: 'Hoelang zult gij aan beide zijden mank gaan? Hoelang nog dient gij de goden van handel en rijkdom? Hoelang nog eert gij de goden van gemak en comfort? Indien de HERE God is, volgt Hem na; maar indien het de Baäl is, volgt hem na, helemaal naar de hel!'

Heb ik het te sterk gesteld? Heb ik u beledigd? Ik vrees dat ik u niet genoeg beledigd heb. Ik vrees dat mijn grootste zonde als uw dominee is dat ik soms meer gegeven heb om wat u van mij zou denken dan om wat God van mij denkt. God in de hemel, zend ons iemand die ons in het ongeluk stort!

Niet alleen hebben we iemand nodig die ons in het ongeluk stort, we hebben ook watergieters nodig. Waarom gaf Elia opdracht om het altaar drijfnat te maken? Om ervoor te zorgen dat niemand hem ervan kon beschuldigen dat hij het vuur had aangestoken. Zodat toen het vuur neerdaalde, er geen twijfel was wie het gestuurd had. Kijk naar het verslag. Was er twijfel? Nee! Toen het vuur neerdaalde, wierpen ze zich allemaal ter aarde, hun gezichten vol ontzag en vrees naar de grond, en riepen: 'De HERE, die is God! De HERE, die is God!'

Dit is mijn gebed voor Havenhill. Ik bid dat Gods heilig vuur op deze stad zal neerdalen. En hoewel ik zou willen dat ik als het zover was de profeet zou zijn, weet ik dat ik dat niet ben. Ik ben niet iemand die in het ongeluk stort. Ik ben uw vader, snel met vergeven. Ik ben geen watergieter. Ik ben uw vriend. En daarom, nu ik hier mijn laatste preek voor u houd..."'

De gemeente hapte collectief naar adem, zo onverhoeds werden ze erdoor overvallen dat dominee Parkhurst had willen aftreden.

"'... bid ik dat God u iemand zal zenden die u in het ongeluk stort. Dat God watergieters zal laten opstaan. En dat God, gezegend zij Zijn Naam, op Zijn tijd het vuur van de waarheid zal zenden, het vuur van de reiniging, het vuur van de gerechtigheid; zodat alles wat er niet toe doet weggenomen zal worden en we het Lam zullen zien, zuiver en zonder gebrek en verhoogd. En als het vuur neerdaalt, zullen we allen met één stem uitroepen:'De HERE, die is God! De HERE, die is God!'"'

Toen hij aan het eind van Parkhursts aantekeningen gekomen was, keek Josiah op.'En nu een paar woorden van mijzelf. Toen ik de preek van dominee Parkhurst gelezen had, wist ik dat ik wilde dat u hem zou horen. En ik voel me bevoorrecht dat ik in staat geweest ben dat te laten gebeuren. U gelooft het misschien niet na alles wat er gebeurd is, maar ik mis hem evenveel als u. Hij was mijn dominee.

En nu ik hem opgevolgd ben op deze kansel, deel ik zijn verlangen voor u, dus het lijkt gepast dat deze laatste preek van hem ook mijn laatste zal zijn. Ik weet hoe hij zich voelde. Ik heb ook het gevoel dat ik voor u tekortgeschoten ben. Om een andere vergelijking te gebruiken: ik vrees dat er tijden waren dat ik het te druk had dokter te spelen – door uw symptomen te bestuderen en een genezing te zoeken – dat ik mijn eerste taak vergat. En dat is u bij de hand te nemen en u naar de Grote Heelmeester te leiden. Hij alleen kan u genezen. Hij alleen kan het vuur zenden. En Hij zal dat doen op Zijn tijd.

Ik vergeleek mezelf met de Olympische fakkeldragers, die erom bekend stonden dat ze het vuur brachten dat de spelen zou laten beginnen. Ik wilde zo'n hardloper zijn, de man die het vuur van de opwekking naar Havenhill bracht. Ik vergat dat God alleen bepaalt waarheen Zijn Geest zal waaien en wanneer. Nu ik daaraan herinnerd ben, zal ik doorgaan met bidden voor een opwekking, in het vertrouwen dat als die komt, het duidelijk zal zijn dat God en God alleen die gezonden heeft.'

Daarmee stapte Josiah van de preekstoel af en werd hij gearresteerd op de beschuldiging dat hij de brand gesticht had die de haven van Havenhill verwoest had.

46

Josiah sliep in de gevangenis beter dan hij de laatste twee nachten in zijn eigen bed gedaan had. Opluchting was het. Hij had zijn taak volbracht en er was nu niets meer voor hem te doen – hij mocht niets meer doen – dan wachten. De cel was hem niet onbekend. Het was dezelfde cel waar George Mason in gezeten had. Het stro op de vloer was nog steeds niet ververst. Eerst was Josiah misselijk geworden van de eindeloze geur. Nu merkte hij het nauwelijks nog op.

Mercy merkte het onmiddellijk op. Het deed haar een stap terugzetten toen ze verscheen.

'Het spijt me,' zei Josiah. 'Als ik geweten had dat je zou komen, zou ik opgeruimd hebben.'

'Zegt hij dat we stinken?' riep een van Josiahs celmaten. Jimmy de Reus was waarschijnlijk anderhalve meter lang als hij op zijn tenen stond. Hij was met vier anderen in de gevangenis gegooid voor een knokpartij. Ze hadden geklaagd toen ze vernamen dat Josiah dominee was. Jimmy had betoogd dat opgesloten zitten met een brandstichtende dominee hun reputatie schaadde. Hun klachten waren gericht aan dovemansoren.

De gevangenbewaarder ontsloot de cel en liet Mercy binnen. Hij bleef in de deuropening staan. 'Regels. 'k Kan een dame niet alleen achterlaten.'

'Hij is bang dat ze ons wat aandoet!' lachte Jimmy.

Mercy leek zich goed te houden gezien de omstandigheden. 'Ik heb een boterham voor je meegenomen.'

Er was niets in haar handen.

'In beslag genomen,' deelde de gevangenbewaarder mee. ''k Moet er zeker van zijn dat ze er niks in verstopt heeft.'

Wat betekende dat Josiah de boterham nooit zou zien. En

dat terwijl hij nog honger had ook.

Hij leidde Mercy een paar stappen naar de zijkant. 'Meer privacy dan dit kan ik je niet bieden.'

Mercy keek om zich heen. Iedereen keek naar hen en luisterde.

Mercy trok een wenkbrauw op. 'Misschien kun je de volgende keer dat je gearresteerd wordt een betere gevangenis vragen.'

'Hé,' wierp de gevangenbewaarder tegen. 'Er is niks mis met deze gevangenis, hoor!'

'Bedankt voor je komst,' fluisterde Josiah tegen Mercy. 'Het verbaast me dat Grace niet meegekomen is.'

Mercy gaf hem een van die ik-dacht-dat-je-wijzer-was blikken.

'Ja, ik vermoed dat het te veel gevraagd zou zijn.'

'Is er nog iemand anders hier bij je op bezoek geweest?'

Josiah las tussen de regels door en verving 'iemand' door 'Abigail'.

'Nee, jij bent de enige.'

'Niemand is ook niet bij ons op bezoek geweest,' schimpte Jimmy.

Ze zwegen een tijdje. Mercy peuterde aan haar nagels. Hun publiek leek de pauze in de actie niet erg te vinden. Ze klaagden tenminste niet. Maar ja, ze hadden natuurlijk ook geen haast.

Mercy fluisterde Josiah in het oor:'Hoe is het met je? Houd je het vol?'

Josiah knikte. 'Eigenlijk is het hier nogal vredig.'

'Iedereen praat over de preek.'

'O ja? Goed?'

'Gemengd. Heel wat mensen zijn geschokt.'

'Eunice?'

'Ik heb niets gehoord.'

Josiah leunde dicht naar haar toe. Hij kon haar geur ruiken

en de warmte van haar wang voelen. Die sensaties brachten hem met een onverwachte kracht aan het wankelen.

'Wat zeggen ze over de brand?' vroeg Josiah.

'Iedereen is ervan overtuigd dat jij het gedaan hebt.'

'Ik wel,' zei Jimmy. 'Hij heeft het gedaan. Geen twijfel aan.' Zijn maten waren het met hem eens.

'Ik denk ook dat hij het gedaan heeft,' zei de gevangenbewaarder.

Josiah zuchtte. 'En jij?'

Mercy deed een stap achteruit. 'Josiah Rush! Hoe kun je zo'n vraag stellen?'

'Zij denkt ook dat hij het gedaan heeft,' concludeerde Jimmy.

Mercy fronste beledigd.

Josiah betreurde zijn vraag. 'Het spijt me. Het is gewoon... nee, geen excuus. Ik had het niet moeten vragen.'

'Nee, dat had je niet,' zei Mercy.

Maar blijkbaar vergaf ze het hem, want ze stapte weer dicht naar hem toe.

'Het spijt me echt,' begon hij.

'Sst.' Mercy legde een vinger op zijn lippen, wat het publiek agiteerde. Blozend hield ze haar hand achter haar rug.

Het publiek was nog lang zo opgewonden niet als Josiah. Hij wist dat hij dat moment vannacht honderd keer opnieuw zou beleven.

'Ik moet gaan,' beweerde Mercy.

'Tuurlijk.' Maar Josiah meende er niets van.

Ze draaide zich langzaam om om te vertrekken.

'Nog één ding,' zei hij.

'Ja?'

'Philip.'

Mercy knikte. 'De stad wendt zich tot hem.'

'Net als acht jaar geleden.'

'Hij zegt dat hij een dekking heeft gevonden om de werf te

kunnen herbouwen zonder dat het de stad iets kost.'

'Lord Bellamont.'

'Philip is er heel open over. Lord Bellamont zal de werf herbouwen zonder dat het de stad iets kost in ruil voor havenrechten.'

'Slaven. Weten de mensen dat dat importeren en verkopen van slaven betekent?'

Mercy klemde haar lippen op elkaar. Wat ze ging zeggen was moeilijk voor haar. 'Niemand heeft bezwaren geuit. Ze lijken het niet erg te vinden.'

Josiah liet zijn hoofd hangen. 'Philip zei al dat hij ze voor zich zou winnen.'

Mercy legde teder haar hand tegen Josiahs wang.

Het publiek uitte een collectief: 'Ooooooooo!'

Ze aarzelde, maar de hand bleef waar hij was. 'Je hebt gedaan wat je kon.'

'Soms is dat niet genoeg.'

'Geef de hoop niet op.'

Josiah bood een zwakke glimlach die verdween zodra hij Mercy's ogen zag. Er was genoeg hoop in voor twee mensen en ze leek die meer dan graag met hem te delen.

De tijd vertraagde terwijl hun blikken zich in elkaar haakten, terwijl hun zielen elkaar raakten. Het was een intimiteit zo diep dat hij er blij van werd. Josiah werd tot haar getrokken en zij tot hem.

Hij voelde haar adem op zijn lippen. Toen hun warmte. Minder dan een impuls scheidde hen.

'Hé, hé, hé!' brak een stem in.

Mercy werd weggetrokken.

De gevangenbewaarder had haar bij de arm. 'Tegen de regels.'

Het publiek uitte een afkeurend gekreun. 'Weet je wat?' bood Jimmy de Reus aan. 'Als ze weg is, zal ik je kussen!'

47

Josiah werd de volgende dag vrijgelaten uit de gevangenis. 'Niet genoeg bewijs om je in staat van beschuldiging te stellen,' sneerde de gevangenbewaarder. 'Die ooggetuigen? Nu zeggen ze dat ze een man gezien hebben die op je leek, maar dat ze er niet zeker van kunnen zijn. Weet je wat ik denk? Ik denk dat ze omgekocht zijn.'

Josiah veegde het stro van zijn kleren om te vertrekken. Hij wist niet wat voor spelletje Philip speelde door hem te laten gaan. Maar alles wat Josiah wilde was naar huis gaan, zich verkleden en iets te eten klaarmaken.

'O ja,' voegde de gevangenbewaarder er aan toe. 'Ik moet je dit geven.'

Hij gaf Josiah een stukje papier.

Gemeentevergadering bijeengeroepen
Dinsdag drie uur
Onderwerp:
Mogelijke afzetting van dominee Josiah Rush

Over een uur.

De gevangenbewaarder zei: 'De vent die me zei dat ik je dit moest geven, zei ook dat je daar verwacht werd.'

Philip verknoeide geen tijd.

Josiah had net genoeg tijd om naar huis te gaan en zich te verkleden. Geen tijd om te eten.

Hij liep naar buiten, een winderige, koude, bewolkte dag in.

Het tafereel dat Josiah wachtte toen hij zijn huis naderde leek op dat van de dag van zijn aankomst. Alle deuren en ramen waren eruit gesloopt en aan de kant gegooid. Al zijn bezittingen lagen uitgespreid over de grond.

Toen hij naderde, raakte een los blad papier, dat leek te willen ontsnappen, zijn schoen net toen hij een stap wilde zetten. Hij keek erop neer en herkende zijn handschrift. Het was een pagina van een preek, de preek die hij gekozen had niet te houden, waarin hij een lijn trok en de mensen uitdaagde om te bepalen aan wiens kant ze stonden.

Er kwam een gelatenheid over hem. Een berusting in zijn lot. Hij nam aan dat hij verbaasd moest zijn dat hij zijn huis zo zag. Hij was het niet.

'Het bespaart me in elk geval de moeite om in te pakken,' mompelde hij.

Iets te eten pakken, daar was geen sprake van. Van zich verkleden evenmin. Zijn beste hemd lag te buitelen in het gras. Omdat hij niets anders te doen had, besloot hij naar binnen te gaan en te kijken of er nog iets waardevols te redden viel.

Naast de opening waar de voordeur had gezeten, merkte hij een stukje papier op dat op een bekende plaats gestoken zat. Hij stak zijn hand ernaar uit, maar twijfelde eraan of er woorden waren die op dit moment zijn geest op konden beuren.

'Wat is dat?' Er kwam plotseling een man het huis uit, die Josiah aan het schrikken bracht. Hij graaide het briefje uit Josiahs hand.

Er verscheen een tweede man.

Josiah had ze geen van beiden eerder gezien. Ze zagen er ruw uit. Ze hadden allebei een baard. In hun ogen was een doffe glans – het soort dat vaak degenen vergezelt die goed bekend zijn met de verdorven aard van de wereld. Ze waren allebei langer en zwaarder dan Josiah; en allebei hadden ze een knuppel waarvan het handvat boven de gordel van hun broek uitstak.

De voorste man – bruin, dun haar, in tegenstelling tot de

andere man wiens zwarte haar leek op algen die een rotsblok bedekten – vouwde het briefje open, las het, liet het aan zijn vriend zien, deelde een lach en verfrommelde het briefje toen en wierp het over zijn schouder.

'Wie zijn jullie, mannen?' vroeg Josiah.

'We zijn uw lijfwachten,' zei de voorste man.

'Lijfwachten?'

'We zijn hier om ervoor te zorgen dat u de vergadering haalt zonder dat u er onderweg aan gaat.'

Philip had overal aan gedacht.

De twee mannen stapten het huis uit.

'Zullen we?' De eerste man gebaarde naar de weg.

Omdat hij niets had om voor te blijven, begon Josiah aan de wandeling op weg naar de kerk.

———————————

De lucht was donker en dreigend. Een boze wind sloeg tegen zijn kleren.

Vooruit dan maar, dacht Josiah.

Hij aarzelde onder aan de treden die naar de voordeur van de kerk leidden. Hij was vroeg. Ze waren onderweg niemand tegengekomen. Het leek alsof iedereen er al was.

'Schiet op!' riep zijn escorte. 'Het is koud hier!'

Josiah besteeg het trapje en zwaaide de deur open. Onmiddellijk viel de collectieve geest van de gemeente hem aan. Dik. Zwart. Agressief. Giftig. Het sloeg op zijn maag en greep hem met een ongelofelijke kracht. Josiah kon alleen maar de drempel overstappen en zich bereidwillig overgeven aan zo'n ziekmakend gevoel.

Elk hoofd in elke bank draaide zich naar hem om. Wat een ruimte vol rusteloze activiteit geweest was, werd even stil en rustig als een dodenwake bij een bed.

Ouderling Dunmore stond op de preekstoel. Philip stond naast hem.

Josiah was plotseling het centrum van een bevroren universum. Maar wat hem de meeste zenuwen bezorgde, was de manier waarop de kerkleden hem aanstaarden. Hij had die gezichtsuitdrukkingen eerder gezien. Ze waren van mensen die naar een executie keken.

'Ik zal niet meer zeggen,' zei Dunmore, al wilde hij duidelijk meer zeggen. 'Maar ik zal dit zeggen en het maakt me niet uit of hij me hoort. De gedeelten die ouderling Clapp aan ons heeft voorgelezen uit zijn dagboek deden mijn maag omdraaien. Te bedenken dat hij daar zat in het huis van de vrome ouderling Cranch en zulke dingen schreef over ons, dezelfde mensen die hem hier beroepen hebben... nou, daarvan draaide mijn maag om. Dat is alles wat ik kan zeggen. Mijn maag draaide ervan om!'

Na een laatste salvo van walging verliet ouderling Dunmore de preekstoel. Philip bedankte hem met de opmerking dat hij wist hoe moeilijk het voor ouderling Dunmore was om zulke dingen over zijn dominee te zeggen.

Terwijl hij sprak, hield Philip Josiahs dagboek in zijn hand. Hij sprak Josiah rechtstreeks aan. 'Je bent vroeg.'

Josiah voelde een por in zijn rug van zijn twee geleiders die hem naar binnen duwden en de deur achter hem sloten.

'Er kwam onverwacht ruimte in mijn agenda,' zei Josiah.

'Hoe dan ook,' reageerde Philip. 'Ik geloof dat we klaar zijn om verder te gaan.'

Zo leek het. De kerk was vol. Kerkleden die Josiah sinds zijn komst nog niet gezien had waren er. Al de vaste kerkgangers zaten in hun banken. Eunice Parkhurst zat met een rechte rug strak voor zich uit te staren. Ze weigerde naar hem te kijken. Abigail keek om haar moeder heen.

In de bank van de Parkhursts zaten ook Judith Usher – de vrouw van wie de dochtertjes in de oorspronkelijke brand waren omgekomen – en haar zoon, Edward. Judith hield een lappenpop vast die ze net zo stijf tegen haar borst klemde als ze op de zondag van de opwekking gedaan had.

De ouderlingen waren neergestreken op de voorste bank als aasvogels op een hek, schouder aan schouder, zo stijf als was. Met hun grimmige gezichten vormden ze een onverzettelijke kracht.

Bij afwezigheid van enig menselijk geluid zocht Josiah zijn weg naar voor in de kerk.

Hij passeerde de bank van de zussen. Grace keek naar hem op met medeleven. Ze had hem niet altijd gemogen, wist Josiah, maar het was duidelijk dat ze hem geen kwaad hart toedroeg. Naast haar probeerde Mercy een dapper gezicht te zetten, maar ze balanceerde overduidelijk op de rand van in tranen uitbarsten.

De wind huilde. Boomtakken sloegen en schuurden tegen de ramen. Het was nog maar midden op de middag, maar buiten was het zo donker als nacht.

Josiah stapte het podium op. Philip ontmoette zijn blik, onbevreesd. Het was alsof Josiah in het gezicht van een vreemde keek. Hij gebaarde naar Josiah dat hij in de stoel van de predikant moest gaan zitten.

Josiah deed zoals hem was opgedragen en ging zitten. Zijn huid voelde klam aan onder zijn kleren. Hij haalde adem om zichzelf te kalmeren.

Hiertoe was het dus gekomen.

Teruggaan naar Havenhill was riskant geweest. Josiah had dat geweten toen hij kwam. Wat hij toen niet geweten had, was wat er op het spel stond. De inzet was veel hoger dan hij zich ooit had kunnen indenken. Hij was het stadje binnengehuppeld met de gedachte dat het allemaal om hem draaide. Toen was zijn eerste doel geweest om de inwoners zo ver te krijgen dat ze hem accepteerden. Dat ze hem mochten. Hoe had hij zo egocentrisch kunnen zijn?

Kijk wat zijn kortzichtigheid gekost had. Johnny Mott was dood. Zijn beste vriend, Philip, was nu zijn grootste tegenstander. En deze gemeente stond op het punt haar ziel te verkopen aan een corrupte Engelse koopman die winst wilde halen uit het veilen van menselijke wezens als slaven.

Had Josiah die dingen geweten op de dag dat hij op Fiedler's Knob stond, dan had hij... Op dit punt wist hij niet wat hij gedaan zou hebben. Hij kreeg er al hoofdpijn van als hij erover nadacht.

De deur ging open. Een half dozijn havenarbeiders slenterde naar binnen en ging bij de twee staan die Josiah naar de kerk geëscorteerd hadden. Ze sloegen hun armen over elkaar en leunden tegen de achtermuur zonder een poging te doen de houten knuppels te verbergen die in hun gordels gestoken zaten.

Er was niet veel voor nodig om te begrijpen waarom ze er waren. Als de vergadering eenmaal voorbij was, zou Josiah een escorte nodig hebben de stad uit. En het zag ernaar uit dat het einde van de reis ongetwijfeld gemarkeerd zou worden met een paar persoonlijke afscheidsgroeten – gewoon voor het geval Josiah er nog aan zou denken Philip of Bellamont opnieuw in de weg te lopen.

Van achter uit de kerk grijnsden ze zelfgenoegzaam naar Josiah. Het was hun manier om hem te laten weten dat ze zouden genieten van hun werk.

Onder gewone omstandigheden zou het vooruitzicht van een aframmeling Josiah zenuwachtig gemaakt hebben. Maar op het moment was hij te vermoeid om bang te zijn. Hij was moe van zijn confrontaties met Eunice Parkhurst. Hij was moe van het vechten met zijn beste vriend. Hij was moe van het preken tegen mensen die al wisten hoe ze moesten leven, maar die er dagelijks voor kozen om te negeren wat ze wisten dat goed was. Hij was er moe van het doelwit van hun bitterheid te zijn.

Ergens was hij blij dat het spoedig over zou zijn. Hij keek naar de havenarbeiders met hun gespierde armen. Hij zou zich herstellen. Hij zou naar Boston of Northampton gaan, een baan zoeken en voor zichzelf een nieuw leven opbouwen tussen mensen die nooit van de brand in Havenhill gehoord hadden.

Iemand achter in de kerkzaal schraapte luid zijn keel. Er ging een rimpeling door de zaal. Ze leken allemaal net zo graag verder te willen gaan als hij.

Philip Clapp opende officieel de vergadering.

De zaal werd stil.

Josiah fluisterde: 'God, in uw handen...'

'We weten allemaal waarom we hier zijn,' zei Philip, 'dus laten we het maar snel afhandelen.'

Philip had Josiahs dagboek weggelegd en hanteerde nu een opgerold stuk papier als een soort knuppel. Daarmee sloeg hij op zijn open handpalm.

'Omdat dit een onsmakelijk gedoe is,' ging Philip verder, 'zie ik er geen heil in om nog verder te discussiëren.' Hij keek ouderling Dunmore aan.

Een van tevoren afgesproken teken, dacht Josiah.

Dunmore stond op. 'Ik vraag om een stemming,' zei hij en ging toen weer zitten.

Philip ging Josiah duidelijk niet de kans geven om te spreken. Wat maakte het uit? Niets wat hij zou kunnen zeggen zou enig verschil maken.

'Er wordt om een stemming gevraagd,' deelde Philip mee.

'Dominee, wilt u alstublieft gaan staan?'

Het gebruik van Josiahs titel klonk godslasterlijk uit Philips mond.

Josiah stond op.

'Zoals u gezegd is, zijn we geen rechtbank. De betrokkenheid van dominee Rush bij de recente brand is niet bewezen, maar uw kerkenraad heeft zijn daden en zijn persoonlijk leven verdacht gevonden en heeft, na zorgvuldige overwegingen en gebed, voorgesteld dat de kerk hem uit zijn ambt zet. Verder, als een gebaar aan de stad, stellen we voor dat dominee Rush uit Havenhill verbannen wordt.'

Josiah keek naar de gemeente. Ze hadden het al druk gehad voor hij aankwam.

'Een stem voor is een stem voor het ontslag van zijn herderlijke taken en zijn verbanning uit de stad. Een stem tegen zuivert dominee Rush van alle verdenkingen en herbevestigt hem als predikant van deze kerk.'

Ze wilden dolgraag stemmen. Josiah kon het in hun ogen zien. Ze konden hun veroordeling niet snel genoeg stem geven.

Mercy had haar hoofd begraven tegen Grace' schouder. Haar lippen bewogen in gebed.

God, zegen haar...

Abigail bette haar ogen met een kanten zakdoek. Naast haar wiegde Judith Usher heen en weer.

'Allen die ervoor zijn dat dominee Rush afgezet wordt en wordt verbannen uit de stad, zeg ja.'

'JA!' De zaal trilde onder het geluid.

'Allen die tegen zijn?'

'Nee,' zei Mercy zacht.

Philip wendde zich tot Josiah. Hij zag eruit als overwinnaar. 'Het voorstel is aangenomen.'

Beide mannen wisten dat de stemming gewoon een formaliteit geweest was. Philip had al gewonnen toen de stad er geen bezwaar tegen had gemaakt dat Havenhill een slavenhaven zou worden.

Josiah bestudeerde verdrietig zijn voormalige gemeente. Ze waren verblind door zielsziekte. Hun leven, hun stemmen, alles was erdoor aangetast.

Hij wist dat ze op dit moment waarschijnlijk een goed gevoel hadden over wat ze gedaan hadden. Maar wat ze voelden was opluchting dat het voorbij was, geen geluk. Het was moeilijk voor zieke mensen om gelukkig te zijn. Over een dag of twee zouden ze de pijn van de ziekte weer kennen en zouden ze zich afvragen waarom ze, wat ze ook deden, nooit tevreden waren.

God, vergeef hun. Open hun ogen, bad hij.

Achter in de kerkzaal zwaaiden de havenarbeiders met hun knuppels, klaar voor het uitvoeren van hun taak.

Vanaf de preekstoel zei Philip: 'Vooruitlopend op uw beslissing heb ik geregeld dat dominee Rush onder een escorte de stad uit geleid wordt. Onze zaak is nu gedaan. Ik verklaar de vergadering...'

'Wacht!'

De roep kwam zo onverwacht, dat het een minuut kostte om uit te vinden wie het bezwaar geuit had. Pas toen ze opstond konden de meeste mensen herkennen wie de bron was.

Judith Usher rommelde met de deurklink van de bank van de Parkhursts. Ze leek heel vastbesloten om eruit te komen.

Philip zei: 'Judith, als je iets te zeggen hebt, kun je het daarvandaan zeggen.'

Ze luisterde niet. Toen ze begreep hoe ze het deurtje van de bank open moest krijgen, liep ze naar het podium. Haar ogen waren neergeslagen. Ze werd voortbewogen door vastberaden stappen en klemde de lappenpop dicht tegen haar borst.

Verlicht door de lampen binnen zagen de boomtakken er buiten onrustig uit. Met zachte vuistslagen mepte de wind tegen het glas.

Philip hield Judith tegen, onder aan de treden naar het podium. Ze wurmde zich langs hem heen en ging recht op Josiah af. Ze ging met gebogen hoofd voor hem staan. Alles wat Josiah kon zien was de bovenkant van haar witte muts en een paar sliertjes krullen in haar hals.

Eerst sprak ze niet. Ze klemde de lappenpop vaster en vaster tegen zich aan.

Iemand zei niet bepaald zacht: 'Ze wil genoegdoening voor haar meisjes.'

'Twee dode dochters geven haar het recht.'

Josiah sprak zacht tegen haar. 'Judith?'

Ze antwoordde niet. Hij sprak opnieuw haar naam uit en ze hief haar hoofd op. Betraande ogen ontmoetten de zijne. Josiahs hart ging naar haar uit. Het deed hem zeer dat hij wist dat deze hele avond haar opnieuw de pijnlijke herinneringen deed beleven van...

Met een timide stemmetje zei ze tegen hem: 'Wees sterk.'

'Jij!'

Dat was het moment dat hij het voelde. Of beter, niet voelde. Er leek heling en goedheid van haar uit te gaan. Zo dicht bij haar staan wiste de pijn in zijn buik uit.

'Het is weg,' zei ze met een glimlach.

Josiah knikte. 'Ja, ik voel het. Het is weg.'

Ze schudde haar hoofd als teken dat hij haar niet goed gehoord had. 'Het is weg!' zei ze weer.

'Ik... ik weet niet zeker of ik je begrijp.'

Ze hief de pop op. 'Het is weg. De rookgeur. Het is weg.'

Josiah schudde zijn hoofd. 'Ik begrijp het nog steeds niet.'

Ze begon te huilen en te lachen. Ze hief de pop op naar zijn gezicht en nodigde hem uit om te ruiken. 'De rook. Je kunt het niet meer ruiken. Het is er geweest sinds de brand. Net was het er nog. Maar nu is het er niet meer. Het is weg!'

Josiah gaf haar haar zin. Hij rook. De pop rook naar lappen. Hij kon geen rook ruiken.

Judith lachte. 'God heeft de rook weggenomen!'

De wind buiten werd vasthoudend. Hij sloeg nu hard tegen de ramen alsof hij die uittestte en een manier zocht om de kerkzaal binnen te breken.

Uit een ooghoek zag Josiah Philip naar Eunice Parkhurst gebaren dat ze Judith moest komen halen. Ze kwam naar voren en greep Judith bij de schouders.

'Kom mee, lieverd,' beval Eunice.

Maar Judith weigerde in beweging te komen. Tegen Josiah

zei ze: 'Kunt u ons vergeven?'

Er spoelde een golf van emotie door Josiah heen. Van alle dingen die ze had kunnen zeggen, waren dit de laatste woorden die hij verwacht had. Op dit moment. Op deze plek. Ze waren zo weinig toepasselijk in deze situatie, dat zijn geest weigerde te geloven dat hij haar goed gehoord had. Hij had de dochters van deze vrouw gedood!

Eunice greep Judiths schouders steviger vast. 'Kom, lieverd. Kom terug naar de bank.'

Maar Judith had wortelgeschoten. 'We hebben u zo veel pijn gedaan...'

'Je bent in de war, lieverd,' suste Eunice. Tegen Josiah: 'Ze is in de war. Ze weet niet wat ze zegt.'

Judith wendde zich tot Eunice. 'We hebben verkeerd gedaan, Eunice. Moge God ons vergeven. We hebben verkeerd gedaan. Al die tijd hebben we verkeerd gedaan.'

'Ik had je vanavond niet moeten laten gaan. Laten we naar huis gaan, lieverd.'

Dit keer stond Judith Eunice toe om haar naar de bank te keren. Maar verder wilde ze niet gaan. Nu ze de gemeente aankeek, hield ze de pop boven haar hoofd en schreeuwde: 'De rookgeur is weg! God heeft het weggenomen!'

Haar uitbarsting werd ontvangen met gegeneerde gezichtsuitdrukkingen vol sympathie en bezorgdheid. Het was hun duidelijk dat ze in de war was en, misschien, gek was geworden.

Judith hield vol: 'Begrijpen jullie het niet? Dit is een gebedsverhoring. God heeft de rook weggenomen.'

Philip liep naar haar toe. Hij legde een hand op haar schouder. 'Judith, ik denk dat het het beste zou zijn als je...'

'Nee!' Ze deinsde terug voor zijn aanraking alsof ze zich eraan brandde. 'Dit is Mary's pop!' Ze huilde openlijk. 'Hij was bij hen in de brand. En omdat... omdat ik mijn kleine meisjes niet langer kan omhelzen, omhels ik elke dag hun lappenpop en ruik de rook. Het herinnert me eraan dat ik hun stemmen nooit meer hoor in hun kamer en hen nooit meer zie spelen of zal zien opgroeien tot vrouwen. De laatste tijd mis ik ze verschrikkelijk. Ik wilde ze vlakbij me hebben. Als ik hun pop vasthoud, voel ik me dicht bij hen. Daar net, toen ik daar zat, dacht ik aan hen en rook ik de rookgeur in de pop en toen... was het weg. Zomaar! De rook is weg!'

De zaal was stil.

De wind rammelde aan de deuren, maar niemand leek het op te merken.

Judith veegde haar ogen uit met de rug van haar hand en riep: 'Omdat ik bad... ik wilde weten dat mijn meisjes bij God waren en dat ze gelukkig zijn... en dat zijn ze! Ik weet dat ze dat zijn, omdat God de rook heeft weggenomen!'

Voor iemand haar kon tegenhouden, daalde Judith de treden van het podium af en schoof de pop in de gezichten van alle ouderlingen. 'Ruik!' eiste ze. 'Ruik! Ruik!'

Ze zaten onbeweeglijk, als standbeelden. Geen van hen rook aan de pop. Ze staarden haar alleen maar met versteende gezichten aan.

Philip had er genoeg van. Hij kwam in beweging om haar te onderscheppen.

Maar Judith zag hem aankomen. Ze schoof de pop in zijn gezicht en verraste hem. 'Ruik! Ruik!'

Philip deed geen poging om haar haar zin te geven. 'Bedaar wat, Judith.'

Ze zwaaide de pop naar Eunice Parkhurst. 'Eunice, jij gelooft me toch? Ik ben niet gek. Jij weet hoe hij naar rook rook. Vertel het ze.'

Eunice legde een zachte hand op de pop en duwde hem naar beneden. Ze staarde Judith strak aan met die blik van gezag die ze door de jaren gescherpt had. 'Kom, lieferd. Ik zal je naar huis brengen.'

De hand die de pop vasthield, viel slap langs Judiths zij. Haar schouders hingen neer. De vreugde verdween van haar gezicht.

Eunice legde een troostende maar krachtige arm om Judiths schouders en leidde haar terug naar de bank van de Parkhursts. De gemeente bewoog zich ongemakkelijk. Hun gezichtsuitdrukkingen onthulden een mengeling van medelijden voor de verwarde vrouw en een nieuwe scheut woede voor de man die verantwoordelijk was voor haar pijn.

De wind sloeg boos tegen de ramen.

Josiah dacht dat hij iets moest zeggen. Blijkbaar voorzag Philip dat, want hij keek hem waarschuwend aan. Josiah hield zijn mond. Philip had gelijk. Wat hij ook zei, het zou alleen maar zelfzuchtig lijken en Judith meer bezeren.

Als hij maar alléén met haar kon praten. Om haar te bedanken voor de briefjes.

Hij keek hoe Eunice haar wegleidde. Het goede gevoel dat hij gehad had, verdween met haar, opgeslokt door de donkere geest van de gemeente. O, hoe graag wilde hij met haar praten. Maar zes havenarbeiders zouden erop toezien dat hij na de vergadering met niemand zou praten. Hij zou Judith Usher waarschijnlijk nooit meer zien.

De twee vrouwen bereikten de bank van de Parkhursts. Abigail stond op om hen erin te laten.

'Ik wil de pop ruiken!' Het was Mercy's stem. Ze was het gangpad in gestapt.

Judith wendde zich met vragende ogen tot Mercy.

'Ik geloof je, Judith. Ik wil graag de pop ruiken.'

Judiths blik verhelderde aanzienlijk. Ze overhandigde de pop aan Mercy, vlak voor de afkeurende frons van Eunice Parkhurst.

Mercy drukte de pop tegen naar neus. Eén keer. Twee keer.

Ze keek op. 'Ik ruik geen rookgeur.'

De zaal gonsde.

De wind rammelde aan de kerkdeuren.

Eunice werd kwaad. 'Mercy Litchfield, je werkt niet mee! Judith is zichzelf niet. We moeten haar naar huis brengen.'

Vanuit de bank zei Abigail: 'Judith, vertel hun over de moeder van Stefanus.'

'Abigail! Wat is er in je gevaren?' reageerde Eunice boos.

'Vertel het hun!' hield Abigail vol.

'Niets daarvan,' blafte Eunice. 'We hebben al genoeg gehoord. We hebben gedaan waar we voor gekomen zijn. Nu gaan we naar huis.' Ze greep Judiths arm en ging verder naar de deur.

Voor in de kerk zei Philip met luide stem: 'Eunice heeft gelijk. De vergadering is voorbij. Officieel gesloten.' Met een wenk van zijn vingers gebaarde hij naar de havenarbeiders dat ze hun taak moesten uitvoeren.

Er werd een moment geaarzeld. Toen begonnen de mensen jassen en dassen en tassen bij elkaar te zoeken en zeiden tegen hun kinderen dat ze zich warm moesten aankleden, want het was winderig vanavond.

Mercy en Abigail wisselden verwoede blikken uit. Aan het einde van het gangpad werden Eunice en Judith onbeleefd platgedrukt door de havenarbeiders die hen opzij schoven om bij Josiah te komen.

Toen deed Mercy Litchfield iets wat ze niet gedaan had sinds ze acht jaar oud was, toen ze er een pak voor de broek voor gekregen had. Maar nu ging ze opnieuw op een kerkbank staan.

Grinnikend ging ook Abigail op haar bank staan en schreeuwde over de menigte. 'De pop is niet de enige openbaring die God aan Judith Usher geschonken heeft!'

Bij het zien van de twee vrouwen die op de banken stonden en bij het horen van Abigails stem, stopte iedereen met wat hij aan het doen was, behalve de havenarbeiders die Josiah bereikt hadden. Ze omringden hem aan alle kanten. Met knuppels in de hand grepen twee van hen Josiah bij de armen.

Eunice was gekrenkt. 'Abigail Parkhurst, ik weet niet wat er in je gevaren is. Stap ogenblikkelijk van die bank af!' Uit de manier waarop haar ogen heen en weer schoten, bleek dat ze zich er erg van bewust was dat iedereen naar hen keek. 'Ga naar huis, mensen,' beval Philip. 'Vanavond gebeurt hier niets meer.'

De mensen waren niet overtuigd. Voor de meesten was er thuis niets wat onderhoudender beloofde te zijn dan wat er binnen in de kerk gebeurde.

'Vertel hun wat je mij verteld hebt!' drong Abigail bij Judith aan.

Ieders aandacht werd gevestigd op Judith Usher, die de pop tegen haar borst klemde.

'Toen dominee Rush hier voor het eerst kwam...' begon Judith.

'Harder!' schreeuwde iemand. 'We kunnen je niet horen.'

Judith wiebelde zenuwachtig en begon opnieuw. 'Toen dominee Rush hier voor het eerst kwam, preekte hij over de apostel Paulus in Jeruzalem. Herinneren jullie je die preek?'

Geknik gaf aan dat de mensen zich die preek herinnerden.

'En hij vertelde ons hoe Paulus – ik bedoel Saulus, want hij was toen toch nog Saulus? – hoe Saulus voor die tijd verantwoordelijk was voor de dood van Stefanus.'

Er kwamen nieuwe tranen in Judiths ogen. Haar stem zat zo vol emotie dat haar woorden moeilijk kwamen.

'En herinneren jullie je dat hij zich afvroeg wat de apostel Paulus gezegd zou hebben tegen de moeder van Stefanus toen hij haar zag in de kerk in Jeruzalem, want hij was immers verantwoordelijk voor de dood van haar zoon.'

Judith liep het gangpad door. Eunice Parkhurst deed geen poging om haar tegen te houden.

'Nou, dat zette mij aan het denken over de moeder van Stefanus. Wat het voor haar geweest moet zijn die man die – de man die haar jongen gedood had – op haar toe te zien komen en te horen zeggen dat hij veranderd is... want ik weet hoe zij zich voelde. Om de man te zien die mijn meisjes' – Judith Usher huilde nu openlijk – 'en ik vroeg me af wat deze vrouw, de moeder van Stefanus, gezegd zou hebben tegen de apostel Paulus toen ze zag dat hij een veranderd man was... een goede man... een man die God kon gebruiken.'

Binnen de vier muren van de vergaderzaal was alles stil – iedereen zweeg. Buiten zwelde de wind aan tot een woedende kracht.

Judith had Josiah bereikt. Ze klemde en klemde de pop tegen zich aan. 'Hij heeft de rook weggenomen,' fluisterde ze tegen hem. 'Dominee, kunt u mij ooit vergeven?'

Josiah glimlachte.

'U bent een goede man, hè?' zei ze. 'Een godvrezende man. U hebt dat bewezen. Het maakt niet uit wie u geweest bent. Ik heb gezien wie u bent. Ik zie trekken van God in u. En nu denk ik dat ik weet wat de moeder van Stefanus tegen de apostel gezegd zal hebben.'

Het werd doodstil in de zaal.

Judith legde haar hand op Josiahs borst. 'Ze zei: "Wees sterk. En ga met God."'

Voor Josiah kon antwoorden, vloog in een windvlaag en een donderend gekraak de kerkdeur open. De plotselinge verandering van atmosfeer in de zaal benam iedereen de adem. Ze stonden met grote ogen, met gapende monden te kijken. Sommigen waren bang; anderen verward. Maar allemaal waren ze verbaasd.

Judith was de eerste die de Geest voelde. Ze hapte naar adem. Haar handen vlogen naar haar borst. De pop die ze vastgehouden had, viel zacht op de grond. Haar ogen richtten zich op iets in de verte, alsof ze iets kon zien wat voor ieder ander verborgen was.

Ze zonk neer op haar knieën, haar gezicht verwrongen van zowel angst als verwondering. Ze hief een onvaste hand op naar wat ze ook zag en haar zo bevangen had.

'Ik zie de Here,' riep ze, 'gezeten in de hoge!'

De muren van de vergaderzaal schudden, de spanten kraakten.

Judith probeerde weer te spreken, maar de wind veegde de woorden van haar lippen alsof wat ze zag, wat ze wilde gaan beschrijven, te vreeswekkend was voor menselijke oren. Ze probeerde het opnieuw. Haar woorden vonden stem. Ze herhaalde ze steeds weer met groot gejammer: 'Onze zonde... onze zonde... onze zonde...'

Toen kwam er een verschrikkelijke zwaarte de zaal in, een groot onzichtbaar gewicht dat op hen drukte. Mensen vielen op hun knieën en grepen naar hun borst alsof ze zouden stikken. In het gangpad zat Eunice op haar knieën, haar gezicht angstig naar de hemel gericht. Haar mond bewoog, maar ze kon niet spreken. Abigail hield met één hand haar borst vast; met de andere klemde ze zich vast aan de bank. Zonder uitzondering gleden de ouderlingen van de banken op hun knieën. Op het podium zat Philip op zijn handen en knieën. Zijn gezicht was vertrokken van verbazing en verschrikking.

Naast zich hoorde Josiah de knuppels op de vloer vallen. Spoedig daarna vielen de doodsbange havenarbeiders op hun knieën op het houten podium. Niemand bleef staan. Niemand, behalve Josiah.

Een koor van gekreun vulde de zaal toen de mensen tot God riepen.

'O, Jezus, Jezus... ik heb gezondigd... ik heb gezondigd!'

'Wat een schurk ben ik. Hoe heb ik zo kunnen doen? En voor het oog van mijn kinderen! O, God, ik heb mijn vrouw geslagen voor het oog van mijn kinderen!'

'De smet zit diep, God, diep...'

'Ik heb het gestolen. En ik heb William de schuld gegeven. Hoe kan ik hem ooit weer onder ogen komen?'

'Ik glijd weg, Jezus, ik glijd weg...'

'God, scheur deze wellust uit mijn gedachten. Ik kan het niet meer verdragen.'

'Ik heb mijn sporen zo goed uitgewist. Ik dacht dat niemand het wist. Maar U weet het, God, U weet het.'

'Mijn woede – dat beest in mij – ik kan het niet onder controle houden, God.'

'Jarenlang heb ik mijn zinnen op dat land gezet.'

'Zwart, zwart, God, mijn ziel is zwart.'

Abigail hing in de hoek van de familiebank. Ze huilde zacht. Eunice ging naar haar toe. Judith Usher ook. De drie vrouwen omarmden elkaar en huilden bitter.

Overal waar Josiah keek, zag hij nederige, berouwvolle mensen. Hij voelde hun smart alsof het zijn eigen was. Het werd zo intens dat hij het gevoel had alsof zijn brost zou barsten onder de druk. Toen, net toen hij dacht dat hij zou sterven, verminderde de druk en kwam er een nieuwe wind.

Een verfrissende wind.

En daarmee kwam vergeving binnen.

Vreugde.

Gelach en blijdschap.

Eindelijk was de opwekking in Havenhill gekomen.

48

Mensen schoolden in groepjes samen. Paren. Gezinnen. Vrienden. Het interieur van de kerk was een veld van gegroepeerde hoofden; de loeiende wind liet een spoor van gesnik en gelach achter.

Op het podium was Philip in elkaar gezakt tegen de zijkant van de preekstoel met een betraande Anne op de vloer naast hem, haar armen om zijn hals. Haar ogen glinsterden van de tranen. Hij fluisterde iets tegen haar. Ze lachte en kuste hem teder op zijn wang.

'Dominee, kunnen we u even spreken?'

Iemand noemde hem 'dominee'. De stem was bekend, maar hij had dit woord zo nooit gehoord – noch gedacht dat hij het zo ooit zou horen – van de lippen van deze persoon.

Hij draaide zich om en zag Eunice Parkhurst.

Ze werd geflankeerd door Abigail en Judith. De gezichten van de drie vrouwen waren alle vol tranen. Dat was een mooi gezicht.

Eunice stapte naar voren.

Ze knielde aan zijn voeten.

'Nee! Nee... nee... nee...' riep Josiah.

Maar ze wilde niet opstaan. Dus knielde hij met haar.

Ze legde haar armen op zijn schouders. Haar voorhoofd tegen zijn voorhoofd. 'Ik schaam me zo. Ik heb zo dom gedaan. Je moet we wel haten.'

'Dat ligt nu allemaal achter ons,' zei Josiah.

'Vergeef je me? Ik weet dat ik het nooit meer goed kan maken. Maar ik zou graag de kans krijgen. Wil je blijven? En mij van je laten leren?'

Josiah wilde zich terugtrekken. Zijn ogen moesten zich

ervan overtuigen dat dit echt de vrouw was die hij dacht dat het was. Was dit echt *Eunice Parkhurst?*

Zij trok zich terug.

Zijn ogen knipperden nog, niet in staat te bevatten wat ze zagen.

'Dominee,' ging ze verder, 'ik ken iemand in onze kerk die bezoek nodig heeft – ik. Wilt u bij mij thuis komen?'

'Met alle plezier.'

Met moeite probeerde Eunice te gaan staan. Josiah sprong overeind om haar te helpen.

Zodra Eunice weer op haar benen stond, sloeg Abigail haar armen om Josiahs hals. Ze fluisterde in zijn oor. 'Ik was woedend op je omdat je papa's preek gebruikte. Maar God heeft het voor iets goeds gebruikt, hè?'

Ze stapte achteruit en Judith liep verlegen op hem toe met de pop in beide handen voor zich.

Voor ze kon spreken, zei Josiah: 'Bedankt.'

Ze schudde haar hoofd. 'Ik heb niet...'

'De briefjes. Ze hebben veel voor me betekend.'

Ze haalde haar schouders op. 'Edward heeft ze bezorgd. Ik heb ze alleen maar geschreven.'

'Maar ik moet je iets vragen...' Josiah aarzelde, maar waagde het toch. 'Wees sterk. Net voor hij... stierf, dat was precies wat...'

'Johnny Mott,' zei Judith.

'Ja!'

'Hij kwam elke week een keer langs voor Edward. Hij zei dat het belangrijk was voor een jongen om een man in zijn leven te hebben. Hij was echt goed voor Edward.'

'Dat wist ik niet.'

Judith knikte. 'Elke keer als hij wegging, keek hij Edward aan en zei...'

'Wees sterk.' Ze zeiden het samen.

Judith kwam dichterbij. 'Jarenlang heb ik u gehaat.'

'Dat was mijn fout, lieverd,' voegde Eunice toe.

'Ik was ertegen dat de kerk u terugriep en ik wilde nooit meer naar de kerk gaan. Maar Eunice...'

Eunice schudde haar hoofd. 'Nee, mijn bedoelingen waren niet goed. Ik dacht dat als genoeg van ons...'

Josiah legde een hand op Eunice' schouder. 'Je bedoelde het kwaad. God maakte het goed.'

'En toen wilde ik niet luisteren als u preekte,' ging Judith verder. 'Maar u had het over Stefanus. En over Paulus. En over de moeder van Stefanus. Hoe kon ik niet luisteren? U liet me van alles afvragen. En God heeft dat gebruikt. Hij heeft u gebruikt. Ik dacht, nou, als God u kon gebruiken, zoals Hij de apostel gebruikt heeft, dan moest Hij u vergeven hebben. En als God u vergeven had, was ik dan rechtvaardiger dan God?'

'Je bent een wijze vrouw, Judith Usher,' zei Josiah.

De zon kwam op voor de eerste mensen het kerkgebouw verlieten. Plotseling barstte er zonlicht door de ramen.

De havenarbeiders gingen als eersten weg. Ze zaten in de ochtendploeg en er was veel werk te doen om de haven en de pakhuizen te herbouwen. Voor ze gingen liepen ze echter glimlachend in een rij langs Josiah.

'De allereerste keer ooit dat iemand ons te sterk is geweest,' zei een van hen.

Een voor een beloofden ze dat ze zouden beginnen de kerkdiensten te bezoeken.

Toen stonden er groepjes mensen op om te vertrekken, maar niet voordat een lange rij Josiah om vergeving vroeg en hem smeekte dat hij hun dominee moest blijven.

Josiah wilde dat hij voor sommigen meer tijd had. Philip en Anne vertrokken voor hij hen persoonlijk kon spreken. Philip schudde Josiah stevig de hand en mompelde: 'We moeten praten.'

Daar was Josiah het mee eens.

Mercy kuste hem in tranen op de wang, net als Grace. Josiah wilde dat hij ook meer tijd met de zussen kon doorbrengen, maar er stonden anderen te wachten. Toen ze vertrokken nam mevrouw Hibbard hem bij de hand. Ze ging maar door over hoe ze in al haar levensjaren nog nooit zoiets had gezien en hoe ze niet kon wachten om thuis te komen en te schrijven aan haar zus in Deerfield en aan haar broer in Little Harbor en aan haar twee nichten in Worcester en aan haar beste vriendin, Martha, in Norwich, die ze gekend had sinds ze klein was en die altijd...

Halverwege de morgen stond Josiah alleen in de kerk. Hij liep langzaam de gangpaden op en neer. Hij ging van bank tot bank en beleefde opnieuw de gebeurtenissen van die nacht.

Hier hadden de oude Henry Wheelock en James Maury een twintigjarige vete beslecht. Daar had Peter Blair zijn gezin beloofd dat hij een betere vader en echtgenoot zou zijn. Hier hadden Grace en Mercy Sara Greven tot God geleid.

Wat een nacht was het geweest. Gebroken harten. Bekeerde levens. Zingen. Lachen. Tranen. Vreugde.

De zaal was nu stil, op het geschuifel van Josiahs schoenen op de houten vloer na.

Wat een verschil had één nacht gemaakt. Gistermiddag had hij verwacht dat hij bloedend en bont en blauw in een greppel naast de postweg zou komen te liggen.

Josiah ging op weg naar de deur. Knipperend met zijn ogen tegen het morgenlicht stond hij op de bovenste trede van het trapje voor de kerk. Hij zoog de frisse lucht in.

Voor de eerste keer sinds zijn aankomst stond Josiah in het centrum van het stadje zonder dat hij buikpijn had.

Hij had van deze dag gedroomd. Eraan gewerkt. Ervoor gebeden. Eindelijk was de dag gekomen en op een manier die veel groter was dan hij voor mogelijk had gehouden. Tot zijn sterfdag zou hij nooit vergeten wat hier gebeurd was.

Hij stak zijn handen in zijn zakken en daalde het trapje af. Hij zei tegen zichzelf dat dit nog maar een begin was. Het beste moest nog komen. God had hem en deze stad een schone lei gegeven. God had hem een vernieuwde gemeente gegeven. Een gemeente die reageerde. Die hem steunde.

God had hem alles gegeven waar hij om gevraagd had. Was dat niet genoeg?

Waarom had hij dan zo'n leeg gevoel van binnen? Waarom was hij niet gelukkig?

Met zijn schouders ineengedoken tegen de kou liep hij naar huis.

49

Josiah had de hoek van de brink nog niet bereikt of hij zag Sissy, het dienstmeisje van de Parkhursts, naar hem toerennen. Ze stond erop dat Josiah met haar meekwam naar het huis van de Parkhursts.

Eunice begroette hem zodra hij de deur binnenstapte. 'Och, arme jongen!' Ze nam zijn hoofd in haar handen.

Zag ze het aan hem? Was het zo duidelijk?

'Philip heeft ons verteld wat ze met je huis gedaan hebben,' zei ze.

'O, dat.'

'Nou, je moet maar met ons ontbijten,' drong ze aan. 'Philip heeft me verzekerd dat hij vandaag voor genoeg arbeiders zal zorgen, zodat vanavond alles weer op orde is.'

Terwijl Eunice hem naar de eetkamer sleepte, zorgde de geur van spek en gebakken eieren en cake voor een flinke sensatie in zijn lege maag. Hij realiseerde zich dat het al bijna een dag geleden was dat hij iets gegeten had en toen had zijn rantsoen bestaan uit gevangenisbrood.

Abigail verscheen met een hete kom havermoutpap. Precies zoals hij zich had voorgesteld dat ze zou doen als ze getrouwd waren. Ze begroette hem met een betoverende glimlach. Josiah beantwoordde de begroeting niet zo hartelijk, bang dat ze in zijn ogen zou zien wat hij dacht.

In gedachten had hij zich ermee verzoend dat Abigail niet van hem hield. Maar kleine dingen zoals dit hadden nog steeds de macht om zijn passie tot leven te wekken. Hij vroeg zich af hoelang het zou duren voor hij haar als een gewone vriendin kon zien. Toen ze eenmaal zaten en gebeden hadden en begonnen te eten, eiste Josiahs honger alle aandacht op en hij at met smaak.

Josiah had het moeilijk om in het heden te blijven. Zijn gedachten bleven met een volledige veronachtzaming van tijd heen en weer springen.

Eunice Parkhurst zat naast hem op de sofa. Ze had erop gestaan met hem alleen te zijn. Abigail was naar boven gegaan.

Zodra ze zaten, had ze Josiahs beide handen in de hare genomen. Dat had de lawine van herinneringen aan Eunice in gang gezet.

Twee staken er uit. Tegenstrijdige.

Eén recente.

De andere van jaren geleden.

De recente herinnering van een negatieve. Een pijnlijke. Woede had haar gezicht verwrongen; felle haat had in haar ogen geflitst. Elk woord was gedoopt geweest in vergif.

Josiah was bij het huis van de Ushers langs geweest om Edward, die de pokken had, te bezoeken. Hij had de jongen nooit bereikt. Eunice, die Judith had geholpen, had hem weggejaagd en wrede opmerkingen in zijn gezicht geslingerd.

Het volgende moment herinnerde hij zich een vriendelijke, moederlijke Eunice. Jonger. Met minder rimpels. Ze zat tegenover hem, net als nu.

Toen leefde dominee Parkhurst nog, de dagen waren zonder zorgen. Terwijl Josiah aan die tijd dacht, kwamen zijn ledematen en gedachten tot leven met de vitaliteit van een jongeman...

Het was op een zondagmiddag. Dominee Parkhurst was net klaar met preken. Hij bette het zweet van zijn voorhoofd. Hij had het laatste punt van zijn preek sterk benadrukt met een ongewone geestdrift.

'Wie zal voor Mij gaan,' had Parkhurst geroepen. 'Het is

God die de vraag stelt. En het is God aan Wie u moet antwoorden. Wie zal voor Mij gaan? Wie zal gaan?' Hij wees naar
individuen in de gemeente. 'U? U?' De lange, magere vinger
van de predikant wees naar Josiah. 'Jij?' Hij zweeg even. 'De
almachtige God wacht op uw antwoord.'

Het was een bepalend moment in Josiahs geestelijk leven.

Na de dienst had Abigail hem gevraagd of hij ergens mee
zat. Hij leek ongewoon stil.

Josiah nam haar in vertrouwen. 'Ik wil voor God gaan, maar...'

'Maar wat?' vroeg Abigail.

'Maar ik weet niet waar ik moet gaan.'

'Vader vast wel.'

Alleen was dominee Parkhurst niet meteen beschikbaar.
Iemand had hem in de kerk terzijde genomen om hem te laten
zien welke schade een recente hagelstorm had aangericht aan
het dak van de kerk. Eerst was Josiah opgelucht, want hij was
er niet zeker van of hij onder woorden zou kunnen brengen
wat hij voelde.

Maar Abigail drong erop aan dat hij met iemand zou praten.
Ze nam Josiah mee naar haar moeder en deelde mee: 'God
roept Josiah, maar hij weet niet hoe hij moet antwoorden.'

Josiahs gezicht werd rood. 'Ik heb altijd gedacht dat ik dokter zou worden.'

Eunice Parkhurst nam hem bij de handen en zei tegen hem:
'God heeft zowel godvrezende dokters als predikanten nodig.
Leg je leven in Zijn handen, Josiah. God is niet schuchter in
het openbaren van Zijn wil aan mensen die bereid zijn te luisteren.'

Maar een paar maanden later was dominee Parkhurst dood
en was Josiah op de loop naar Boston.

Josiah had vaak aan het advies van Eunice Parkhurst terug-
gedacht. Een deel van hem vroeg zich af of Eunice gezegd had
wat ze gezegd had omdat ze liever een dokter dan een dominee als schoonzoon had...

Eunice kneep in Josiahs handen en bracht hem terug in het heden. 'Dit moet moeilijk voor je zijn.'

Josiah kromp ineen. Het *was* moeilijk. Hij trok zich onwillekeurig terug; ze hield hem stevig vast.

'Dat is mijn schuld,' gaf ze toe. 'En het spijt me echt. Ik heb je vanaf het begin tegengewerkt – en op een erg laffe manier, waarvoor ik me diep schaam.'

Haar schuldbelijdenis gaf hem een ongemakkelijk gevoel. Maar het was duidelijk dat ze er behoefte aan had om alles uit te spreken.

'In het afgelopen jaar,' zei ze, 'heb ik elke zaterdagavond een ritueel gevolgd. Ik zette een ketel op het vuur om thee te zetten voor mezelf en dan ging ik in mijn schommelstoel zitten en las de preek van dominee Parkhurst.'

De preek die Josiah de afgelopen zondag gehouden had.

'Ik putte er kracht uit.'

Josiah knikte. 'Het was een van zijn beste preken.'

'Alleen was dat niet waarom ik hem las.' Haar gezicht werd verdrietig. 'Ik las hem omdat het mijn vastberadenheid voedde. Het vernieuwde mijn vastbeslotenheid om jou in alles dwars te zitten. Want elke keer als ik hem achter uit mijn bijbel haalde, werd ik eraan herinnerd dat de mensen in de kerk die preek nooit zouden horen. En dat was allemaal jouw schuld.'

Wat verklaarde waarom ze zo snel de kerk uit gegaan was op de dag dat hij hem gehouden had, begreep Josiah.

'Een schandelijke erfenis voor mijn echtgenoot, vind je niet?' vroeg Eunice.

Josiah reageerde niet. Hij luisterde alleen.

'Ik rechtvaardigde mijn zaterdagavondritueel door tegen mezelf te zeggen dat mijn woede terecht was. Dat het het dominee Parkhurst moest zijn die op de zondag op de preekstoel stond, niet jij.' Ze veegde een traan weg. 'Verbazend, nietwaar? Al die tijd heb ik die preek gelezen, zonder hem te begrijpen. En toen, na die laatste zondag, toen vriendinnen er opmerkingen over maakten, werd er een sluier weggetrokken. Ik voelde me zo dom.'

Eunice Parkhurst huilde zacht.

'Hij was echt een profeet, hè, mijn echtgenoot?' voegde ze eraan toe. 'Zo vaak heb ik die preek gelezen, maar... Ik ben de watergieter – of in elk geval *een* ervan. Ik was vastbesloten er voor te zorgen dat de komst van dominee Whitefield naar Havenhill voor niets zou zijn. Ik ondermijnde. Ik roddelde. Ik deed alles wat ik kon om alles te vertrappen wat uit die diensten voort zou komen en maar een beetje goed zou kunnen zijn.'

'Ik wist dat u niet blij met me was,' zei Josiah. 'Maar ik had er geen idee van...'

'Dat ik zo verbitterd was? Zo vastbesloten om je te gronde te richten?' Ze zuchtte. 'In veel opzichten ben je nog zo onschuldig. En jij...'

Josiah bewoog zenuwachtig.

'Nathaniel heeft jou ook voorspeld, hè?'

Het was de eerste keer dat Josiah Eunice haar echtgenoot bij zijn voornaam hoorde noemen. Ze was altijd erg formeel geweest als ze het over hem had.

'Hij bad om iemand die ons in het ongeluk zou storten. God stuurde jou.'

'Zodat toen de opwekking kwam niemand zich kon vergissen in de oorsprong ervan,' stelde hij. 'Dat die van God kwam.'

'Wat een les vormen wij, hè? Want als God een stad tot een opwekking kan brengen ondanks jou en mij...'

Josiah maakte de zin af. 'Dan kan Hij iedereen tot opwekking brengen.'

Eunice lachte. Dat was een mooi geluid. 'We zijn net Euodia en Syntyche. Herinner je je die?'

'De brief van Paulus aan de Filippenzen.'

'Nathaniel bewees graag uit die tekst dat de vrouwen zo twistziek waren dat hij voor hen ieder apart een werkwoord moest gebruiken toen hij hen vermaande.'

Josiah lachte.

'Nathaniel was de laatste dagen van zijn leven erg depressief. Wist je dat?'

'Waarom?' vroeg Josiah. 'Iedereen zag tegen hem op.'

'Dat verontrustte hem juist. De mensen steunden meer op hem dan op God. Zo veel vertrouwen en verwachtingen zijn een zware last voor een man.'

'Dat wist ik niet.'

'Hij hield het verborgen. Maar terwijl hij probeerde de mensen naar God te wijzen, waren zij er zo aan gewend geraakt dat ze een lichamelijke heiland in hun midden hadden – ik weet dat dat heiligschennis is, maar zo keken ze nu eenmaal tegen hem aan – waar hadden ze dan nog een geestelijke Heiland voor nodig?'

Haar ogen schoten weer vol tranen. 'Hij wist dat hij Havenhill moest verlaten. Tegelijkertijd wist hij hoe Abigail en ik hier geworteld waren. Ons hele leven lag hier. En hij kon ons niet vragen om te vertrekken.'

'Denkt u dat hij wist dat hij ging sterven?'

Eunice keek neer op haar handen. 'Ik denk dat het hem de moed gaf om een brandend pakhuis in te rennen om twee kleine meisjes te redden.'

Josiahs hart ging uit naar deze vrouw, die zo duidelijk haar man miste. Voor het eerst begreep hij hoe moeilijk ze het al die jaren gehad had.

'Nu jij,' zei ze opgewekt.

'Hoezo, nu ik?'

'Je loopt de hele morgen al te kniezen, terwijl juist jij in de wolken zou moeten zijn.'

Dus het wás zo duidelijk aan hem te zien.

Hij haalde zijn schouders op. 'Ik ben gelukkig. Natuurlijk. Ik ben gelukkig. Wie zou dat niet zijn? Het ene moment sta ik op het punt om de stad uitgejaagd te worden. Het volgende moment verhoort God mijn gebeden op een manier die ik nog steeds niet kan bevatten.'

'En toch...' Haar blik was vast. Ernstig.

Josiah produceerde een halve grijns. 'Niet dat ik mijzelf met Elia vergelijk, of wat hier gebeurd is met de Karmel, maar als ik me het goed herinner, had Elia na de wedstrijd met de profeten van Baäl ook een soort inzinking. Zat hij niet onder een bremstruik en bad hij niet dat hij mocht sterven?'

'Begrijpelijk, want koningin Izebel had juist beloofd dat ze hem zou doden. Denk eraan, jongen, je hebt het tegen een domineesvrouw.'

Josiah keek de vrouw die naast hem zat aan. Ooit zijn toekomstige schoonmoeder, de vrouw van zijn mentor, zijn voormalige tegenstandster. Hij wist niet of hij er al klaar voor was om haar in vertrouwen te nemen.

Maar ze wachtte. Hij kromde zijn schouders en probeerde zijn handen terug te trekken. Opnieuw hield ze stevig vast.

'Het is niets,' zei Josiah.

'Liegen past een dienaar van God niet.'

Dit was de Eunice Parkhurst die hij altijd gekend had – rechtdoorzee, direct. Maar ze had gelijk. Hij deed niet eerlijk tegen haar.

Hij schoof ongemakkelijk heen en weer. 'Gisteravond, toen de Geest kwam...'

Haar blik ging dwars door hem heen. Hij wist dat ze zich concentreerde op elk woord.

'... toen iedereen de onmiskenbare aanwezigheid van God voelde...'

Ze ging achteruit zitten en keek naar hem.

En hij naar haar. Hij kon in haar ogen zien dat ze zijn geheim geraden had.

'De Geest sloeg jou over,' zei ze.

Josiah sloeg zijn ogen neer. Hij sprak vlak. 'Ik was natuurlijk verrukt over wat er met iedereen gebeurde, maar van binnen...' Hij haalde diep adem. 'Toen ik in Boston woonde, heeft God me een geestelijke gave gegeven met lichamelijke symptomen. Ik was in staat om de geestelijke staat van mensen te voelen.'

'Al die tijd? Al die tijd dat je in Havenhill bent, heb je pijn gevoeld?'

Josiah knikte. 'Dus gisteravond, toen iedereen zijn zonden beleed en God hun vergaf, wist ik het. Ik kon het voelen. Lagen pijn werden weggenomen, één voor één, tot er niets meer over was.'

'En nu? Kun je de vreugde voelen van de mensen die het met God goed gemaakt hebben?'

'Ik kon de vreugde altijd even goed voelen als de pijn. Tot gisteravond...Toen God de pijn wegnam, heeft Hij ook de gave weggenomen.'

'Je voelt...'

'Niets. Leegte.'

Eunice had de gezichtsuitdrukking van een vrouw die een puzzel probeerde op te lossen. Er was meer. Ze leek het te voelen. Ze zei hem voor. 'En wat nog meer pijn doet, is...'

'... is dat ik blijkbaar de enige was die gisteravond door de Geest is overgeslagen. Het was alsof ik buiten stond en met mijn neus tegen het raam gedrukt naar binnen keek naar een ongelofelijk feest, waar iedereen zulke ongelofelijke geschenken kreeg van vreugde en vrede en geluk en...'

'... en jij was niet uitgenodigd.'

'Ja. En...' Josiah slikte de volgende zin in.

'Ga verder,' spoorde Eunice hem aan. 'Je voelt je bezeerd omdat jij, van alle mensen daar, het meest gedaan hebt om de opwekking te bevorderen. Jij hebt het hardst gewerkt. Jij hebt het hardst gebeden. Je hebt pijn geleden. Van alle mensen verdiende jij het het meest.'

'Ik probeer er niet op die manier over te denken. Ik weet dat dat verkeerd is.'

'Maar je doet het wel. Je kunt het niet helpen.'

'O ja.'

Er vielen tranen op haar wangen. Tranen om hem. Ze sloot haar ogen en voor Josiah het wist, was Eunice Parkhurst voor hem aan het bidden.

'Almachtige Vader, we pretenderen niet dat we de gedachten van een alwijze God kunnen peilen. En toch voelt een van de Uwen zich bezeerd. Hij stelt vragen bij Uw liefde voor hem. Het zou ongepast van ons zijn om vragen te stellen bij Uw wil of een verklaring te eisen. Dus bidden we om geduld voor Josiah. Dat hij erop vertrouwt dat U alles zal openbaren volgens Uw goede en volmaakte wil. We lijden met hem mee. Hij heeft zo veel voor ons gedaan, zo veel doorstaan, dat we het beste voor hem willen. We weten dat ons verlangen maar een zwakke imitatie is van Uw verlangen voor hem. En dus wachten we in spanning af tot we zien wat U verder zult doen in Josiahs leven.'

50

Philip Clapp stuurde bericht naar Josiah in het huis van de Parkhursts dat hij en Anne hem graag die avond te eten wilden hebben terwijl zijn mannen hun werk aan Josiahs huis afmaakten. Josiah stuurde zijn complimenten en zei dat hij er zou zijn. Hij en Philip hadden veel te bepraten. Maar eerst moest Josiah een bezoek afleggen.

Edward Usher deed de deur voor hem open en nodigde hem binnen. Judith begroette hem warm. Ze zag er stralend uit, gelukkiger en gezonder dan Josiah haar ooit gezien had. Ze nodigden hem in hun zitkamer, die bestond uit een kleine hoek van een grotere kamer die diende als eetruimte. Zowel moeder als zoon leek dolblij dat hij langskwam.

Met zijn dertien jaren was Edward begonnen aan de vervelende en altijd verlegen makende overgang van jongen tot man. Er zat dons op zijn wangen. Zijn gezicht vertoonde puistjes. Zijn stem sloeg zo nu en dan over als hij praatte. Hij leek een goeie jongen en praatte opgewonden over wat er de vorige avond in de kerk gebeurd was.

Josiah ging zitten en zei tegen Judith: 'Ik wilde gewoon even langskomen en je opnieuw bedanken voor de bemoedigende briefjes. En jij ook bedankt, Edward. Ik begrijp dat jij ze bezorgd hebt.'

'Dat was leuk,' reageerde de jongen. 'Ma wilde dat het geheim bleef. Dus verstopte ik me steeds in dat stuk bos bij uw huis en wachtte op een goed moment.'

'Waarom geheim?' vroeg Josiah aan Judith.

Judith peuterde aan een nagel. 'Het lijkt nu sullig, hè? Maar ik dacht dat u me niet mocht. Om wat er gebeurd was, nou, daarom hoorden we vijanden te zijn. Maar ik wilde vooral niet dat Eunice erachter zou komen. Ik was bang dat ze razend op me zou zijn als ze het wist.'

Josiah glimlachte warm. 'Nu betekenen de briefjes nog meer voor me, nu ik weet dat je een risico nam door ze me te sturen.'

'Ik ben er een keer bijna mee gestopt. Ik werd zenuwachtig.'

'O? Wat overtuigde je er van dat je door moest gaan?'

'Meneer Mott. Hij en Edward waren de enige twee die wisten dat ik ze naar u stuurde. Meneer Mott zei dat het een goed idee was en dat ik dat moest blijven doen.'

Een golf van verdriet spoelde over Josiah heen. Hoe verkeerd had hij Johnny beoordeeld! Te horen dat Johnny van de briefjes had geweten klonk nu logisch.

'Dat is de andere reden dat ik langs wilde komen,' zei Josiah. Hij wendde zich tot Edward. 'Je moeder heeft me gisteravond verteld dat Johnny – meneer Mott – jou elke week kwam opzoeken.'

Edward knikte. 'Meneer Mott was altijd erg aardig voor me.'

'O ja. Hij was een goede man, hè? Nou, ik dacht... wel, niemand kan ooit in de schoenen van meneer Mott staan...'

Edward lachte. 'Dat klopt! Hij had grote voeten! Hebt u hem ooit gezien met zijn schoenen uit? Ze waren gigantisch!'

'Honderden keren!' Josiah lachte ook. 'Je moet wel bedenken, we zijn samen opgegroeid. We gingen elke zomer zwemmen. Hoe dan ook, ik dacht, misschien kan ik, als jij het goed vindt, elke week langskomen. Dan kunnen we samen iets gaan doen. Net zoals jij en meneer Mott altijd deden.'

'Mag ik dan een keer in een scheepsmast klimmen, helemaal naar de top?'

Judith hapte naar adem. 'Edward! Heeft meneer Mott je dat laten doen?'

'Nee. Maar hij heeft me beloofd dat het mocht als ik wat ouder was.'

Josiah grinnikte. 'Nou, we zullen eens kijken wat we daaraan kunnen doen. Met toestemming van je moeder natuurlijk.'

'We praten er wel eens over,' zei Judith, wat in moedertaal betekende: 'Niet zolang ik leef,' wist Josiah.

En te oordelen naar zijn gezichtsuitdrukking, wist Edward dat ook.

Judith raakte de arm van haar zoon aan. 'Ik zeg geen nee,' hield ze vol.

Edwards ogen ging verwonderd naar zijn moeder.

'Sinds de brand,' zei Judith tegen Josiah, 'heb ik Edward altijd te veel beschermd. Het is gewoon dat, na het verlies van twee meisjes...'

Josiah liet zijn hoofd hangen. Door de plotselinge wending in het gesprek voelde hij zich ongemakkelijk. Hij was blij dat de verhouding tussen hem en Judith Usher hersteld was, maar de stommiteit van die ene nacht van onnadenkendheid zou hem voor altijd achtervolgen. Ze had hem vergeven en hij geloofde haar. Maar hij moest toch leven met de gevolgen van wat hij gedaan had. Hij had de twee meisjes van deze vrouw gedood. En niets zou daar ooit verandering in brengen.

Judith leek zijn pijn niet te zien. Ze maakte haar zin af. '... omdat ze speelden waar ze niet mochten spelen, had ik het gevoel dat ik altijd moest weten waar Edward was en wat hij deed.'

Het was de eerste keer dat Josiah dit deel van het verhaal hoorde. Hij had zich nooit afgevraagd wat de meisjes in het pakhuis deden. Hij had alleen geweten dat ze op het verkeerde moment op de verkeerde plaats waren.

'Zo is het toch, Edward?' vroeg Judith.

Josiah ging rechtop zitten. Ook dit was een openbaring. 'Was jij in de haven in de nacht van de brand?'

Edward kromp ineen. 'We mochten daar niet komen. Ma waarschuwde ons daar niet te gaan spelen. Ze was bang dat we in de rivier zouden vallen.'

Judith voegde eraan toe: 'Mijn zus woonde toen in een van die kleine huisjes — hutten eigenlijk — aan Keystone Street. Dat kleine pad van planken dat parallel aan de kades loopt.'

Josiah knikte. Hij kende die straat.

'Susanna's man had 's nachts de wacht op de Brighton en haar baby...'

'John Jacob,' wierp Edward ertussen.

'... had koliekpijn.' Judith ging in gedachten terug. 'Die jongen had een paar longen... nou, als een dominee... als dominee Whitefield. Hij hield mijn zus de hele nacht uit de slaap. Dus ging ik een paar keer per week bij haar langs om een paar uur voor de baby te zorgen zodat zij kon slapen.'

'En mijn zusjes en ik speelden dan verstoppertje,' zei Edward.

Judith fronste. 'Waar ze niet hoorden te komen.'

'Het was Katy's idee!' protesteerde Edward. 'En zij was de oudste.'

Judith knikte. 'Dat meisje kon haar zusje en broertje overal toe overhalen! Echt, als zij tegen ze zei dat ze van het eind van de pier moesten springen, zouden ze dat doen.'

'Er waren geen goede verstopplekken bij het huis,' zei Edward. 'En de haven had allerlei goede verstopplekken. Eens klommen Katy en ik midden in een grote tros touw en trokken wat over ons heen. Mary kon ons echt niet vinden.'

Josiah kon alles in gedachten zien. Drie kinderen die verstoppertje speelden aan de ene kant van het pakhuis. Hij, Philip en Johnny die drank doorgaven door het raam aan de andere kant. Geen van beide groepjes wist dat de anderen er waren.

'Ik had me verstopt toen ik meneer Mott zag,' ging Edward verder.

'Zo is het genoeg, Edward,' zei zijn moeder. Ze keek naar Josiah. 'We maken het moeilijk voor dominee Rush.'

'Nee hoor,' drong Josiah aan, 'tenzij het moeilijk is voor jou, Judith.'

Ze schudde haar hoofd.

'Jij zag meneer Mott?' vroeg Josiah aan Edward. 'Wanneer?' Edward keek naar zijn moeder.

Ze knikte tegen hem dat hij verder moest gaan.

'Ze maakten me bang,' legde Edward uit. 'Meneer Mott en meneer Clapp kwamen uit een raam klimmen. Ik was bang dat ze als ze me zagen, het tegen ma zouden zeggen en we in de problemen zouden komen. Katy en Mary hadden zich verstopt. Ik wist niet waar ze waren.'

Dat klopte. Philip en Johnny hadden Josiah een tijdje alleen gelaten, precies op het moment dat hij zijn bewustzijn verloor.

'Meneer Mott was echt heel kwaad. Hij schreeuwde tegen meneer Clapp en greep hem steeds bij de arm. Meneer Clapp schudde hem dan van zich af. Ik dacht dat hij meneer Clapp zo ver probeerde te krijgen dat hij weer naar binnen ging en dat meneer Clapp niet terug naar binnen wilde. Toen begonnen mijn zusjes te gillen. Er kwamen een paar mannen met fakkels aanrennen om de brand te blussen. Er kwamen rook en vlammen door de scheuren in de muren van het pakhuis. De ramen begonnen te exploderen, overal vloog glas in het rond en er renden schreeuwende mensen naar het pakhuis. Ik zag één man een raam uit springen. Zijn hele rug stond in brand. Ik was heel bang en rende terug naar het huis van tante Susanna.'

Josiah luisterde gespannen. 'Heb je gezien dat meneer Clapp en meneer Mott me uit het pakhuis trokken?'

'Nee.'

'Heb je dominee Parkhurst het pakhuis zien binnengaan?'

'Nee. Ik herinner me daar niets van.'

Nadat hij met Judith en Edward had gebeden en geregeld had dat hij Edward de volgende woensdag zou ontmoeten, ging Josiah op weg naar Philips huis.

Zijn borst voelde aan alsof er een gewicht op drukte, zoals altijd als hij zich de nacht van de brand herinnerde. Die nacht opnieuw beleven was voor hem altijd emotioneel.

Alleen was het dit keer anders. Na het horen van Edwards verslag van die nacht lagen er twee gewichten op zijn borst. Het ene was spijt. Het andere woede. En met elke stap werd het tweede gewicht zwaarder terwijl een deel van Edwards verhaal herhaaldelijk door zijn hoofd speelde.

'Meneer Mott was echt heel kwaad. Hij schreeuwde tegen meneer Clapp en greep hem steeds bij de arm. Meneer Clapp schudde hem dan van zich af. Ik dacht dat hij meneer Clapp zo ver probeerde te krijgen dat hij weer naar binnen ging...'

Waarom had Johnny er zo bij Philip op aangedrongen dat hij weer naar binnen ging? Ze hadden hem achtergelaten om te doen wat ze moesten doen. Wat viel er te ruziën? Waarom wilde Philip niet terug naar binnen?

'Toen begonnen mijn zusjes te gillen. Er kwamen een paar mannen met fakkels aanrennen om de brand te blussen.'

Hoe oud was Edward toentertijd? Hij was nu dertien. Dan was hij vijf ten tijde van de brand. Om zijn zusjes zo te horen gillen en zo'n brand te zien. Geen enkel kind van vijf zou zoiets mogen meemaken. Natuurlijk was hij bang. Verward. Misschien genoeg om de volgorde van de dingen door elkaar te halen.

'Toen begonnen mijn zusjes te gillen. Er kwamen een paar mannen met fakkels aanrennen om de brand te blussen.' Of was het: *'Er kwamen een paar mannen met fakkels aanrennen. Toen begonnen mijn zusjes te gillen.'*

Josiah ademde zwoegend en dat kwam niet van het lopen. Hij had zelf een paar vragen te stellen aan Philip Clapp. Zoals: Waar waren hij en Johnny over aan het ruziën geweest? Waarom had Johnny er zo bij hem op aangedrongen weer naar binnen te gaan? En waarom had *Philip* niet terug het pakhuis in willen gaan? Maar het belangrijkste dat hij Philip Clapp wilde vragen, was: 'Waarom zou iemand met fakkels aankomen om een pakhuisbrand te blussen?'

51

De schoonheid van Anne Myles ontwapende Josiah.

Hij had verwacht dat Lang Gezicht, de bediende, de deur voor hem zou opendoen. In plaats daarvan werd hij begroet door de toekomstige dame van het huis zelf. Haar haar was modieus opgestoken en getooid met parels. Ze droeg een rode zijden jurk die een reeds onberispelijk figuur flatteerde. Haar ogen schitterden. Haar glimlach, tussen meisjesachtige kuiltjes, was echt.

'De man van de klok!' riep ze uit toen ze hem zag.

Philip stond pal achter haar. Anne deed een stap opzij zodat de twee vrienden elkaar konden begroeten. Op weg naar Philips huis had Josiah zich zo opgefokt, dat hij voor zich gezien had hoe hij Philip begroette met een vuistslag. Nu Anne daar stond in al haar schoonheid, bood Josiah hem een hand.

Philip liep de hand voorbij en omhelsde Josiah zo stevig dat zijn ribben kraakten. 'Was het gisteravond niet verbazend? Ik heb nooit geweten,' zei hij met verwondering, 'dat het zo machtig kon zijn. God sloeg me letterlijk tegen de grond! Hij was... wel, we hebben de hele avond om erover te praten. Maar jij wist dit, hè? Al die tijd wist jij dat dit kon gebeuren. En ik moet het je nageven. Je gaf het nooit op! Ondanks...'

'Philip.' Anne raakte zijn arm aan.

Hij keek haar met een duidelijke genegenheid aan. 'Je hebt gelijk, schat. Eerst eten! Dan praten we.'

De maaltijd was een beproeving. De ruimte was helder verlicht. De gastheer en gastvrouw waren een en al glimlach, van tijd tot tijd giechelden ze tegen elkaar als tortelduifjes. Het eten was overdadig en werd aantrekkelijk opgediend. Maar Josiah had geen aandacht voor de smaak. Hij slikte het eten door, maar proefde er niets van. Zelfs de bedienden weerspiegelden de nieuwe geest in het huis.

Het maakte Josiah misselijk. Hij wilde het diner zo snel mogelijk afronden en aan de vragen beginnen.

Eindelijk gaf Anne een bediende een teken en hij trok haar stoel achter haar weg. Ze stond op.

De mannen stonden op.

'Ik stel me voor dat jullie tweeën veel te bepraten hebben,' zei ze. 'Dus laat ik me excuseren.'

Philip gaf een bediende opdracht haar koets te laten voorrijden.

Ze liep op Josiah toe en bood hem haar hand. 'Dominee Rush, u hebt echt onze ogen geopend. Zelfs toen wij u schandelijk behandelden, gaf u ons nooit op. Ik heb nooit een man ontmoet die zo duidelijk door de Heiland zelf gestempeld is.'

Josiah moest iets gemompeld hebben, want ze glimlachte en vertrok. Hij was blij toen ze weg was. Niet alleen omdat hij nu de confrontatie met Philip aan kon gaan, maar omdat het moeilijk voor Josiah was om in haar aanwezigheid zijn woede in te houden. Moeilijk, maar niet onmogelijk.

Een paar minuten later waren de twee mannen alleen in de salon. Philip had instructies gegeven dat ze niet gestoord mochten worden en toen de massieve kersenhouten deuren gesloten.

Josiah vocht tegen de aandrang om erop te slaan. Hij wilde Philip bij de keel grijpen en de waarheid uit hem knijpen.

'Je zou me moeten haten,' zei Philip.

Hij leidde Josiah naar de zitruimte, waar drie grote leren stoelen om een klein tafeltje opgesteld stonden. Op het tafeltje stond een zilveren dienblad met twee glazen en een fles met iets wat Josiah niet herkende.

Philip bood Josiah een stoel en ging zelf zitten.

Josiah vond dat hij een grote zelfbeheersing toonde door ook te gaan zitten.

De man die tegenover Josiah zat was een nederigere versie van de Philip Clapp die bijna zijn uitdrijving uit First Church georkestreerd had. Hij leunde voorover, zijn armen rustten op zijn benen, zijn vingers waren in elkaar gevouwen. Het toonbeeld van berouw.

'Je hebt nu zeker alle puzzelstukjes wel bij elkaar gelegd?' vroeg Philip. 'Bellamonts mannen hebben de brand gesticht. Natuurlijk moest er iemand de schuld krijgen. Jij hebt eerst de schuld van een serie kleine brandjes gekregen, waaronder die in de kerk. Natuurlijk moest het erop lijken dat ik alles verloren had. Hij beloofde me de waarde van mijn bezit te verdubbelen.'

Het kostte Josiah even voor hij begreep dat Philip het over de laatste brand had.

Philip slaakte een diepe zucht. 'De stad stond al bij hem in de schuld en hij had natuurlijk betaling kunnen eisen en zich zo in de stad kunnen indringen. Maar wat heb je aan een stad vol mensen die jou haten? Dus kwam hij met het volgende idee. Hij zei dat hij een bliksemafleider nodig had. Als je niet weet wat een bliksemafleider is...'

Josiah onderbrak hem. 'Ik heb toen ik in Philadelphia was de man ontmoet die hem uitgevonden heeft. Franklin heet hij.'

'Echt?' Philip leek onder de indruk. 'Hoe dan ook, we hadden iemand nodig die de woede van deze stad kon afwenden van Bellamont en mij.'

'En wie beter dan iemand met wie deze stad al een geschiedenis van haat had? Daarom zocht je me op in Boston. Het was van begin af aan nooit uit vriendschap. Het was niet om me een tweede kans te geven.'

Philip spreidde pleitend zijn armen uit. 'Josiah, ik had het niet voor het zeggen.'

'Het is beter dat één man sterft, dan dat de hele stad verloren gaat.'

Philip hield zijn hoofd schuin. 'De Schrift?'

'Zo te zien denken jij en Kajafas, de hogepriester die Jezus aan Pilatus overleverde, grotendeels langs dezelfde lijnen. Alleen had hij er niet op gerekend dat Jezus uit de dood zou opstaan.'

In plaats van dat hij beledigd was, knikte Philip. 'En wij rekenden niet met een koppige profeet genaamd Josiah, die ons in het ongeluk stortte en vuur van de hemel afriep.'

'Laten we één ding duidelijk maken,' riep Josiah ferm uit. 'God, en God alleen, heeft de opwekking naar Havenhill gebracht. En nu pas begin ik te zien wat een enorm voorbeeld van genade dat geweest is.'

Philip ging achterover zitten. Alle opgewektheid verdween van zijn gezicht. 'Ik heb me niet gerealiseerd dat je nog zo boos zou zijn. Josiah, je hebt gewonnen! Maar we moeten het nog wel met Bellamont afhandelen. De haven is een ruïne. We hebben het geld niet om hem zelf weer op te bouwen. En er is het krediet dat hij verstrekt heeft op de bezittingen om de huizen te herbouwen na de eerste brand. Het is erger dan ik je eerder liet geloven. De leenrente is zo hoog, het gedeelte van de leningen dat afgelost is, is verwaarloosbaar.'

Josiah zei niets.

'Kijk, het spijt me,' zei Philip. 'En ik zal de hele stad alles vertellen zoals ik het jou net verteld heb. Als ze me in de gevangenis willen gooien, best. Als ze me willen verbannen, best. Ik hoopte dat we samen misschien een uitweg uit deze rotzooi zouden kunnen vinden, een manier om de stad te redden en God te eren.'

Josiah bewoog zich niet.

Geïrriteerd stond Philip op. Hij rukte een la open en haalde er Josiahs dagboek uit. Hij stak het hem toe.

Josiah deed geen poging het aan te nemen.

'Ik ben een schurk!' riep Philip. 'Een zondaar. Ik heb mijn beste vriend verraden en ik ben er verantwoordelijk voor dat mijn andere vriend vermoord is! Ik heb in het verleden een paar verkeerde beslissingen genomen en de stad verkocht! Maar ik heb die dingen aan God beleden en Hij heeft me vergeven. Nu probeer ik het goed te maken. Dat hoort toch zo? En misschien heb ik het mis, maar ik dacht dat mijn beste vriend, de meest godvrezende man die ik ken, mij in elk geval een beetje zou steunen!'

Het dagboek zweefde tussen hen in.

Philip liet het op het tafeltje vallen. Hij stak zijn handen op. 'Wat is er voor nodig om je ervan te overtuigen dat ik een veranderd man ben? Dat ik berouw heb? Dat ik het goed wil maken?'

'De waarheid,' eiste Josiah.

Philip rolde geërgerd met zijn ogen. 'Ik heb je de waarheid verteld!'

'De *hele* waarheid.'

Philip fladderde als aangeschoten wild met zijn armen en riep: 'Wat kan ik je nog meer vertellen? Ik heb je in de val gelokt! Vanaf het moment dat je een voet in deze stad zette, was je gedoemd te mislukken! Wat is er nog meer?'

Josiah staarde hem aan. Er parelde zweet op Philips voorhoofd en het droop langs zijn slapen.

'Ik denk dat het verder teruggaat dan dat,' reageerde Josiah.

Philip fladderde weer geïrriteerd met een arm en liet zich in zijn stoel vallen.

Josiah stond op. 'Ben je oprecht bereid de waarheid te vertellen?'

Philip gromde. 'Alles wat je weten wilt.'

'Voor het aangezicht van God?'

'Voor het aangezicht van God en alle heilige engelen!' reageerde Philip.

Josiah knikte. 'Dan kun je beginnen met me te vertellen waar jij en Johnny over ruzieden bij het pakhuis in de nacht van de brand.'

Philips ogen vernauwden zich tot spleetjes. Hij ging rechtop zitten.

'Dat herinner je je toch nog wel?' spoorde Josiah aan. 'Ik lag bewusteloos op de grond. Jij en Johnny gingen weg om te doen wat iedereen van tijd tot tijd moet doen. Het volgende moment trokken jullie aan mijn armen en was er overal om mij heen vuur. Buiten. Jij en Johnny maakten ruzie. Waar was dat om?'

'Wat heeft Johnny je verteld?' vroeg Philip. Er was wantrouwen te zien op zijn gezicht.

Josiah schudde zijn hoofd. 'Johnny Mott was een goede vriend, blijkbaar voor ons beiden. Loyaal tot het eind. Geen van ons verdiende de loyaliteit die hij ons betoonde.'

'Hoe weet je dan dat wij ruzie hadden? Je was buiten bewustzijn.'

'Iemand heeft jullie gezien,' zei Josiah.

Dat accepteerde Philip. 'We waren... we waren... Johnny wilde...'

'Voor het aangezicht van God en Zijn heilige engelen,' herinnerde Josiah hem.

Philip slikte moeilijk. 'Je verzint dit. Niemand heeft ons daar gezien.'

'Edward Usher wel.'

'Edward?'

'Hij en zijn zusjes speelden verstoppertje. Daarom waren de meisjes in het pakhuis. Ze verstopten zich. Hij zag jou en Johnny het raam uit klimmen en ruziemaken.'

Philip schudde zijn hoofd. 'Heeft hij dat al die tijd geweten? Hij heeft nooit iets gezegd. Judith heeft niets gezegd.'

'Edward was vijf. Hij was zo bang, hij realiseert zich niet wat hij gezien heeft. Maar hij heeft genoeg gezien om mij me te laten beseffen dat er die nacht meer gebeurd is.'

'Gewoon ruzie tussen vrienden. We hadden altijd wel ergens ruzie over. Je weet hoe het was. Zo waren we. Ik weet zeker dat jij je ook niet alles herinnert waar we ruzie over gehad hebben.'

Josiah stak zijn hand uit naar zijn dagboek en draaide zich om om te vertrekken.

Philip sprong uit zijn stoel. 'Wat? Dat is het? Je loopt weg omdat ik me een ruzie van acht jaar geleden niet kan herinneren?'

Josiah draaide zich opnieuw om. 'Waarom zouden mannen fakkels meenemen om een pakhuisbrand te blussen?'

'Wat? Waar heb je het over?'

'Edward Usher heeft mannen met fakkels gezien. Mannen met fakkels blussen geen pakhuisbranden. Die *stichten* ze!'

Het was Josiahs beste klap en hij trof zijn doel hard.

Philip wankelde achteruit en viel op de rand van zijn stoel. Toen gleed hij op de vloer. Hij keek verdoofd op toen Josiah zich zonder medelijden over hem heenboog.

'Johnny werd bang die nacht,' mompelde Philip. 'Ik herinnerde hem eraan hoe rijk we zouden worden. Ik zei tegen hem dat jij de gouden jongen van het stadje was. Ze zouden je vergeven. Bovendien, jij zou weggaan om voor dokter te studeren.'

'Al die jaren,' zei Josiah. Hij trilde en kon zich nauwelijks beheersen. 'Al die jaren heb je me laten denken dat ik die meisjes gedood heb.'

'We dachten dat er niemand binnen was!' riep Philip. 'Hoe hadden we het kunnen weten? Apothekersladingen. Dat was alles dat er was, dachten we. Al die dozen die we opgestapeld en verplaatst en ingepakt en uitgepakt hadden. Dozen, geen meisjes. En zeker geen...'

'Dominee Parkhurst.'

Philip begon te huilen.

'En die mannen? Bellamont. Zelfs toen al,' raadde Josiah.

'Het was onze kans om iets van onszelf te maken, Johnny en ik. Dus zou Hutton wat van zijn inventaris verliezen. Wat maakte ons dat uit? We wisten niet eens wie Peter Hutton was, alleen dat zijn naam op al die dozen stond.'

'Al die jaren...'

'Johnny wilde het je vertellen,' gaf Philip toe. 'Ik heb de vergissing gemaakt het aan Coytmore te vertellen. Ik dacht dat hij die informatie gewoon aan Bellamont zou doorspelen.'

'Coytmore – de kapitein die George Mason strafte tot hij dood was.'

'Het waren zijn mannen die Johnny gedood hebben.' Philip keek op naar Josiah. 'Je hebt gisteravond een paar van hen ontmoet.'

'Al die tijd,' herhaalde Josiah. 'Weet je wel hoe vaak ik 's nachts badend in het koude zweet wakker geworden ben en dat gegil hoorde? Dat ik dominee Parkhurst van pijn hoorde gillen en God smeken om hen drieën thuis te halen?'

'Denk je dat ik niet dezelfde dromen heb?' schreeuwde Philip.

Josiah kwam tot een paar centimeter voor Philips gezicht. 'Maar het verschil is dat jij dat verdient. Ik niet!'

52

De winter heeft wraakzuchtig toegeslagen. De eerste droge sneeuw van het jaar. Er liggen sneeuwduinen van vijfentwintig centimeter hoog aan de noordkant van het huis. Vanmorgen moest ik een pad graven om de voordeur uit te kunnen.

Met de storm kwam de griep. Ik werd vanmorgen wakker met keelpijn. Elke keer dat ik moet slikken doet het zeer. Mijn spieren doen zeer. Op dagen als vandaag is het moeilijk om ver bij het vuur vandaan te gaan. Maar mevrouw Hibbard voelt zich niet goed en als ik niet naar haar toe ga, voelt ze zich verwaarloosd.

Gisteren was het vier weken geleden dat de opwekking naar Havenhill kwam. Toen ik door de straten liep, moest ik denken aan Franklins opmerking over welk effect de opwekking op zijn Philadelphia had. Hij had opgemerkt dat de hele wereld opeens godsdienstig leek te zijn geworden, dat hij niet door de stad kon lopen zonder in verscheidene huizen psalmgezang te horen. Zo is het leven in Havenhill nu de opwekking gekomen is.

Sinds die eerste nacht in de kerk heeft de heiligheid zich sneller door de stad verspreid dan de pokkenepidemie. Overal waar ik ga zijn de mensen opgewekt en vriendelijk, graag bereid om elkaar te helpen, optimistisch, snel in het door de vingers zien van kleinigheden en nog sneller in het vergeven.

Deze laatste genadegave is voor mij een aanklacht. Wat dat betreft heeft de opwekking in mijn nadeel gewerkt. Ik heb Philip Clapp een marteling van acht jaar nog niet vergeven. Ik heb hem niet meer gesproken sinds de waarheid over de brand uitgekomen is. En elke keer als ik een schuldbelijdenis gevolgd door vergeving zie, weet ik wat ik zou moeten doen. Maar, moge God mij helpen, ik kan me er niet toe brengen hem te vergeven.

Philip heeft zijn zonde aan de kerk beleden. Natuurlijk waren ze

diep geschokt. Bezeerd. Boos. Er waren veel tranen. Philip heeft
zich onderworpen aan de kerkelijke tucht en verzocht dat een raad
van ouderlingen zal worden aangesteld die een geestelijk plan moet
opstellen en toezien op de uitvoering ervan, waardoor hij uiteinde-
lijk weer als broeder kan worden opgenomen. Als dominee ben ik
om raad gevraagd. Mijn eerste gedachte was: stuur hem in een bal-
lingschap van acht jaar, misschien dat hij dan een beetje de pijn kan
inschatten die hij mij aangedaan heeft. Wat is er gebeurd met de
goede oude tijd toen oog om oog de wet van het land was? Maar in
een zeldzaam verstandig moment heb ik mijn taak laten prevaleren
boven mijn wraakzucht en Philip wordt nu onderwezen door en
staat nu onder het toezicht van twee godvrezende mannen.
Het helen is al begonnen. Judith, God zegene haar, heeft weer het
voortouw genomen. Ze heeft Philip vergeven. Ook Eunice heeft dat
gedaan, maar niet zonder moeite. Het heeft Abigail meer tijd gekost.
Ze hield zeer veel van haar vader en mist hem nog steeds. Maar,
gisteren, op de rustdag, heeft ze Philip publiekelijk vergeven.
Ik heb op mijn tong gebeten. Ik heb ontdekt dat ik dat vaak doe –
eigenlijk elke keer als iemand Philip Clapp vergeeft. Als het om
Philip gaat is elke daad van vergeving verraad aan mij. Moge God
mij helpen, maar zo voel ik het. Ik kan niet de man vergeven, die
mij willens en wetens acht jaar lang heeft laten lijden in de stoof-
pot van zelfbeklag en schuldgevoel, terwijl hij door mijn pijn rijk
werd. En ik kan niet begrijpen hoe anderen zo snel de zonde van
zich af kunnen schudden van een man die willens en wetens een
andere man martelt en tegelijkertijd het masker draagt van vriend,
ouderling en publiek leider.
Misschien voel ik me over acht jaar anders. Mercy houdt vol dat mijn
weigering om te vergeven de marteling waar Philip mee begonnen is
alleen maar verlengt. Haar theorie is: omdat ik acht jaar lang met de
pijn geleefd heb, weet ik niet hoe ik zonder die pijn moet leven.
We praten niet vaak over dit onderwerp. Het eindigt altijd in geru-
zie, waarbij Mercy bezeerd raakt en een teleurgestelde blik in haar
ogen krijgt.

Begrijpt er dan niemand hoe ik me voel? Zien ze dan niet dat ik het recht heb om me te voelen als ik doe?

Mijn onwil om Philip te vergeven is het enige dat een verder verheugende betrekking bederft. Ik vind het moeilijk te bedenken dat ik Mercy al zo lang ken en nooit gezien heb hoe aantrekkelijk ze is. Zeker, haar huidskleur en idyllische ogen en de beweging van haar haar zijn schitterend. Maar dat is de vrouw binnen in haar ook — de manier waarop haar gelach en speelsheid opkomen uit haar hart.

Het is anders dan wat ik voor Abigail voelde. Beter, nu ik erover nadenk. Dieper. Bevredigender. Het soort liefde waar een huwelijk op gebouwd kan worden.

Ik heb hiervan nog niets tegen haar gezegd. Dat zou te snel zijn. Maar we hebben onze woensdagse kookavonden weer ingevoerd. Mercy en ik flirten en spelen en gooien eten naar elkaar en op de een of andere manier slagen we erin met een paar echt smakelijke creaties op de proppen te komen. Net als vroeger zit Grace in de hoek te breien. Zij is onze chaperonne. Alleen vervult ze die rol nu in de ware zin van het woord. Ze mag me nu weer.

Ondertussen hangt de schuld aan Lord Bellamont als een onweerswolk boven de stad. Ik weet zeker dat hem nu wel bericht gestuurd is over de opwekking. Hij zal natuurlijk de een of andere tegenstrategie bedenken. We moeten afwachten wat het zal zijn.

Als het lente wordt, verwacht Bellamont dat hij een slavenveiling in Havenhill kan houden. Ondertussen hebben we zelf ook een strategie uitgedacht. Eigenlijk was het het idee van Eunice Parkhurst. Ze kreeg het idee tijdens het lezen in het Evangelie van Lucas. Die vrouw heeft een sluwe kant met veel creativiteit. Gelukkig voor mij is het nu Lord Bellamont die er de gevolgen van zal ondervinden.

We zullen het eerste deel van haar plan tijdens de winter uitvoeren. Een team vrouwen komt elke dag in de kerk bij elkaar om brieven te schrijven. We versturen ze elke week in groepen op de vleugels van het gebed.

Of in opdracht van Lord Bellamont of op eigen initiatief van kapitein Coytmore zijn de krachten die tegen ons opgesteld worden nu meer zichtbaar aanwezig. Troepen straatboeven zijn begonnen door de straten te dolen. Meestal zijn ze er tevreden mee kleine streken uit te halen — mensen lastigvallen die op weg zijn naar de kerk, vernielingen aan winkels aanrichten en de diensten op de zondag verstoren met trommels en ander luid kabaal. Op de afgelopen zondag lieten ze wilde katten in de kerk los terwijl ik aan het preken was.

Hun daden versterken alleen maar onze vastbeslotenheid. Sinds de vroegste dagen van het christendom zijn de gelovigen het doelwit geweest van aanvallen van kwade machten van de vorst van deze wereld. We beschouwen het als een eer dat we geteld worden onder de trouwe gelovigen en we hebben onze inspanningen verdubbeld om deze lente een klap namens het christendom uit te delen.

Het is ironisch, maar dezelfde mannen die mij zo graag de stad uit wilden leiden, zijn verlost in diezelfde nacht dat de Geest op ons viel. Nu zijn ze mijn dagelijkse lijfwachten voor het geval Bellamonts mannen op een idee mochten komen.

53

De lucht was wolkeloos blauw. Een zacht zout briesje kwam aangewaaid vanaf de oceaan. De stralen van de zon verwarmden kleding en huid net genoeg om iemand de winter te laten vergeten, maar niet genoeg om hem bang te maken voor de komende hondsdagen van de zomer. Het was een volmaakte lentedag. Te mooi om kapotgemaakt te worden door in een veiling te leuren met menselijk vlees.

Het nieuws was echter rondgegaan en een aanzienlijk aantal kopers uit New England had de weg naar Havenhill gevonden. Het was een jaar en een maand sinds de dag dat Josiah dezelfde weg genomen had en vanuit Boston het stadje in gekomen was om de ambtsbediening in First Church op zich te nemen.

Josiah kon het niet helpen dat hij de mensen bestudeerde die helemaal hierheen gereisd waren om een ander mens te kopen. Sommigen hadden een grote afstand afgelegd; hij had al een man ontmoet uit Norridgewock, Maine. De kopers kwamen in allerlei soorten en maten. Ze zagen er beschaafd genoeg uit. Geen van hen had hoorntjes of een gespleten staart of liep voorover gebogen terwijl hij zwavel spoot als hij sprak. Ze zagen er niet kwaad uit, maar waren ze niet aangetast door het kwaad? Ze waren misleid. Josiah kon niet bevatten dat er mensen waren die geloofden dat er een mensenras was, door God geschapen, dat bestemd was om slaven te zijn van andere mensen.

Het in dienst hebben van bedienden was één ding. Sissy van Eunice Parkhurst bijvoorbeeld, kwam uit een arm gezin dat graag een paar jaar van hun leven gaf om zich in de koloniën te kunnen vestigen. Maar deze Afrikaanse slaven waren een heel andere zaak. Ze waren tegen hun wil gevangengenomen en op transport gesteld en ze waren bestemd om de rest van hun leven op hetzelfde niveau te leven en te werken als iemands paard, koe of varken.

Terwijl hij toekeek hoe de kopers door de straten van Havenhill liepen, kwam er een andere gedachte in hem op. Misschien wisten ze net als hij dat wat ze deden fout was. Maar deden ze het toch.

Josiah had het nog niet kunnen opbrengen om het verleden achter zich te laten en het met Philip Clapp weer goed te maken. En er moest een prijs betaald worden voor zijn koppigheid. Zoals hij Eunice verteld had, de nacht dat de Geest Havenhill bezocht, was het alsof hij met zijn neus tegen het raam gedrukt van buitenaf naar een feest keek. Hij had nog steeds dat gevoel. De hele winter had hij als een dode onder de levenden gewandeld. Tussen hen, maar nooit als een van hen.

Toch, ondanks de leegheid die hij van binnen voelde, was hij gelukkig om hen. Elke zondag als hij wakker werd was hij gretig om naar de kerk te gaan. De geest van die plek was met geen enkele andere plek waar hij geweest was te vergelijken. Elke zondag was een feestdag. Elk kerklid was familie. Elke week was er iets nieuws om je over te verheugen.

'Denk je dat we het voor elkaar kunnen krijgen?'

Josiah draaide zich om naar de stem. Het was Mercy, die haar portemonnee stevig tegen zich aangeklemd hield. Grace stond naast haar. Ze leken allebei zenuwachtig.

'Als God het wil,' reageerde Josiah.

Grace klopte Mercy op haar hand en glimlachte en Mercy ontspande zich een beetje.

De veiling ging beginnen. De slaven stonden in een rij opgesteld op een podium, aan elkaar vastgeketend. Mannen. Vrouwen. Jongens. Meisjes. Ze staarden met grote ogen naar de verzamelde menigte. De meesten bang. Sommigen kwaad. De hele morgen hadden ze ervan langs gekregen en waren ze geïnspecteerd door mogelijke kopers.

Mannen met zwepen patrouilleerden langs de rij, voor het geval een van de slaven op een idee mocht komen.

Josiah vroeg zich af of de mensen op het podium wisten wat een mooie dag het vandaag was.

Het podium waar de slaven op stonden was pas gebouwd als deel van Lord Bellamonts herbouwprogramma voor de haven. Het was een kleine toevoeging. Er waren niet zo veel slaven die er op moesten staan. Josiah had gehoord dat ze maar een klein deel vormden van een grotere lading die op weg was naar de plantages in Virginia. Blijkbaar wilde Lord Bellamont zich met zijn investering indekken. Eerst het water testen, zeg maar, om te kijken wat voor reactie hij kon verwachten van de slavenkopers in New England.

De veilingmeester stapte het podium op.

De kopers drongen dichter naar het podium in afwachting van de eerste geveilde slaaf. Josiah overzag de menigte. Zijn mensen leken allemaal op hun plek te staan. Hij ontdekte Abigail en Eunice. Ouderling Dunmore. Philip en Anne. Judith en Edward. Hem vielen ze op. Ze leken hier niet te horen. Hij vroeg zich af of dat voor iedereen zo was.

De eerste slaaf werd naar voren gehaald. Een jongeman die begin twintig leek. Zijn schouders hingen. Schrikachtige ogen schoten heen en weer bij elk geluid.

Josiah en Eunice keken elkaar aan. Ze waren overeengekomen dat zij de eerste zou zijn. Het was haar plan. Ze hadden vijf maanden lang voor dit moment gebeden. Ze hadden New England bedolven onder de brieven en waren bemoedigd door de reacties. Maar zou het genoeg zijn?

De veilingmeester liet het bieden beginnen.

Een man met een volle grijze baard ging voorop. Zijn bod werd snel verhoogd door een ander. En toen weer door een ander. De snelheid waarmee het bieden zich ontwikkelde was geen verrassing. De man om wie het ging was jong en sterk.

Josiah keek naar Eunice. Ze keek zenuwachtig terug. Hij gaf haar een geruststellend knikje. *Geduld,* zeiden zijn ogen.

Er werd nog steeds hoger geboden.

Na een tijdje begonnen de pauzes tussen het bieden langer te worden. Zo te zien waren er nog drie mannen overgebleven die het tegen elkaar opnamen. De veilingmeester wees er een aan. Hij schudde zijn hoofd. Hij hield ermee op.

Josiah knikte naar Eunice.

Het was tijd.

Met duidelijke stem verhoogde Eunice Parkhurst het bod.

Haar meedoen aan het bieden veroorzaakte een golf van verbazing onder de menigte en de veilingmeester trok zijn wenkbrauwen op. Een andere man stopte ermee. Nu kwam het nog op twee aan: Grijze Baard en Eunice.

Grijze Baard hield vol. Hij leek vastbesloten.

Eunice reageerde snel op ieder nieuw bod. Naast haar klemde Abigail zich stevig vast aan haar moeders arm.

Eindelijk gaf hij zich met een handgebaar over.

De hamer van de veilingmeester klonk.

Eunice Parkhurst had een slaaf gekocht.

Na een omhelzing door Abigail ging ze naar voren om haar aankoop op te eisen. Josiah liep dicht naar het podium zodat hij beschikbaar was als hij nodig mocht zijn.

Eunice trok haar portemonnee, haalde er een grote bundel bankbiljetten uit en telde zorgvuldig het precieze bedrag uit terwijl haar slaaf toekeek.

Naast hem stond een bonk van een man met een zweep. 'Hulp nodig om hem in te laden, mevrouw?'

Eunice richtte zich op. 'Ik ben uitstekend in staat met mijn eigen slaven om te gaan, dank u wel.'

De jonge Afrikaan werd losgemaakt.

Eunice liep met een ontwapenende glimlach op de slaaf toe en verzekerde hem dat alles goed zou komen. Ze deed dat tot de jongeman een glimlach waagde.

Toen nam ze hem bij de hand en leidde hem weg, terwijl ze hem kalmerend toesprak. 'Ik weet niet of je me kunt verstaan. Maar in de naam van Jezus Christus verlos ik je en laat ik je vrij.'

Ze leidde hem weg van het podium van de veiling.

Mercy was de volgende. Ze kocht een veertienjarig Afrikaans meisje.

Ouderling Dunmore kocht een man die eruitzag als midden dertig.

Mevrouw Hibbard kocht een moeder.

Grace kocht haar dochter.

Ze betaalden hun aankoop tegelijk en leidden ze samen weg. Toen ze dichterbij kwamen, kon Josiah mevrouw Hibbard de Afrikaanse vrouw horen vertellen dat haar reumatiek de laatste tijd erger was dan anders.

Josiah glimlachte. Tot zover werkte het plan van Eunice. Terwijl Abigail bood op de volgende slaaf, citeerde Josiah in zichzelf het Schriftgedeelte dat hun het plan had ingegeven:

De Geest des Heren is op Mij, daarom, dat Hij Mij gezalfd heeft, om aan armen het evangelie te brengen; en Hij heeft Mij gezonden om aan gevangenen loslating te verkondigen en aan blinden het gezicht, om verbrokenen heen te zenden in vrijheid.

De hele winter hadden ze brieven gestuurd naar gemeenten overal in New England. Ze hadden de situatie beschreven – de misleiding door Lord Bellamont, de recente opwekking, de komende veiling. Ze hadden het plan van Eunice beschreven: de slaven verlossen door ze te kopen en dan vrij te laten. Philip was met een christelijke koopman in Boston overeengekomen de slaven terug naar Afrika te varen.

De reactie was overweldigend geweest.

Het was Grace die het in perspectief had geplaatst. 'Dominee Whitefield heeft zijn wezen; Havenhill heeft zijn slaven.'

Weer klonk de hamer. Maar dit keer verloren ze er een. Grijze Baard was de hoogste bieder.

John Tibbs en dokter Wolcott waren in een felle discussie gewikkeld. Josiah maakte oogcontact met Wolcott en gebaarde: *Wat was er aan de hand?*

Wolcott rolde met zijn ogen en vormde woorden met zijn mond. Josiah begreep hem niet.

Teleurgesteld keek hij toe hoe Grijze Baard zijn slaaf betaalde en hem wegleidde. Ze hadden gehoopt alle slaven te krijgen. Toekijken hoe er een werd weggeleid voelde niet goed. Helemaal niet.

Even later reed Philip weg.

Josiah richtte zijn aandacht op de volgende. Het was de beurt van George Buckman om te bieden. Hij deed zijn best.

Kort gezegd, de gemeente van First Church, Havenhill, kocht de laatste twee slaven. Ze waren erin geslaagd ze op één na allemaal te krijgen.

De menigte ging uiteen, zich niet bewust van wat er net gebeurd was. Ze wisten niet meer dan dat ze niet hadden kunnen opbieden tegen mensen die meer geld hadden.

Geïnspireerd door de psalmist zei Josiah: 'Overvloed en rijkdom zijn in zijn huis, zijn gerechtigheid houdt voor immer stand.'

Juist op dat moment kwam Philip weer aanrijden met de slaaf van Grijze Baard. Hij zei niet hoe hij de slaaf gekregen had, alleen: 'Ik geloof dat dit de laatste is.'

Die avond waren de Afrikanen te gast in First Church. De kerkleden gaven ze te eten en voorzagen in hun behoeften. Dokter Wolcott ging tussen hen door en verzorgde blauwe plekken, wonden en ziekten waar dat nodig was. De Afrikanen kregen dekens en kussens. Ze sliepen op de vloer.

De volgende morgen gingen ze aan boord van de Hartwell voor hun terugreis naar Afrika. Er was geen keten te zien. De hele stad liep uit naar de haven om hen te zien vertrekken. Het was net een feestdag: er was geen school en de winkels waren dicht. Iedereen had het te druk met feestvieren om te werken.

De volgende week begonnen vrijwilligers brieven te schrijven aan de kerken die de uitvoering van het plan mogelijk gemaakt hadden en ze te bedanken voor de bevrijding van de gevangenen.

Spoedig hoorde heel New England hoe Havenhill de hele omgeving had gemobiliseerd om een groep slaven te redden. De gebeurtenis werd verslagen door bijna elke krant. Iedereen genoot van de vindingrijkheid van een klein groepje mensen uit New England die de handelsplannen van de bekende, rijke Lord Bellamont hadden weten te dwarsbomen.

Tegen de tijd dat het verhaal Engeland bereikte, lachten alle Amerikaanse koloniën ten koste van Bellamont.

Havenhill wachtte op de reactie van Lord Bellamont. De inwoners hoefden niet lang te wachten. Via zijn tussenpersoon in Boston bereikte Philip het nieuws dat Bellamont woest was. Wat daarna gebeurde was moeilijk te geloven voor wie Lord Bellamont niet kende.

Volgens het bericht was Bellamont naar de koning gegaan en had hij een verhaal opgehangen over een kolonie die in gebreke gebleven was bij het betalen van haar schulden en degenen bedreigde die de betalingen kwamen innen. Met toestemming van de koning was Bellamont scheep gegaan naar New England om zijn bezit op te eisen met zo veel geweld hij maar nodig oordeelde. Hij had een schip vol met zijn eigen mannen – meest straatboeven – en het bevelschrift van de koning dat hem het gezag gaf over een afdeling Britse soldaten. Bovendien had hij een arrestatiebevel voor Philip Clapp, die de leider van de opstand genoemd werd.

54

Terwijl de dames arriveerden, zat Eunice Parkhurst stoïcijns op de sofa in haar zitkamer. Ze begroette elke vrouw ernstig en bood hun een zitplaats aan in de stoelen die in een halve cirkel waren opgesteld. In overeenstemming met de stemming van hun gastvrouw spraken de vrouwen fluisterend terwijl ze aan elkaar vroegen wat de aard van de bijeenkomst was. Niemand leek het te weten en Eunice sprak slechts wanneer ze nieuw aangekomenen begroette.

Grace en Mercy kwamen als laatsten aan. Toen alle stoelen gevuld waren, waren er bij elkaar twaalf vrouwen. Een tijdje zaten ze met begrafenisgezichten naar elkaar te kijken. Het enige wat leek te ontbreken was een tafel midden in de kamer met een lijk. Abigail deed de dubbele deuren dicht en sloot hen in.

Met een sombere, dringende stem deelde Eunice Parkhurst mee: 'Dames, we moeten bidden.'

'Wat is er, Eunice?' vroeg Judith Usher. 'Wat is er gebeurd?'

'We moeten bidden zoals we nog nooit gebeden hebben,' reageerde Eunice. 'Vanavond heeft onze dominee onze hulp heel hard nodig. We moeten hem opdragen in onze gebeden.'

Mercy snakte naar adem, duidelijk onbewust van enig gevaar dat Josiah bedreigde.

Eunice weigerde een verdere verklaring te geven. 'Laten we beginnen, dames. De tijd dringt.'

Dominee Josiah Rush greep het mes. Het enige licht was achter hem, een enkele flakkerende vlam in het fornuis dat lange, springerige schaduwen wierp die zich uitstrekten tot in het donker.

Met een harde stoot viel Josiah aan op de wortel en hakte er een oranje stuk ter grootte van een damschijf af. Het rolde van het snijplankje op de vloer. Met een grom van afschuw schopte Josiah het in het vuur.

Weer een grom.

Hij greep de kachelpook en porde in de sintels onder de zwarte ijzeren ketel en wierp een paar stukken hout op het vuur. Een driepuntige vuurtong krulde zich rond de bolle zijkanten van de pot. In de ketel dreven oliekringen op een bruinachtige soep.

Josiah draaide zich weer om naar het snijplankje en richtte zijn aandacht weer op de wortel. Zijn mes ging op en neer in geoefende bewegingen. *Tsjak, tsjak, tsjak.* Hij pakte een nieuwe wortel. *Tsjak, tsjak, tsjak.* Hij liet het mes vallen, schoof de stukjes wortel bij elkaar en gooide ze in de ketel. Er klotste soep over de rand, het stroomde langs de bolvorm en siste toen het het vuur raakte.

Josiah viel vervolgens een ui aan. Hij sneed de beide uiteinden er af en pelde hem met het mes en zijn duim.

'Ik heb mijn hele leven zonder gedaan,' zei hij tegen het donker. 'En ik ben de enige niet. Honderden mensen hebben hun hele leven zonder gedaan. Miljoenen. Wat zegt het boek Hebreeën? *Zonder de beloften verkregen te hebben; slechts uit de verte hebben zij die gezien.* Nou, dat gaat over mij. Ik ben een van hen. Goed gezelschap, hè? Uit de verte. Dat is goed genoeg. Ik kan daarmee leven.'

Het lemmet van het mes sneed door het hart van de ui. *Tsjak!*

'Bovendien, waar klaag ik over? Ik heb toch gekregen waar ik om gebeden heb? En meer! En in één kort jaar.

Eén jaar geleden kwam ik hier met de wens dat de mensen me zouden vergeven en me een tweede kans zouden geven. Is gebeurd. Gebed beantwoord.

Eén jaar geleden kwam ik hier in de hoop liefde te vinden. Nou, het is een ander meisje dan ik dacht dat het zou zijn, maar wie wil daar over kibbelen? Ik heb toch gekregen wat ik wilde. Gebed beantwoord.

Eén jaar geleden bad ik dat de last van mijn schuldgevoel over de dood van dominee Parkhurst op een dag zou worden weggenomen. Dat is gebeurd en meer nog. Niet alleen is het schuldgevoel weggenomen, maar ik ben van alle blaam gezuiverd! Gebed beantwoord!'

Tsjak, tsjak! Hij sneed de twee helften van de ui doormidden.

Hij schoof de stukjes bij elkaar en draaide zich om naar de ketel.

Met een dierlijke schreeuw gooide hij de ui in de pot. Weer een schreeuw en het mes vloog door de ruimte. Nog een schreeuw en het snijplankje bonkte tegen de muur.

Josiah stond met samengeknepen vuisten, zijn borst ging op en neer. Eén kant van hem was bekleed met het licht van het vuur; de andere kant was bekleed met het donker.

'Waarom kan ik dit niet loslaten?' kookte hij.

De wind rammelde aan de luiken van de zitkamer. Een paar gebogen hoofden werden opgericht.

'Bidden, dames! Bidden!' riep Eunice.

De vrouwen zaten bij elkaar in groepjes van twee of drie. Sommigen lagen op hun knieën. Een zacht vrouwelijk gezoem vulde de kamer, zo nu en dan een duidelijk pleiten.

'Jezus, help hem...'

'... geef onze dominee een heldere geest, reinig zijn ziel...'

'... neem zijn pijn weg en geef hem vrede...'

'Hij heeft ons nooit losgelaten. Verre zij het van ons zijn dat wij hem loslaten.'

'... een goed man, met een goed hart...'

Buiten sloeg de wind door de takken van de bomen. Het klonk als of er botten tegen elkaar geslagen werden.

'Acht jaar lang heb ik U trouw gediend!' schreeuwde Josiah naar de dakspanten. 'Ik heb een medische carrière opgegeven voor het ambt. En al die tijd heb ik niet alleen rechtvaardig geleefd, maar heb ik ook een schuldenlast gedragen die de mijne niet was!'

Hij liep boos op en neer.

De dakspanten absorbeerden zijn woorden. Als hij niet schreeuwde was er geen ander geluid dan het borrelen van de soep in de ketel en zijn eigen zwoegend ademen.

'En hoe zit het met hen?' schreeuwde hij met een gebaar naar de stad. 'Ze hebben tegen mij samengezworen en gekonkeld. Ze hebben zich laten verleiden door het kwaad en waren bereid om een pact met de duivel te sluiten om mensen te verhandelen. En bijna een jaar lang heb ik de pijn geleden, de lichamelijke pijn van *hun* zonde! Toch zegent U hen met een overvloedige daad van de Geest en slaat U mij over! U zegent de zondaren en vervloekt de heilige. Wat voor boodschap denkt U dat de trouwe gelovigen zo krijgen?'

Hij ontdekte een stukje ui op de vloer en schopte het weg.

'Ik neem aan dat U Jesaja voor mij citeert: "Want mijn gedachten zijn niet uw gedachten en uw wegen zijn niet mijn wegen." Of misschien Habakuk: "De rechtvaardige zal door zijn geloof leven." Nou, dat is allemaal mooi en prachtig. Maar hebt U ook niet gezegd: "... en mijn volk waarover mijn naam is uitgeroepen, verootmoedigt zich en zij bidden en zoeken mijn aangezicht en bekeren zich van hun boze wegen, dan zal Ik uit de hemel horen, en hun zonden vergeven en hun land herstellen." Nou...'

Josiah bleef abrupt staan. Er kwamen verzoenende rimpels rond zijn ogen.

'Goed. Dat geef ik toe. Dat hebt U gedaan. U hebt de zonde van het stadje vergeven, U hebt onze...'

Josiahs ogen zochten leeg over de vloer. Zijn ledematen trilden.

'Waarom hebt U mij overgeslagen?' schreeuwde hij.

Eunice Parkhurst kwam overeind en maakte zich los van een groepje vrouwen om zich bij een trio smekelingen op de sofa te voegen. Ze ging naast Abigail zitten en legde een arm om de schouder van haar dochter.

Abigail bad: 'God, ik zie zo veel van mijn vader in hem.'

'Ja,' bad Eunice. 'O ja.'

'... geef hem de kracht om de man te zijn die hij moet zijn,' ging Abigail verder. 'En geef Mercy de wijsheid die ze nodig heeft om de hulp te zijn die bij hem past.'

Mercy deed haar ogen open.

De twee jonge vrouwen wisselden een blik uit, toen een glimlach.

'O, amen daarop,' bad Grace.

Plotseling golfde de vloer onder hun voeten alsof het een golvende oceaan was. De schilderijen aan de muur trilden. Lampen schommelden.

Er schoten hoofden omhoog.

Een aantal vrouwen hapte naar adem.

'Nee... nee... nee!' riep Eunice. 'Laat de duivel je niet afleiden! Bidden, dames. Bidden!'

Toen de ruimte de enorme omvang van Josiahs woede niet langer kon bevatten, vluchtte hij naar buiten. Hij stapte zonder jas de kille avondlucht in. Het deed zeer aan zijn blote armen en wangen.

De afgelopen week had de winter geprobeerd terrein terug te winnen. Omdat de dagen helder waren, maakte de temperatuur 's nachts een snoekduik naar ijzige diepten. De grond moest zich nog herstellen van de witte deken van de winter. Hij was hard en koud.

Boven zijn hoofd stond de macht van de sterren opgesteld. Het stuk bos bij het huis strekte zich uit van donker naar donkerder, terwijl verderop zwijgend de rivier voortgleed naar de zee.

Josiah vulde zijn longen met de lucht die aangevoerd werd door de strakke wind. Hij schudde een vuist naar de hemel en riep: 'Waarom? Kunt U me dat tenminste niet vertellen? Waarom?'

De aarde bewoog onder zijn voeten en hij viel pijnlijk op zijn knieën.

Toen dacht hij dat hij een stem hoorde. Het leek te komen van de boomtoppen in de verte. Maar hij kon alleen maar de kale takken zien die verwoed heen en weer zwiepten in de wind.

Hij legde een hand op de grond en probeerde overeind te komen.

De aarde bewoog opnieuw en hij werd op zijn rug geworpen.

Opnieuw hoorde hij iets wat klonk als een stem die van de boomtoppen kwam. Of was het links van hem? Of misschien rechts? Hij keek beide kanten uit. Niemand. De wind verwarde zijn haar en trok aan zijn kleren.

Toen hoorde hij het duidelijk.

Wapen jezelf nu als een man. Ik zal spreken en jij zult Mij antwoorden als je kunt.

Het kwam van alle kanten tegelijk. Of was het misschien in zijn hoofd? Maar het klonk echt. En dichtbij.

Zijn geheugen begon te werken. Hij herkende de woorden. De situatie was vergelijkbaar.

Uit het boek Job.

Bezeerd en alleen had Job God uitgedaagd.

Josiah kende het Bijbelgedeelte. Hij had het gelezen. Maar

hij had het nooit uit het hoofd geleerd. Hoe kon hij zich die woorden dan nu zo duidelijk herinneren? Het was alsof iets ze uit de spelonken van zijn geest gegraaid had en ze naar voren had gesleept.

Met gezag.

Elk woord echode na in zijn hoofd.

Josiah wachtte op meer. Was dit het? Hij luisterde en hoorde alleen de wind. Hij begon te rillen.

Eindelijk kwam Josiah met wankele benen en kreunend overeind. Hij leunde tegen de wind in. De wind zag dat als een uitdaging, blies harder en wierp hem een halve stap opzij.

Kun jij de wind gebieden? Kun jij die gevangen houden in de bergkloven en loslaten wanneer je wilt? Antwoord Mij als je kunt!

Josiah deed zijn mond open. Een windvlaag stal de adem uit zijn mond.

Zeg Mij, hebt jij ooit bevelen gegeven aan de morgen? Of de lengte van de nacht bepaald? Kun jij de heuvels bekleden met kleur? Of de lucht bedekken met wolken? Kun jij één enkele regendruppel scheppen? Antwoord Mij als je kunt!

Oeroude woorden sloegen hem om de oren. Josiah kon het niet verklaren. Hij kon het niet negeren.

Waarom dan denk je te kunnen wedijveren met de Almachtige? Waarom misprijs je de God die je gemaakt heeft? Wil jij Hem veroordelen, die de adem in je longen blaast, die dagelijks je hart laat slaan? Ben jij zo machtig dat je jezelf kunt tooien met sterren?

Zijn eigen lippen vormden de woorden. Toch was het niet zijn stem. O nee, de stem was niet van hem. Evenmin als het zware gewicht dat hij voelde van een Aanwezigheid zo groot, zo heilig, zo machtig, dat menselijke kracht daarbij vergeleken niets was.

Josiah viel op zijn knieën, zijn gezicht op de grond.

Toen Eunice opstond van de sofa om zich bij een ander groepje biddende vrouwen te voegen, werd opeens haar hart samen-geknepen. Het was alsof een onzichtbare hand in haar borst gegrepen had om te voorkomen dat het sloeg.

Met een ingehouden roep zakte ze in elkaar.

'Moeder!'

Abigail viel neer op haar knieën en nam de hand van haar moeder. Eunice deed haar ogen open en zag een arena vol angstige en bezorgde gezichten die op haar neerkeken.

Ze probeerde te praten, maar ze kon niet meer uitbrengen dan wat gepiep.

'Probeer alstublieft niet te praten, moeder,' pleitte Abigail. 'We zullen dokter Wolcott laten komen.'

Eunice wendde al haar kracht aan, alleen om een beetje lucht tussen haar lippen door te persen en slaagde erin te fluisteren: 'Nee, bidden, bidden!'

'Maar, moeder...'

'Bidden!' Eunice kneep in de hand van haar dochter.

Met tranen knikte Abigail. 'Dames, gaat u door met bidden. Ik blijf bij moeder.'

Langzaam, met tegenzin, gingen de vrouwen terug naar waar ze aan het bidden waren.

Eunice keek op naar haar dochter en slaagde erin te zeggen: 'Bid met me.'

Abigail klemde haar moeders hand tegen haar borst. 'Natuurlijk, moeder.' Toen ze haar ogen sloot, drupten er twee tranen uit. 'Genadige God, zorgt u voor mijn moeder...'

'Nee,' piepte Eunice. 'Josiah. Bid voor Josiah.'

Golven van wind die sterker waren dan Josiah ooit in een rivier gevoeld had, spoelden over hem heen. Ze schuurden langs hem zoals water over steen schuurt en verwijderden de ruwe kantjes van Josiahs woede.

Hij had de sukkel uitgehangen. Hij had zich gedragen als

een arrogante schooljongen, die onzin uitkraamde tegen de schoolmeester en zichzelf verstandig had gevonden. Hij schaamde zich.

De aarde verkilde hem. De kou sijpelde door tot op zijn botten. Hij was plat op de grond geslagen en kon niet overeind komen. De wind stond hem dat niet toe.

Hij lag daar, zijn wang tegen de vochtige grond, met een zwoegende ademhaling. Zijn hele lichaam trilde. Zijn lippen mompelden afwisselend belijdenissen van zijn onwaardigheid en lofprijzingen.

En toen, plotseling, was de wind weg en bleef Josiah hijgend achter op de grond.

Hij knipperde met zijn ogen. Alles was stil.

Vanuit zijn liggende positie zag hij zijn huis gekanteld. De deur stond open en binnen flikkerde het licht van het vuur.

Hij nam zijn toestand op. Zijn ledematen leken allemaal nog intact. Hij had het koud, maar voelde geen pijn. Hij hief zijn hoofd op. Er bleven vuil en steentjes aan zijn wang kleven.

Kreunend plaatste hij één handpalm op de grond, toen de andere. Hij duwde zich op tot een zittende houding en keek om zich heen. Het laatste beetje wind speelde met de boomtoppen.

Zijn maag rommelde. Binnen in zijn huis wachtten soep en een vuur op hem.

Josiah kwam overeind en klopte het vuil van zich af.

Was wat er net gebeurd was wat hij dacht dat het was? Het leek een belachelijk understatement om te zeggen dat hij zoiets nog nooit had meegemaakt. Was dit hoe de mensen in de kerk zich gevoeld hadden in de nacht van de opwekking? Op de een of andere manier was het anders dan hij gedacht had dat het zou zijn. Hij voelde zich eerder gekastijd dan opgewekt.

Maar hij zou niet klagen! Nee, hij zou beslist niet klagen.

Met stijve gewrichten waggelde Josiah naar het huis. Hij

voelde zich beter. De akelige last van de woede die hij de hele winter gedragen had was weg. Hij voelde zich weer zichzelf.

Natuurlijk moest hij morgenochtend Philip opzoeken. Zijn verontschuldigingen aanbieden. Ergens had hij altijd geweten dat hij dat op een dag zou moeten doen. Zelfs nu voelde hij zich onbehaaglijk bij de gedachte dat hij Philip om vergeving moest vragen. Maar hij zou het doen.

'Ik heb mijn lesje geleerd,' zei Josiah tegen de sterren.

De onzichtbare hand verstevigde zijn grip op het hart van Eunice. Ze slaakte een kreet.

'Moeder!' jammerde Abigail.

De biddende dames keken bezorgd naar haar, maar hun monden bleven doorgaan met bidden voor het geval ze hen weer zou bestraffen.

Behalve Judith Usher. Zij rende naar Eunice toe en greep haar vrije hand. 'Het kan me niet schelen wat je ervan zegt, Eunice. Ik ga dokter Wolcott halen.'

Eunice probeerde iets te zeggen. Ze kon het niet.

Judith liet de hand los, maar de hand liet haar niet los. Eunice Parkhurst kon misschien niet praten, maar haar kracht was als die van een boerenknecht. Ze hield Abigail met één hand op haar plaats en Judith met de andere. Ze keek hen smekend aan.

'Moeder, u doet me zeer,' fluisterde Abigail.

'Bidden, Abigail,' drong Judith aan. 'Ze wil dat we bidden.'

Josiah Rush was een paar stappen verwijderd van de voordeur toen de Geest van God op hem viel. Zijn knieën knikten. Hij viel achterover en spartelde hulpeloos op de grond. Hij keek op naar de avondlucht.

Het was een verpletterend gewicht. Hij kon geen adem halen.

Net als Gideon had hij het gevoel dat hij zou sterven.

Net als bij Daniël was zijn angst ondraaglijk.

Net als Maria werd hij gegrepen door angst.

Net als Jesaja voelde hij zich overweldigd en onwaardig.

Heiligheid bedekte hem. De stank van zijn eigen zonden was verstikkend.

Een Aanwezigheid omgaf hem. Doordrong hem. Verbond hem met de eeuwigheid.

Josiah zag zichzelf zoals hij was. Een stofje in een oneindig universum. Onbelangrijk. Klein. Laag. Onbeduidend. Volledig afhankelijk. Als God maar een ogenblik zou ophouden aan hem te denken, zou Josiah ophouden te bestaan. Zijn atomen zouden uit elkaar vallen en zich verspreiden.

Hij huilde bitter. Hij had het gevoel dat zijn hart zou barsten van het verdriet over zijn zonden. 'God, ga weg van mij, want ik ben het niet waard!'

Maar om te voorkomen dat hij zou bezwijken, verscheen toen de schoonheid.

De glorie van God.

Zo simpel als een bloem die opengaat bij het ochtendgloren.

Zo groot als het uitspansel van de sterren.

Machtig.

Het werd zo duizelingwekkend, zo bekoorlijk, zo intens dat het zeer deed.

Josiah hief zijn hand op om zijn ogen af te schermen.

De schoonheid van Gods glorie vervulde hem en hij hapte naar adem. Het leek ongepast. Zijn borst was geen geschikt vat voor zo'n wonder. Onmetelijke elegantie hoorde niet in een aarden vat. En toch kwam het. Josiah kon zulke rijkdommen niet bevatten en zijn mond stroomde ervan over. Die werd een fontein van lof.

Hij strekte in aanbidding zijn armen wijd uit. Zijn geest zwom in glorie. Hij lachte, ongehinderd.

Sta op, Josiah. Kom voor Mijn aangezicht.

Een tederder stem had Josiah nog nooit gehoord.

Alles in hem vertelde hem dat hij geen recht had om voor zo'n macht, voor zo'n schoonheid te staan.

De toon van de stem overwon zijn tegenzin.

Hoe hij het deed, wist hij niet, maar op de een of andere manier lukte het Josiah overeind te komen.

De wind kwam terug. Sterker dan ooit. Maar Josiah leek er zonder moeite in te kunnen blijven staan. De bomen zwaaiden hun handen naar de majesteit van dit alles.

'H... Here, ik... ik,' stamelde Josiah.

Wees genezen.

Een windvlaag sloeg over hem heen. En hij was vrij. Vrij van twijfel. Vrij van schuld. Vrij van zonde... o, dat was het beste gevoel van allemaal! Want hij wist dat hij God niet langer verdriet deed.

Josiah lachte glorieus en toen...

Wees vervuld.

Een scherpe teug lucht bracht Josiah aan het wankelen.

En toen kwam God bij hem binnen.

Josiah had zich nooit zo levend gevoeld. Hij zag duidelijker. Hij voelde dieper. Hij had meer moed, meer kracht, meer vastberadenheid en minder angst dan menselijkerwijs mogelijk was.

Hij keek om zich heen. Het was alsof de muren die de geschapen wereld scheidden van het geestelijke rijk dunner geworden waren en hij aan de rand van het Paradijs stond en naar binnen keek. Geen woorden konden het landschap beschrijven dat zich voor hem uitstrekte.

Hij wist dat hij hier niet hoorde. Nog niet. Het was zijn tijd nog niet. Maar nu was hij er tevreden mee naar binnen te kijken.

Het volgende ogenblik stond hij een paar passen verwijderd van de open deur van zijn huis. Het was avond. De sterren waren precies zo gerangschikt als ze zouden moeten zijn.

Josiah wist wat hij moest doen. En hij was niet bang.

'Moeder, kom terug! Laat me niet alleen!'

De armen van Eunice waren slap. Alles was donker.

'Eunice? Eunice?'

Judith. Eunice herkende de stem van Judith. *Lieve Judith*. Haar vriendin klonk angstig. Dat was niet nodig.

Eunice had nog niet genoeg kracht om haar ogen te openen. Maar ze slaagde erin te glimlachen en een paar woorden te uiten. 'Zeg tegen de dames dat ze naar huis kunnen gaan. De strijd is gewonnen.'

55

Vanmorgen keerden Philip en ik terug van onze reis om te horen dat Lord Bellamont in Boston geland is en, na een ontmoeting met de gouverneur, een afdeling soldaten toegewezen gekregen heeft. We verwachten zijn aankomst in Havenhill binnen veertien dagen.

We zullen dat bericht uit laten gaan naar de omliggende steden en dorpen om ze op de hoogte te stellen van zijn ophanden zijnde aankomst.

Geïnspireerd door de door Eunice Parkhurst georganiseerde gebeds-inspanning voor mij en omdat ik de effecten daarvan zo direct gevoeld heb, hebben we besloten dezelfde strategie te gebruiken tegen Bellamont, alleen op grotere schaal. Omdat we concludeerden dat het gebed ons grootste wapen is, zijn Philip en ik Connecticut Valley in gereden en langs de postwegen rondgereden om dominees en kerken op te roepen voor ons te bidden. Het heeft ons ook de gelegenheid gegeven te vertellen van de opmerkelijke gebeurtenissen van de opwekking waarmee God ons bezocht heeft.

Ik kon Paulus en Barnabas niet uit mijn gedachten zetten toen we van kerk tot kerk reisden. Hebben zij zo het zaad niet gezaaid dat het machtige Romeinse Rijk veroverde? Zou het kunnen dat vergelijkbare acties van onze kant ook door God gezegend worden op een manier die wij nu nog niet kunnen voorzien?

We zijn bemoedigd door de reacties van de kerken. Het verbaast me hoe zo'n ongeregeld groepje koloniën nu voor de eerste keer in onze geschiedenis verenigd is en dat door een geestelijke beweging.

Nu we weten wanneer Lord Bellamont komt, zullen we de kerken waarschuwen, zodat ze precies op het moment dat hij hier is kunnen bidden.

Misschien zijn we sukkels, maar we zijn niet bang. Verenigd in gebed als we zijn met onze broeders in heel New England, hebben we het gevoel dat wij het zijn die in het voordeel zijn.

Alles wat ons nog rest is afwachten hoe de gebeurtenissen zich zullen ontvouwen.

Moge God met ons zijn.

De aanblik van al die rode jassen op de brink was indrukwekkend. De militaire afdeling was Havenhill binnengekomen op het geluid van trommels en stond nu in de houding, de musketten op de schouders, de bajonetten erop.

Achter hen was Lord Bellamont de stad binnen gereden aan het hoofd van een troep goddeloze mannen, ten minste honderd in getal. Aangetrokken door de commotie van hun aankomst, kwamen er nog honderd mannen die door hem betaald werden uit de haven.

Josiah keek toe vanaf de bovenste trede van het trapje voor de kerk.

Hij stond daar alleen.

Bellamont liep op hem toe. Vanaf een geweldig strijdros vroeg hij: 'Bent u de predikant hier?'

De vraag was verstoken van enig respect voor het kerkelijk ambt. Hij had op eenzelfde toon kunnen vragen: 'Bent u de dronkenman hier?'

'Ik ben de predikant van First Church,' zei Josiah ferm.

'Mooi. Dan kent u dus de verblijfplaats van ene Philip Clapp.'

'Zeker.'

Bellamont was ouder dan Josiah gedacht had. Het gezicht van de man was ongelofelijk gerimpeld. Hij had slangenogen. De opschik van zijn kleren verried een enorme rijkdom. Onder een zwarte hoed, afgezet met goud, viel een donkergrijze pruik over zijn schouder.

Het trof Josiah dat zijn reputatie groter was dan de man zelf. Het zou overigens een vergissing zijn hem te onderschatten.

'Nou? Spreek op! Waar is die schelm?' eiste Bellamont.

Blijkbaar was de man niet gewend te wachten.

'Hij is hier,' zei Josiah kalm.

De kerkdeur ging open. Philip stapte naar buiten en ging naast Josiah staan.

Bellamont leek verbaasd. 'Philip! Ik zou gedacht hebben dat je ervandoor was en je in de bossen verstopt had, dat je mogelijk dierenhuiden zou dragen en bessen en noten zou eten met de inboorlingen. Ergens ben ik teleurgesteld. Ik keek ernaar uit naar je op jacht te gaan.'

'Ik hoef nergens voor op de loop te gaan,' reageerde Philip, 'nu ik niet langer in uw macht ben.'

Voor Bellamont kon antwoorden, stapte Anne de deur uit.

Bellamont trok zijn wenkbrauwen op bij het zien van zijn nicht. 'Mijn taak wordt gemakkelijker en gemakkelijker. Is dat je strategie, Philip? Alles met verachtelijk berouw opgeven en je aan mijn voeten werpen? Ik vrees dat het daar te laat voor is. Je hebt de goede naam van mijn nicht bezoedeld en me gedwongen helemaal hierheen te reizen. Het zou nalatig zijn als ik je het nu niet betaald zette.'

Anne stak haar kin op. 'U vergist u, oom. Philip is een heer.'

Bellamont sneerde: 'Een heer? Meneer Clapp mist een goede afkomst. Anne, jij hoort bij mij.' Hij wenkte haar dat ze naar hem moest komen.

Anne schoof dichter naar Philip toe. Ze greep zijn hand.

Met een misnoegde zucht gebaarde Bellamont naar een man die dicht bij hem stond. Hij begon direct het trapje te beklimmen om Anne te halen.

'Wacht!' Josiah versperde hem de weg.

De man trok een sabel. Hij zwaaide die dreigend voor Josiah heen en weer.

Het werkte. Josiah voelde zich bedreigd. Maar hij stapte niet opzij. Hij sprak rechtstreeks tot Lord Bellamont. 'Laten we er eerst eens over praten. Zo te zien is er een misverstand. De stad geeft toe dat we bij u in de schuld staan. Maar, we vechten uw bewering dat wij in gebreke gebleven zijn om te betalen aan.'

'Jullie zijn in gebreke gebleven omdat ik zeg dat jullie in gebreke gebleven zijn. Er is geen misverstand. En tenzij u zo slechtziend bent dat u uw eigen brink nog niet kunt zien, zeg ik u dit voor eens en voor altijd: ik ben bereid het mijne met geweld te nemen.' Bellamont stak zijn hand in zijn vest en haalde er een stuk papier uit. 'Op gezag van koning George van Engeland verklaar ik hierbij deze stad tot mijn persoonlijk eigendom en ik zal die zo nodig met geweld bezetten en regeren.'

Josiah staarde naar het stuk papier. Hij had nooit eerder een document gezien dat door de koning van Engeland ondertekend was.

Philip stapte naar voren. 'Lord Bellamont, neemt u mij. Ik bied mijzelf aan in ruil voor clementie voor dit stadje. Herstelt u de oorspronkelijke regeling met hen en ik zal in vrede met u meegaan.'

Bellamont lachte. 'Ja, zeker, jij gaat met mij mee. Maar van clementie is geen sprake.'

Josiah trok Philip terug. 'Dat is niet wat ons plan was,' siste hij. 'Bellamont! U komt in de naam van de koning van Engeland. Wij staan hier in de naam van de Koning der koningen, Jezus Christus. In Zijn naam doe ik een beroep op u. Wees redelijk. Laten we als christenen samen onderhandelen.'

Bellamont was onvermurwbaar. 'De enige manier waarop u me ervan kunt overtuigen dat Jezus een tweede kans voor dit stadje wil of, als het erop aankomt, voor dit hele verdorven land is als u een legioen engelen tevoorschijn kunt halen om te ondersteunen wat u zegt. Doe dat en ik zal buigen voor de hogere macht.'

Josiah deed de deur van de kerk open. Naar buiten stapten Eunice Parkhurst, Abigail, Mercy, Grace, Judith Usher en verscheidene andere dames.

'Dit is je legioen engelen?' spotte Bellamont.

'Ik zou daar niet mee spotten, meneer,' zei Josiah. 'U wilt het niet opnemen tegen een groep biddende vrouwen. Geloof me.'

'Je verdoet je tijd,' spotte Bellamont.

'Ik wil u alleen maar de gezichten laten zien van de mensen die u tot uw schuldslaven gemaakt hebt,' reageerde Josiah. 'Ik wil dat u eens goed kijkt naar de mensen die u zo bang gemaakt hebben dat u vindt dat u hier moet komen met troepen en gewapend geboefte. Kijk naar ze! Ze zijn geen bedreiging voor u. Ze willen alleen maar in vrede in dit land wonen, hun kinderen godvrezend opvoeden en in welvaart leven. Uw hardhandige tactieken zijn hier niet op hun plaats. In de naam van God: stuur uw mannen weg. Laten we dit als Engelsen oplossen. Als christenen.'

Het was vanaf het begin een simpel plan geweest. Georganiseerd bidden dat in elk geval een van Josiahs woorden het hart van Lord Bellamont zou raken en hem zou doen inzien dat zijn reactie buitensporig was – dat wat hij aan het doen was een grote onrechtvaardigheid was.

Bellamont bestudeerde zijn opponent.

Hoe langer de man hem aanstaarde, hoe meer Josiah durfde hopen dat hij in staat geweest was een beetje vooruitgang te boeken.

'God, open zijn ogen,' bad Josiah zacht.

Lord Bellamont keek neer op een van de luitenants die naast zijn paard stond. 'Vind jij dat ik er zo stom uitzie?' vroeg hij aan de man.

Bellamonts luitenant wist dat hij beter niet kon antwoorden.

Bellamont richtte zich op in zijn zadel en schreeuwde: 'Dit is alles wat jullie hebben? Een bleekneus van een dominee die een beroep doet op mijn christelijkheid?'

Zijn boeven lachten en hielden hun wapens klaar.

'U kunt maar beter beginnen met bidden, dominee,' zei

Bellamont, 'want u zult zo direct een indruk van mijn soort godsdienst krijgen.'

Als honden aan een lijn wachtten zijn boeven op het commando dat hen zou loslaten.

Een stem onderbrak hen. 'Havenhill staat niet alleen!'

De stem klonk over de brink uit de richting van de postweg. Alle hoofden draaiden zich om. Ze zagen een gewapende burgerwacht de stad binnen marcheren.

'In de naam van God, Middleton staat aan Havenhills kant!'

'Havenhill staat niet alleen!' riep een andere stem van een andere kant.

Over High Street kwam nog een gewapende burgerwacht.

'In de naam van God, Norwich staat aan Havenhills kant!'

Achter hen nog een burgerwacht.

'En Kingston!'

Van de postweg, achter Middleton: 'En Windsor!'

Komend over Summit Street: 'En Brookfield!'

'Worcester komt in de naam van God!'

'Evenals Hatfield!'

'En Deerfield!'

Uit alle richtingen kwamen mannen. Sommigen waren gewapend met geweren. Anderen met hooivorken en bijlen.

'En Dedham!'

'En Pawtucket!'

De aantallen mannen groeiden aan alle kanten gestaag en elke burgerwacht kondigde zijn aankomst aan.

Saybrook. Huntington. Setauket. Reading. Londonderry. Exeter. Piscataqua. Yarmouth. Little Compton. Stonington. Bridgeport. Northfield.

Tweeduizend waren er gekomen om George Whitefield te horen preken. Nu waren er minstens twee keer zo veel.

Josiah wendde zich tot Philip. 'Niet helemaal een legioen engelen, maar zo gaat het ook wel.'

Lord Bellamont en zijn mannen waren omsingeld. In de

minderheid. Zijn boeven werden zenuwachtig. Een paar van hen gingen op de loop. De burgerwachten lieten hen gaan.

Toen het weglopen eenmaal begonnen was, was er geen houden meer aan. Van Bellamonts huurleger was snel niets meer over.

De burgerwachten drongen op naar de soldaten.

Hun aanvoerder zag er zenuwachtig uit.

'Luitenant!' schreeuwde Bellamont. 'Doe je plicht! Neem deze stad in.'

Het moest gezegd worden, de soldaten verlieten hun post niet. Stuk voor stuk hadden ze ogen als schoteltjes, maar ze wachtten de bevelen van hun luitenant af.

'Nou?' schreeuwde Bellamont. 'Ik denk dat er maar een enkel salvo nodig is. Geef ze wat lood en ze hollen terug naar de krotten waar ze uit gekropen zijn!'

De luitenant rechtte zijn schouders. Hij keek even naar Bellamont en blafte zijn bevelen.

De colonne soldaten draaide zich om en marcheerde de brink af.

Bellamont bleef alleen achter.

Omsingeld door duizenden juichende kolonisten.

'Ik heb u gewaarschuwd het niet op te nemen tegen een groep biddende vrouwen,' zei Josiah tegen hem.

Bellamont gaf zijn paard de sporen om te proberen door de menigte heen te dringen. Eén man pakte de teugels. Lord Bellamont ging nergens meer heen.

De aanvoerder van Middleton stapte naar voren. 'Wat zullen we met hem doen?' vroeg hij aan Josiah.

Philip antwoordde. 'Ik zal voor hem zorgen.'

Bellamonts ogen werden groot van angst.

'Ik kan ervoor zorgen dat hij discreet terug naar Engeland verscheept wordt,' zei Philip.

'Zo gemakkelijk kom je niet van mij af, Clapp!' grijnsde Bellamont. 'Ik zal met een nog grotere macht terugkomen.'

'Dan moet het wel het hele Engelse leger zijn,' waarschuwde de man uit Middleton. 'Valt u een van ons aan, dan valt u ons allemaal aan.'

Bellamont werd onder gejuich van alle tweeduizend leden van de burgerwachten door Philip weggeleid.

Josiah liep op de aanvoerder van Middleton toe en vernam dat hij Spener heette en schoolmeester was van beroep.

'We hebben gebeden, zoals u ons verzocht hebt,' zei Spener. 'En iets zei ons dat dit het soort gebed was dat we ook handen en voeten moesten geven. Dus stuurden we een koerier rond...' Hij gebaarde naar de mannen die de brink vulden.

Josiah bedankte ze allemaal.

Ze juichten.

Toen knielden ze allemaal neer.

Josiah ging hun voor in gebed. Hij bad dat door hun voorbeeld God de koloniën zou verenigen en zegenen.

56

Philip en Anne zijn vanmorgen naar Boston vertrokken om Lord Bellamont te begeleiden naar een schip dat Engeland als reisdoel heeft. Anne heeft nog steeds hoop dat ze haar oom tot rede kan brengen. De vrouwengebedsgroep hier in Havenhill ziet hem als een speciale uitdaging.

Bellamont heeft geen kans.

Voor de burgerwachten naar huis teruggegaan zijn, hebben Philip en ik een ontmoeting gehad met vertegenwoordigers van alle koloniën. We zijn niet de enige plaats die bijna te gronde gericht is door de gewetenloze praktijken en hebzucht van een Engelse koopman of een consortium van kooplieden.

Er is besloten dat Philip en ik zo spoedig mogelijk zullen overvaren naar Engeland om namens alle koloniën een petitie aan te bieden aan de koning om onze grieven uiteen te zetten.

De stemming in de stad is bemoedigend. Het zal langer duren om de haven te herbouwen, maar we hebben goede hoop dat we een concurrerende handel kunnen vestigen, waarschijnlijk in hout.

Het praten over herbouw beperkt zich niet tot economische zaken. Sommige van onze leden maken plannen om naar het westen te trekken om daar het evangelie te brengen. Hier thuis zullen we met nieuwe krachten onze jeugd onderwijzen. Een van de bijproducten van de opwekking is een hernieuwde waardering voor de visie van onze voorvaders toen ze afscheid namen van Engeland om koloniën te stichten die gefundeerd waren op de Bijbel. Ons gebed is dat we in onze generatie net zo trouw zullen zijn als zij in die van hen en dat we deze waarheden mogen doorgeven aan de volgende generatie.

Terwijl ik dit schrijf – het is woensdag – verwacht ik elk moment Mercy en Grace. Vanavond gaan we een waagstuk beginnen –

Batalliapastei. Ik zal zorgen voor de kip en de duiven. Zij zullen
het konijn en de oesters meebrengen.
Het gaat vast interessant worden.
Ik dank God voor deze twee vrouwen die tijdens mijn eerste dagen
in Havenhill vriendschap met mij sloten, en vooral voor Mercy, die
ik lief gekregen heb en met wie ik hoop te trouwen.
Meer dan een jaar geleden kwam ik terug naar Havenhill op zoek
naar genade.
En met Gods hulp heb ik haar gevonden.

Aantekeningen van de schrijvers

Het stadje Havenhill en de belangrijkste personages in dit verhaal zijn fictief, al zijn ze bedacht na uitgebreid onderzoek naar vergelijkbare steden en dorpen en mensen in het gebied van koloniaal New England. Al zijn de personages – Josiah Rush, Philip Clapp, Johnny Mott, Abigail en Eunice Parkhurst, Mercy Litchfield en Grace Smythe en Judith Usher – niet echt, we hopen dat ze de levens van hen, die met een hart gewijd aan God Amerika gevormd hebben uit een wildernis, juist weergeven.

De verslagen van de opwekking zoals opgetekend in de brieven van Esther Garrick uit Hadley, Massachusetts zijn gebaseerd op echte gebeurtenissen. Veel van de verslagen zijn nóg opwindender dan het fictieve verhaal dat we geschreven hebben.

Er treedt een aantal historische personen op in dit verhaal, onder wie Jonathan Edward, predikant van de congregationalisten in Northampton en zijn Sarah, George Whitefield, rondreizend evangelist en Benjamin Franklin, uitvinder en een van de toekomstige *Founding Fathers* van Amerika. Hun levensverhalen zijn het allemaal waard om steeds opnieuw verteld te worden. Voor wie serieus het christendom in Amerika wil bestuderen, is een studie naar Edwards en Whitefield essentieel om de krachten te begrijpen die het land gevormd hebben, kort voor de Onafhankelijkheidsoorlog.

De verslagen van George Whitefields opwekkingsprediking in Philadelphia en Boston zijn gebaseerd op echte gebeurtenissen. En het verhaal van zijn bezoek aan het huis van Jonathan en Sarah Edwards, waaronder zijn opmerkingen over Edwards' godvrezende vrouw zijn genomen uit Whitefields dagboek.

Jonathan Edwards' *Getrouw verslag van het verrassende werk van God* en zijn preek 'Zondaren in de hand van een boze God' zijn historische documenten die nog steeds gemakkelijk beschikbaar en het lezen waard zijn. De betrokkenheid van de bekende lieddichter Isaac Watts bij het publiceren van het boek is een bekend gegeven.

Ten slotte: al is de opwekking in Havenhill fictie we kunnen niet genoeg benadrukken dat de beschreven gebeurtenissen in dit verslag niet te vergelijken zijn met de werkelijkheid van wat God kort voor de Onafhankelijkheidsoorlog deed onder de kolonisten. Deze beweging van de Geest van God, op een zeer reële manier, verenigde de onsamenhangende koloniën en was een van de hoekstenen waarop Amerika gebouwd is.

Voor meer informatie over de Grote Opwekkingen en deze serie kunt u op internet kijken: www.thegreatawakenings.org.

Dankbetuigingen

Onze hartelijke dank gaat uit naar:

Helmut Teichert, omdat hij onze wederzijdse passie voor een nationale opwekking en ons geloof in de kracht van fictie herkende. Als Helmut er niet geweest was, zou dit boek niet geschreven zijn, want hij is degene die ons bij elkaar bracht.

Freelance redacteur Ramona Cramer Tucker, redacteur Philis Boultinghouse en het verdere personeel van Howard Publishing voor hun voortdurende aansporingen en geduld tijdens dit project dat een lange en voor ons persoonlijk zware reis bleek te zijn.

En Steve Laube, onze trouwe vriend en agent.